ちくま学芸文庫

古代技術

ヘルマン・ディールス
平田 寛 訳

筑摩書房

ANTIKE TECHNIK

by

Hermann Diels

目次

古代技術

改訳新版にさいして

私が最初に本書 Hermann Diels: *Antike Technik* (Sieben Vorträge), 3. Aufl., Teubner, 1924 の翻訳にとりかかったのは、今から二八年前の一九四二年(昭和一七年)で、出版されたのは翌年の一一月(創元社)であった(戦後まもなく一度だけ、おなじ出版社で、もとの紙型のまま出版した)。私にとっては、ハイベルクの『古代科学』(昭和一五年刊)につぐ二度目の訳書で、ふりかえってみれば、いろいろな思い出がわいてくる。三〇歳を出たばかりの私にとっては、この訳業はたいへんな、というよりも大それた仕事であった。そのころの私の若さと可能性が、大胆にもこの大仕事に踏みきらせたと思うが、それにしても、その当時は、出版社勤務のかたわらの寸暇を惜しんで、私は、いわば全力投球でこの訳業に打ちこんだ。それに、日中戦争につづいて第二次世界大戦がはじまっていた。物資の欠乏が次第に身にせまっていたし、印刷用紙も不自由になりはじめていたし、さらに言論の統制はいっそうきびしくなってきた。ただ幸いなことに、この原書がドイツの書物だということと、著者のディールスも本書を第一次世界大戦前後のドイツ民族高揚期に講演し執筆したということで、この訳書に関するかぎり、当時の官憲からの統制はまぬがれた。もちろんこの訳業は、私一人だけの力でやりとげられるものではなかった。初訳の「訳者のまえがき」では、緒方富雄先生、篠遠喜人先生、田中美知太郎先生、それに大矢真一兄、田中実兄、長谷川淳兄、原光雄兄、そして今はもう亡くなられた稲沼瑞穂兄、山田節三兄という先輩知友からご教示を得たことに感謝の意を示している。

原著者のディールスについては、私もすでに、*Die Fragmente der Vorsokratiker*, 3 Bde., 3. Aufl., 1912–22 の編者として、偉大な古典文献学者であることは知っていた。ここでディールスについて簡単に述べてみると、かれは一八四八年五月一八日ビープリッツヒ〈Biebrich〉に生まれ、一九二二年六月四日にベルリンの近くのダーレム〈Dahlem〉で七四歳で亡くなっている。はじめボン大学を卒業後、ギムナジウムの教員となり、ついで一八八二年にベルリン大学員外教授、さらに一八八六年には同大学の正教授に進み、また一方、科学アカデミの会員にもなった。かれの古典についての諸研究、ことにギリシアの哲学、医学、技術、それにルクレティウスなどに関する研究成果は、その後の世界の古典研究者たちに、はかりしれぬ便宜と示唆を与えている。本書と前述の *Vorsokratiker* のほかにも、代表的な編著書には、*Doxographi Graeci*, 1879. *Simplicius Kommentar zu Aristoteles' Physik*, 2 Bde., 1882–95. *Parmenides*, 1897. *Herakleitos von Ephesos*, 2. Aufl., 1909. *Theophrasti Characteres*, 1909. *Lukrez, Text und metrische Übersetzung*, 1923–24 などがある。

ところで本書の大きな功績は、著者のふかくてひろい精緻な文献学的知識と古物再現への熱烈な精神とがみごとに握手して、それまでは哲学や芸術や宗教や、それにせいぜい科学のほかはほとんど知られていなかった古典文化に、新しい一分野を開拓した点である。しかもそれから今日まで、ギリシア、ローマの技術に関するかぎりは、本書を凌駕したものはないように思われる。また、本書の標題を一見したところでは、特殊なテーマだけをとりあつかっているようにみえるかもしれないが、それは表面的な見かたであって、じつは、七篇の講述によって、古典時代の主要な技術のほとんど代表的なものを網羅しているといえるのである。すなわち、第一講は古典時代の技術の総論であり、第二講は家具と木工芸を、第三講は気体や液体を利用した力学一般の技術面を、第四講は通信技術を、第五講は軍事技術を、第六講は金属の加工、着色などの化学技術の分野を、第七講は精密機械をとりあつかい、そしてそれぞれのうちで最も特徴的なものを選んで述べている。しかも本文は、よい意味での通俗性を帯びた叙述形式であるにもかかわらず、それらの叙述を裏づけするきわめて精細で的確な注釈によって、読者に、一字一句について多大の信頼感を与えている。まことにこれは、偉大な学者でなければとうていできない手腕であろう。

私は、こんどこの翻訳を改訳するにあたって、戦前の漢字の多いいくぶんかたくるしい訳文を、すこしでも読みやすくするために全面的に改めたし、不審な個所は、もう一度原書を参照しながら訂正した。そして訳文のさいのとりきめとしては、このSD選書〔編集部注:単行本時〕の独特なレイ・アウトを考慮して、下欄には、訳注をそれぞれ該当するページに*印しを、ときにはそれにアラビア数字による番号をつけて入れ、また、図版と図の説明も入れた。そして原注は、本文に算用数字〔文庫版ではアラビア数字〕をつけて巻末にまとめた。さらに、訳注のうちでも、度量衡の換算などは、本文に〔 〕印しで入れた。なお、本文中の〈 〉印しは、訳者が原語も同時に示したいと思うものを挿入した。なお、( )印しは、原文でもそうしてあるものである。さらに固有名詞、カナ書きでは、初訳のときと同様に、ことに古典語の場合はなるべく長音は省くことにした。これらの原語については、巻末の「さくいん」を参照していただきたい。

私は、じつは、この改訳をもっと時間をかけてやりたかったのだが、身辺多忙のために思うにまかせず、できるだけのことはしたつもりだが、それでもなお、まちがいがあることと思う。読者のかたがたのご教示を賜われば幸甚である。また、この改訳にさいしては、浜谷勝也君の貴重な示唆と小林雅夫君〔早大大学院博士課程在学〕の非常な援助に感謝の意を表したい。

最後に、もう古本屋でもなかなか見つからず、しかもかなり希少価値があるらしい私のこの古い訳書を、わざわざ積極的にとりあげてくださった鹿島出版会に、ことに拙宅まで幾度も足を運んでくださった編集部の中村敏男さんと川村光暁さんとに、あつくお礼を申しあげたい。

一九七〇年一月八日

平田　寛

第一版の著者の序言

本書にまとめてあるものは、私がおりにふれて各地で古代技術の広範囲にわたっておこなった六篇[*1]の通俗講演である。第二講から第五講までのザルツブルク大学での講演は、今日なお興味ある古代技術の対象を、個別的にとりあつかっている。最終講[*2]は、化学の古版書についての詳論であるが、そのうちの一古版書は、つい最近はじめて知られたものである。最後に、第一講は、一九一三年のマールブルクの言語学会でおこなったもので、主として、古代における技術と科学との相互関係についての概要である。

私は、講演してまもなく聴講者や出版者各位から申込まれたさまざまな出版勧告には応じなかった（ただし、第一講だけは今年のはじめ、書店はおなじだが別な場所で、本書の構成どおりで発刊された）。私は、どの一講も分散させたくなかったからである。ところで、私は本書を編集するにあたって、すこしばかり追補と推敲をおこない、

＊1　本書では七篇。第二版の著者の序言参照。

＊2　本書では第六講。

またいくつかの説明図と評注とは添えたけれども、講演の形式はすこしも変更しなかったから、全体としてはむしろ私の意にかなったものになっているかもしれない。私の希望している点は、いうまでもなく、ここに選びだした実例によって、古代がその技術的追求においても近代世界とは、その中間にある中世にくらべて、いっそう緊密な関係にあることを指示することであった。だが同時に私は、古代と近代の両世界を明瞭にも不明瞭にも連結している無数の糸を暴露したかった。古代にたいする近代の技術と自然科学との挑戦は、前世紀をゆるがせ、今なお多くの人びとを困惑させているが、これは両陣営の悲しい相互の無知と不十分な教養とに基づいていた。あいまいな理想主義にとりつかれている古典学者たちは、今日の現実と関連して理解すべき古代の真の世界をほとんど知らなかった。また一方その相手方は、わがヨーロッパ文化の古代圏内について、なにごとも知ろうとはしなかった。なぜなら、当然かれらは古代の写実主義を古典学者ほど評価することはできなかったし、また、古典学者だけが尊重していた古代の形式主義と理想主義とを毛ぎらいしたからである。

今日の古典語学者たちは、近代人が最も憎悪している種族、すなわち、まさに憎まれもの〈odium generis humani〉であるが、かれらはけっしてこの憎悪に反発しない。かれらは、食わずぎらいは知りさえすれば自然になくなることを知っているからである。かれらは主として、古代文化の不滅の形式美や観念的思想界の研究とともに、その写実性の研究もおこなった。かれらは、幼時から技術の驚異に熱狂する近代人に、しばしばささやかで無価値な技術思想の糸口をつとめて根気よく紹介し、それによって古代の、ことに、ギリシアの工匠たちの聡明と思考力とが、近代の万能芸人たちにくらべてすこしも劣っていないことを示したのである。奇蹟を生みだす工匠ダイダロスの神秘な原型のうちにギリシア的空想が具象化されたあの航空機の着想から、ツェッペリン伯号のあの完全な創作品にいたる道程は遠い！　しかしながら、技術史の心得ある人であれば承知しているであろう――もしも古代の技術者と職人の空想的な予想や手さぐりなこころみがなく、その上、暗愚の中世によって保護されてきたそれらの技術的文献の種々な断片的な遺物がなければ、今日世界が誇る工業的、技術的文化の頂点には達せられなかったであろうと。われわれは偉大である——だれがそれを疑おう——、だがわれわれは無数の祖先を、とりわけ神々を愛したギリシアの思想家と技術者を先輩にもっているのである。したがって本書こそ、かつてのエペソスの賢者[*3]のように、公平無私な読者、とくに教養ある青年層からの読者を誘って、煤ぼけた仕事場に安んじてはいりこませるであろう。そこでは炉の火が炎々と燃え上っている、あなたがたよ、はいりなさい。それは、ここにも神々がいるからだ！〈Introite; nam et hic dii sunt!〉。

一九一四年　復活節の日　ベルリンにて

*3　ヘラクレイトスのこと。

第二版の著者の序言

本書は、戦時の不利にもかかわらず、ドイツその他の地で好評を博した。私の最もよろこばしいことは、一つには、なお勉学中だった青年に、また一つには、はるかかなたの塹壕で古来のドイツ男子の面目を維持していた青年に愛読されたという点である。私はこれらの好評にたいする感謝のしるしとして、自然科学のしろうとがおかしたにちがいないようなまちがいを訂正し、あちこちに重要な事項を付加し、とくに、講義の範囲を一篇だけ増した。それは古代の時計という題目で、古代技術の最高の業績を述べるさいには、欠くことのできぬ題目である。

もしも本書にたいするよろこばしい一致が、言語学者であるとともに技術者でもある人たちの、多数の声をそろえた唱和から発したとしても、私が第一版の序言中で指摘した偏狭な意見もまた、けっして黙ってはいないであろう。代表的なある技術者の意見によれば

(*Wochenschrift f. d. öff. Baudienst.* 1916 H. 46)、古代人、ことにギリシア人の技術の思考力が近代技術者の思考力にすこしも劣っていないとするのは見当ちがいもはなはだしいという。またヴィンケルマンに関して講演したある考古学者は(*Humanist. Gymnas.* 1918 Heft 5. 6)、エウクレイデスとアルキメデスやヘロンとピロンを、ソポクレスとペイディアスに対比させることに憤慨した。

このような悲しむべき狭量にたいしては、ぜひともわれわれは、今日、とくに貧しいわが祖国が、人間精神の両傾向に注視する人びとを平時よりもいっそう多く必要としていることを指摘すべきである。今こそ、わが古典隆盛時の理想主義と、わが技術隆盛時の実利主義とを、全力をもって総合すべきである。そうでなければ、ドイツとドイツをふくめた全世界文化は、崩壊してしまうであろう。

一九一九年　復活節の日　ベルリンにて

第三版の著者の序言

不遇な時代にもかかわらず、第二版もまた、たちまちにして売り切れてしまった。それは読書界が、一九二二年六月四日に逝去された著者の古典の完成に協力された賜物である。そこで、第三版は、遺族のかたがたと申しあわせの上、第二版の印刷のままで出版することとし、それによって偉大な尊敬をうけた著者が第二版の序言の結語とされた祖国の繁栄のために、本書が、著者の当面の目的以上に広大な使命もはたすようにと切望している次第である。

G・B・トイプナー

第一講* ギリシア人の科学と技術

まえおき／古イオニア学派／古代サモスの文化／アナクシマンドロスとヘラクレイトス／ヒッポダモスとポリュクレイトス／均斉／種々な飛び道具／ピュタゴラス学派／医学／アレクサンドリア人／ディアデス／アルキメデス／理論と実際

＊ 一九一三年、九月三〇日、マールブルクの言語学者集会の開会式における講演。*Neuen Jahrb. f. d. kl. Altert.* 1914 I. Abt. 23. Bd. S. 1–17に掲載。

われわれの青年教育の共同目標が、修業年代の人たちにたいして、科学と芸術にも宗教と道徳にも一様に支配しているはずの真理の精神をみなぎらせることにむけられる点にあるならば、また、われわれの文化をじっさいにひろめ高めたいと思うならば、ドイツ言語学会の目的は、何よりも研究者と教師とを協力させて、理論と実際とがどのように結合せねばならぬかという見解をもたらすことにある。

こうして、この祝福すべき時代には学問と生活、発明と応用、学識と教育法が従前にもまして緊密に結合しているために、この会議の冒頭にあたって、わが言語学会ではなお範例的にとり上げられてさしつかえないギリシア文化について述べ、科学と実際とが相互に結実した有益な影響を示すことは不適当ではないように思われる。そのさい私は、古典言語学とその実際とをとくに念頭におくことなく——けっきょくはこの大切な点に触れるにしても——、科学と技術との全領域を注視することにする。ただし、現象の無限の変化については、単に暗示的にしろ論じつくそうとは思わない。なぜなら、真の知識というものがあるとすれば、ものごとを皮相な博識で論じようとしたり、わずかばかりの専門知識をふりかざして、個々のものの洞察に代えて巧妙な普遍でまにあわせようとすることはよくないからである。したがって私の論題はわざと不完全になるであろうから、この講演は、つまり私一個の研究に接近していてしかも有益な例となるような、一定の領域と時期とにおける発展の側面観ということになる。

古代の文化民族のうちでは、ギリシア民族の台頭は非常におそかったので、平時と戦時に使用された大部分の技術的発明は、すでにずっと以前からなされて、いたるところにひろまっていた。ギリシア人が歴史に登場するはるか以前から、すでに狩猟民族は槍と弓矢を発明していたし、耕作には車と鋤をつくることを覚えていたし、ひろい海原には海賊船と商船が走っていた。また私は、ミュケナイ文化も触れるわけにはいかない。なぜなら、この先ギリシア史の隆盛期が技術的な点でもきわめて重要なことはたしかであるが、この文化そのものも、またその後ホメロスの詩が英雄時代によせた詩的神化も、ともにギリシア科学とはなんの関係もないからである。英雄的叙事詩が神と世界とにたいしてかなでる自覚的な自由のひびきのうちには、せいぜい、ギリシア人をひろい意味での哲学者、科学者にしたてた自律的な貴族精神が認められるくらいのものである。また、ホメロスが統一的衝動から、ギリシア諸種族の政治的、宗教的な種々の意見を展望して芸術的に表現していることのうちに、ギリシアの自然科学がその発端から示してきた単一化と普遍化とへの合理的衝動が多少は認められるくらいのものである。しかもヘシオドス[*1]の詩では、体系化にたいするこの未熟な哲学的衝動が、すでにいくぶん皮相な図式主義に硬直している。

むしろわれわれの目は、前六世紀末のイオニアが、最も高価な遺産として世界に残した尊重すべきギリシア科学のはじまりへむけら

*1 前七〇〇年ころのボイオティアの詩人。

れる。その先頭を切る人は、ミレトス[*2]のタレス[*3]である。伝説によると、かれは夜空の星を観測していて井戸に落ちこむほどの空想家であり、また一方では、油の相場をうまく利用する勘定高い商人でもあった。けれども正史は、かれを技術者だとしている。じっさいに最古の証人としてかれのことを述べているクセノパネス[*4]は、タレスが日蝕を予言したあの天文学的技術に驚歎しているのである。ところで、天文学のこの勝利について、たとい年代的にはまちがっていたにしても最もくわしい報告を伝えてくれたのはヘロドトスである。しかもこの方面の識者なら、この報告から、つぎのような暗示を十分に聞きとることができる。それによると、このミレトス人は、天体運動に関してすでにある程度の科学的洞察があって予言できたのではなく、経験的に、おそらくカルデア人から借用した確率計算によってこころみたのであろうという(1)。だからかれは、星学の領域では科学者というよりも技術者であった。むろんそれは、かれの同郷人や近隣の異国人にくらべて、より多くの知識と才能とをもつ技術者であった。すくなくともヘロドトスのころまでは、かれがクロイソス王[*5]の命によって、ハリュス川の戦闘を前にしてこの川の流れを

*2 小アジア沿岸のギリシアの植民都市。
*3 前六〇〇年ころのミレトス出身の哲学者。ギリシア哲学の父とされている。
*4 前六世紀ころのコロポン出身の哲学者。
*5 リュディアのメルムナダイの最後の王(前五六〇—五四六年在位)。

移したというわさがあった。(2) もちろんこの歴史家はその物語を非認し、リュディア軍は、ハリュス川にかけられてあったふつうの橋を渡ったとしている。もしもヘロドトスの言葉に誤りがなければ、ともかく前五世紀には、ミレトスのこの天文学者がこのような水利工事の技術をもっていたという風聞が信じられていたにちがいない。事実、今日われわれの知っているところでは、クセルクセス[*6]が**ハルパロス**(3)に命じて、かつてエジプトとフェニキアの技師たちが構築したものよりもいっそう強固な耐風、耐水の有名な船橋をヘッレスポントス[*7]につくらせている。(4) このハルパロスは、テネドスのクレオストラトスとアテナイのメトン[*8]との間、つまり前六世紀の後半から前五世紀の後半へかけて生きていたはずの天文学者とじつは同一人物である。かれは、クレオストラトスの八年三閏の法を改良して名を挙げた。バビロニアの天文学は、前六世紀のおわりころまでは八年三閏の法も一九年七閏の法も知っていないのだから、(5) ギリシア本土でたしかに前七世紀にまで達するこの暦法を、われわれは真にギリシア人の観測によるものだとみなしてもさしつかえなかろう。そしてイオニアの天文学者たちは、この観測にいっそうの科学的確実性

*6 前四八五―四六五年までのペルシア王で、ダイオス王の長子。

*7 今日のダーダネルス海峡。

*8 前四三二年ころのアテナイの天文学者で「メトンの周期」をつくる。

*9 小アジアのトロイア東方の島。

と実効とを与えようとした。この古代暦がどんなに実用的に仕組まれていたかは、一個の「挿入暦」すなわちギリシア語の Parapeg-mata の断片（図版一）を見ればわかる。この断片は、ミレトスにおける（一八九九年以来の）ドイツ発掘隊が発見したものである。[6] それらは、メトンが前四三二年アテナイで作成した公共暦を手本にして組立てられていた。大理石に刻まれた永年暦の横側や行間にあるいくつもの穴には、変動しやすい民間暦の月名と日付けのある小さな青銅板が差しこまれるようになっている。これによって、不変な太陽暦年や星の出没やそれらと関係ある気象通報を、市の歳事暦と連絡させることのできる便法が知られていたのである。発見された標本はそうではないが、このしくみ全体はミレトスでは非常に古くからあって、ミレトスの天文学者たちの研究と密接な関係があったことは疑いない。

タレスのミレトス学派は、**クレオストラトス**がテネドス島[*9]で存続させたらしく、[7] しかもこの島と相対するイダ山（一七五〇メートル）に、かれは天文台を建てていた。[8] だからクレオストラトスの暦を改良したハルパロスも、おそらく、この系統に属する人であろう。そ

図版一 ミレトスの挿入暦の断片（前一〇九年）とその解読

左欄

1 人馬宮（いて座）にある太陽。

2 オリオン座の早い没入とプロキオンの早い没入。

3 シリウスの早い没入。

4 人馬宮の早い出現とペルセウス座全部の早い没入。

7 天蠍宮（サソリ座）のカニの早い出現。

10 （人馬宮の）矢の早い出現。

11 南方の双魚宮（ウオ座）の早い没入。

12 ワシ座の早い出現。

13 双児宮（ふたご座）の半没入。

右（中）欄

（宝瓶宮の）三〇日

こで、テネドスにいたこの技術者、しかもダーダネルスにおけるめんどうな潮汐状態を間近かで観察していた（タレスとクレオストラト

左欄

1. • ἐν τοξ]ότηι ὁ ἥλιος
2. • ὠρίων] ἑῷος δύνει καὶ προ-
κύων ἑ]ῷος δύνει
3. • κύων ἑ]ῷος δύνει
4. • τοξό]της ἄρχεται ἑῷος ἐ-
πιτέ]λλων καὶ περσεὺς ὅ-
λος ἑ]ῷος δύνει
• •
7. • σκ]ορπίου τὸ κέντρον ἐπι-
τέ λλει ἑῷιον
• •
10. • τ]όξευμα ἑῷιον ἐπιτέλλει
11. • ἰχ]θὺς ὁ νότιος ἄρχεται, ἀκρό-
ν]υχος δύνειν
12. • ἀε]τὸς ἑῷος ἐπιτέλλει
13. • δίδυμ]οι μεσοῦσι δυόμε-
νοι]

右（中）欄

1. • ἐν ὑδροχόωι ὁ ἥλιος
2. • [λέων] ἑῷος ἄρχεται δύνων
καὶ λύρα δύνει
• •
5. • ὄρνις ἀκρόνυχος ἄρχεται δύνων
• • • • • • • • •
15. • ἀνδρομέδα ἄρχεται ἑῴα ἐπι-
τέλλειν
• •
18. • ὑδροχόος μεσοῖ ἀνατέλλων
19. • ἵππος ἑῷος ἄρχεται ἐπι-
τέλλειν
•
21. • κένταυρος ὅλος ἑῷος δύνει
22. • ὕδρος ὅλος ἑῷος δύνει
23. • κῆτος ἄρχεται ἀκρόνυχον
δύνειν
24. ✕ • οἰστὸς δύνει, ζεφύρων ὥ-
ρα συνεχῶν
• • • •
29. • ὄρνις ὅλος ἀκρόνυχος δύνει
30. • [ἀρκτοῦρος] ἀκρόνυχος ἐπι-
[τέλλει]

1 宝瓶宮（みずがめ座）にある太陽。
2 シシ宮の早い没入と琴座の没入。
5 ハクチョウ座のおそい没入。
15 アンドロメダ座の早い出現。
18 宝瓶宮の半出現。
19 ぎょしゃ座の早い出現。
21 ケンタウルス座全部の早い没入。
22 ウミヘビ座全部の早い没入。
23 クジラ座のおそい没入。
24 や座の没入、たえまないゼプュロス〔北西の風〕。（×は春のはじまりを意味する）
29 ハクチョウ座全部のおそい没入。
30 アルクトゥロスのおそい出現。

ス以来、イオニアの天文学は、黒海をわがもの顔に支配していたミレトス人の貿易上の実際問題に、事実上役立っている）この技術者が、どんなに異国の技師よりも巧妙に架橋することができたかを理解していただきたい。

けれども、単にハルパロスの大工事だけではない。すでにクセルクセス以前、イオニアの技術者たちも同様のことをしていた。ヘロドトスは若いころ、サモス*10のヘラ神殿で一枚の絵を見た。その絵には、スキュティア人討伐のさい、ダレイオス*11のために、ビュザンテイオン付近でボスポロス海峡にかけられた船橋が描かれていた。かれはそれについて、つぎのように報じている。(9)「ダレイオスは架橋を非常によろこび、その構築者であるサモスのマンドロクレスに莫大な贈物をした。マンドロクレスは、これらの贈物のために供物として一枚の絵を制作した。それには、ボスポロスの架橋や、玉座に坐っているダレイオスとその軍隊とが進軍する光景が描かれていた。この絵はヘラ神殿に奉納されたが、それにはつぎのような銘文が記入されてあった。

最近、ボスポロスの満水に架橋した

*10 小アジアの西海岸近くにある小島。

*11 前五二一―四八五年在位のペルシア王。ペルシア帝国の真の創立者。

マンドロクレスは、ヘラ[*12]のため絵を献じた。
みずからには花環を、サモス人には大きな栄誉をもたらした。
その成就した工事は、王もまたこれを称賛したもうた。」

この銘文の奉納によって不朽の名を得たこのサモスの技師は、当時すでに故郷を見捨ててしまっていた**ピュタゴラス**[*13]とは、同郷で同時代人である。エペソスのヘラクレイトス[*14]は、サモスにいた哲学者たちの活動を通じてピュタゴラスのことを知っていたらしいが、かれがピュタゴラスをまさに多識のために批難[(10)]しているとすれば、故郷におけるピュタゴラスの高名は、単にその数論と輪廻説とのためだけではなかったにちがいない。むしろわれわれは、この卓越した数学者は、(タレスやアナクシマンドロス[*15]やその他この時代の天文学者たちと同様に)多くの領域に精通したすぐれた実際家だったと考えるべきであろう。しかもかれの発奮と修業とは、当時この島がきわめて高度な技術文化をもっていたためだと推定すべきであろう。ヘロドトスはサモスのヘラ神殿を、世界最初の建築工事の一つだとみなした。ヴィーガント[*16]の新発掘によって、ポリュクラテス[*17]の失脚後に破壊されたこの古神殿が、状況の調和による驚歎すべき美をもっ

*12　ギリシア神話の女神で、クロノスとレアとの娘。

*13　前五八〇年ころのサモス出身の哲学者、数学者。

*14　エペソス出身の哲学者(前約五三五—四七五年)。

*15　ミレトス出身の哲学者(前約六一〇—五四七年ころ)。

*16　一八六四年生まれのドイツの考古学者。

*17　前五五〇年ころのサモスの僭主。

ていたことがわかった。(11) その構成については、最近オディロ・ヴォルフが古代神殿の標準に選んだ星形六角形によって設計されたものなのか、(12) それとも、R・ラインハルトがアテナイのテセイオン[*18]とアイギナのアパイア神殿[*19]とで実証した三角形計算によって設計されたものなのか、これは専門家にまかせておこう。(13) けれども、ヴィーガントが確証した簡単な比例についてさえ、その建築技師――**テオドロス**[*20]か**ロイコス**[*21]かであろう――が、その設計図を数学的に熟考したことを示している。さらにサモスには、ヘロドトスの称賛した(14)もう一つのおどろくべき工事がある。それは、同様にドイツ人の探査によって再発見された**エウパリノス**の水道である。(15) この水道は、サモスにそびえるカストロ山に長さ一キロメートルのトンネルを掘り、山のむこうの水源地から町へ導かれていた(図1)。歴史に記されている最古のトンネルは、「セミラミス」[*22]が構築したバビロンにおける両王宮間の通路であって、引水されたユーフラテス川の川床に構築された。このトンネルは、この国のしきたりによって、アスファルトで固める煉瓦築造であった。出入口は、青銅製の戸で閉められて

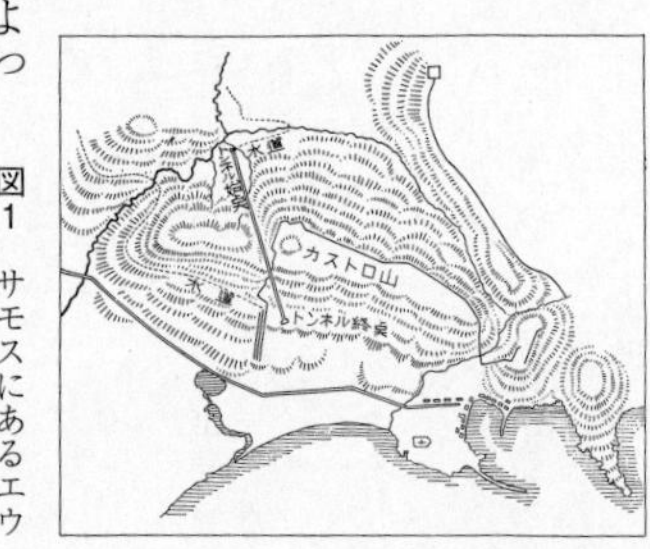

図1 サモスにあるエウパリノスのトンネルと水道。

＊18 アッティカの英雄テセウスを祭った神殿。
＊19 処女ディクテュンナを祭った神殿。
＊20 ロイコスの子で芸術家。
＊21 前五〇〇年ころの芸術家。

いた[16]。しかし、この仕事は割合に簡単で、エウパリノスの工事と比較することはできない。エウパリノスの工事でとくにわれわれの興味をそそる問題は、どのような科学的準備をして、同時に両側からの貫通に着手したかということ、つまりトンネルの方向線をどのようにして幾何学的に確定することができたかということである。このような水準測量は、今日の工学でもけっしてなまやさしい問題ではないのである。幸運にもヘロンがその著『照準儀』*23〈Διόπτρα〉[17]のなかで、この水準測量を図式的にとりあつかっている。それによると、水準測量は、数個の直角座標と三角形の作図とによって決定される（図2）。かれは確信に満ちた言葉で、つぎのように結んでいる、「トンネルがこの方法でつくられるならば、（両側からの）人夫たちは出会うであろう」。

こういう水準測量がサモスでも、まったく精確ではなかったにしてもおこなわれたのである――もっとも、まったく精確でないという点については、今日でも、器具や方法が改良されているにもかかわらず同様だが。ともかくエウパリノスの業績によって、当時の技術的、数学的教養が高度なものであったということと、

＊22　アッシリアの神話的な女王。

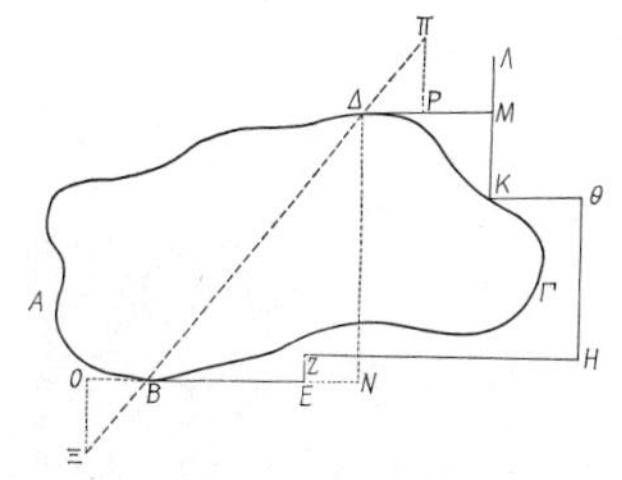

図2　ヘロンによるトンネル測量。ΑΒΓΔは山の基底、EからNまでなどは照準儀の補助線、ΞBとΠΔとは求められた方向線で、その結果トンネル線ΔBが得られる。

ポリュクラテスに洞察があったということが断定できる。もしも前六世紀の中ころのサモスの有力者たちに、このような工事の可能性を納得させることができなかったとすれば、おそらくポリュクラテス(18)も、計画遂行のための大資金の調達はできなかったであろう。このことから、ピュタゴラスを育てたサモスの文化は、科学的な基礎知識を供給していたと結論できるはずである。そしてそれだからこそ、テアゲネスの水道で有名なメガラ出身のエウパリノスが、山のまん中を貫通する水道を構築したのである。というのも当時すでに没落のきざしがあったメガラ[*24]自体が、このようにすぐれた測地学的業績を生みだすことができるとは、とうてい考えられないからである。もちろん科学的活動の真の発生地は、ギリシア本土でもサモスでもなく、**ミレトス**である。ピュタゴラスも、ミレトスなしには考えられない。最近ヘッケル[*25]は、デュッセルドルフにおける一元論者会議の席上で、世界史上の三大哲学者として(自分自身は除外して)、けっきょくミレトスのアナクシマンドロス、おなじくアナクシメネス[*26]、それに第三にリガのヴィルヘルム・オストヴァルト[*27]を挙げたが(19)、私はそれほどのいきすぎはしない。しかし私にしても、**アナ**

*23　一物体にむかう視線の方向を定め、または二つの物体にむかう視線の間の角度を測るための器械。

*24　ギリシアのメガリスの首都。

*25　ドイツの進化論者(一八三四—一九一九年)。

*26　ミレトス出身の哲学者(前約五四六年ころ)。

*27　一八五三—一九三二年。ドイツの化学者。科学教育にも功績があった。

クシマンドロスの独創的な直観がなければ、ピュタゴラスもヘラクレイトスもあり得ないことは、かたく信じている。ところがこの非凡人は、けっして書斎学者ではなかった。かれは、新鮮なミレトスの潮風にあたって成人した。そしてこの都市の海外貿易政策のために、かれは実際問題にも従事した。かれは、黒海沿岸のアポッロニアの植民を指導し、同郷人たちに方位を定めるための最初の世界地図を手渡した。この地図は、ついでヘカタイオス[*28]によって改良され、長い間手本になったものである。アナクシマンドロスはまた、夜間に方位を定めるための星図も船員たちのために描いてやった。このように、直接に実際問題につくした業績を考えるならば、このミレトス人のために同市民たちが記念像を建立した理由がはっきりとするであろう(図3)。この像の残骸は、ドイツ人の発掘によって発見され、それ以来、ベルリン博物館に保管されている[(20)]。

しかしながら、これらの実際的活動ではアナクシマンドロスは、単にタレスの仕事を継承しているにすぎない。かれがタレスを踏み越えたのは、哲学的、天文

＊28 前五五〇年ころのミレトス出身の散文著作家。

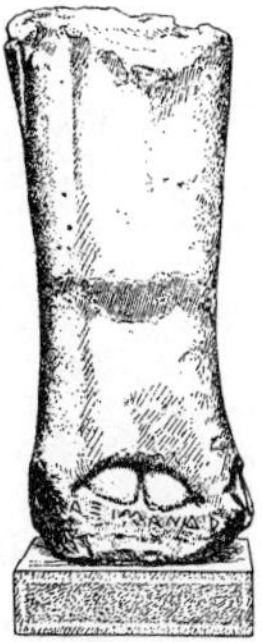

図3 ミレトスに建立されたアナクシマンドロスの記念像のうちの保存されている下部(前六世紀)。

学的思弁の面である。宇宙の基礎をなすものは、感性的に知覚できる原素ではなく、たえまない運動において、移り変りのある生成消滅において存在する無限なもの〈ἄπειρον〉である。この大地と、それをとりまく宇宙(コズモス)とは、無限なものの流出による一時的の特殊な場合にすぎない。われわれ以前と以後とには、無数の世界が無限なものから分離されている。しかしこの分離は、この世の一切のものとおなじように絶滅の極印が打たれてはいるが、それらは正しい秩序のうちに、みずからのさらに高い永遠の根源の痕跡を担っている。ギリシア人は美を定義して、正しい比例関係にあるものとしている。そこでアナクシマンドロスは、天体の規則的な運動をとらえ、まず天文観測から、諸天体の調和として円軌道を解明した。そしてかれはこの調和を、これらの天体軌道が均斉的に配置された距離によって説明した。そのさい、太古の神聖な三の数とその倍数とが神秘的な役割を演じている。大地そのものは、アナクシマンドロスにとってはなお、運動の中心にある平たい円柱である。大地の高さと直径とは、一対三の比をなしている。地球のまわりには、星の軌道、月の軌道、太陽の軌道と三つの天体が回転している。

そしてそれぞれの距離は、地球の直径の九倍、一八倍、二七倍と考えられていたようである。これらの数は、進歩した科学にとっては幼稚きわまるものにちがいないが、宇宙組織の調和が数で表現できるという根本思想は正当であった。このアナクシマンドロスの天体説に接すると、シラーが『芸術家』〈*Künstlern*〉のなかでギリシア科学の目覚めを祝福しているつぎの言葉が思いおこされるであろう。

得意なわかわかしい歓喜をもって
かれは天体に調和を与え
宇宙を讃美する。

それは、均斉によって人目をひくほど美しい[21]。

均斉すなわち釣合いこそ、プラトンが美と真理の指標として、たびたび挙げているものである[22]。それはまた**ヘラクレイトス**が、太陽の軌道や、さらに人間の生命と宇宙の生命との限界を規定している標準である。比例とは、生成消滅による振動変化に、超えることのできない限界を与えているロゴスである。ヘラクレイトスは、この数学的法則を承認している点で、アナクシマンドロスの一派であることを明かしているが、同様にピュタゴラスも、たとえば音程を精確に観察したり、かれ独自の数学や天文学を促進させたことによって、ミレトス学派となお緊密に結ばれている。かれのいくつかの個人的活動を、かれが創設したイタリア学派のはなばなしい活躍から区別することは、遺憾ながらむずかしい。この学派の成功によって、前五世紀には、人間の物心両生活は数を計算する例題のように理解できるものだという意見が広範囲にひろまった。人間は、計算すなわち ratio をとらえて無理数との闘争を全面的にはじめる。最もすぐれた人たちは、円の求積法に悩んでいる。すべては定木とコンパスで整理されるべきであり、すべては数で支配されるべきである。合理主義の発作は、まず技術におこった。それには、この啓蒙期の後半から二人の人物――ミレトスのヒッポダモスとアルゴスのポリュクレイトス――を例に挙げれば十分であろう。

アナクシマンドロスと同郷の**ヒッポダモス**は、古イオニア学派の自然科学も研究したが、(23)かれが有名になったのは、大規模な建築技師としてであった。新流行の合理主義者たちを愛したペリクレス[*29]は、かれに、ペイライエウス[*30]の新しい設計図をつくらせた。四方に走るその碁盤目の道路は、数学的規則にかなうと同時に、衛生的でもあ

*29　アテナイの黄金時代の政治家（前四九三―四二九年）。

*30　アテナイの外港。

ろう。かれはまた、トゥリオイ[*31]とロドス[*32]でも新しく設計した。しかもかれの方式は、次世紀のすべての新設計にも勝利を得た。アレクサンドリアとプリエネ[*33]とは、ヒッポダモスの影響のあらわれを示している。ことにプリエネは、われわれの発掘した町で、その設計(図版二)は前四世紀ころなされ、自然に抗して奔放自在につくられた。またかれのイタリアでの建設は、ローマの陣営見取り図やポムペイ[*34]を見ればわかるように、陳腐な建築計画に影響をおよぼした(24)。もちろん、この建築師に反対がなかったわけではない。アリストパネスは戯曲『鳥』〈ὄρνιθες〉のなかで、「ヘラスとコロノスが知っている」天文学者メトンの仮面をかぶってかれを嘲笑した(25)。かれは町を数学的に規則正しく設計するために、定木とコンパスを携えて登場する。そして中央広場から周辺にむかって、放射状道路を走らせるというのである。カールスルーエ(一七一五年建設)や一八世紀の合理主義の原型は、このような都市設計にその源を発している。ところで、ヒッポダモスの野望はさらに伸びた。かれは都市を設計したばかりでなく、憲法も起草した。この憲法では、またもや慣用の三の数が支配的な地位を占めている。三階級としては農民、職人、

*31　ギリシアのメッセニアにある町。
*32　エーゲ海にある島。
*33　小アジアのミレトス北方にあるイオニアの町。
*34　イタリアのナポリ湾に面した古代ローマの町。

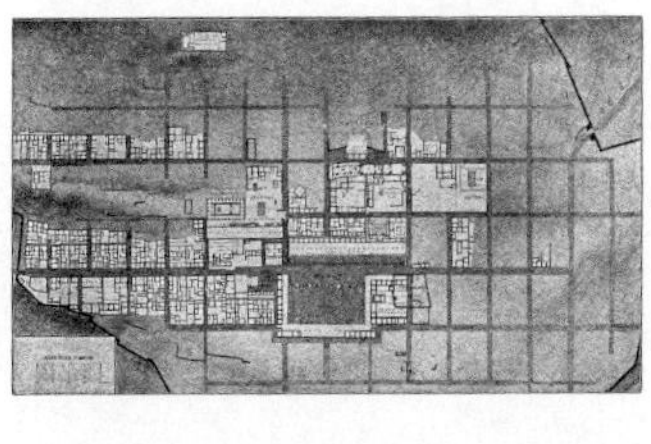
図版二

戦士があり、三種の領域としては国領、神殿領、私領があり、三種の告訴形式としては誹毀(ひき)告訴、損害告訴、殺害告訴があり、三種の判決としては有罪判決、無罪判決、そのどちらとも理由のつかぬもの、がある。もちろん、この三角憲法の文書は存続した。(26)

当時の数学的科学の乱用は、彫刻においてさらに宿命的な役割を演じた。ギリシア芸術のこの全盛期は、算数的合理主義の白かびにおかされた。今や造形美術家たちも、その作品が科学的でなければならなくなった。これに成功した人は、巨匠の一人であるアルゴスの**ポリュクレイトス**であった。その諸作品は今もなお芸術愛好家たちの目をひいている。しかしかれは、レオナルド[*35]やデューラー[*36]や近代の多くの大家たちのように、せんさく立てにふけった。そしてかれは熟慮の結果、芸術家好みの粗雑な一書を公表した。(27) その書名は、不吉にも『カノン』〈Κανών〉すなわち定木と命名された！　この美術論の詳細はもはや明白ではない。(28) ただわかっていることは、ここでも顔その他の肢体の標準比例に、神聖な三の数とともに一〇が優遇されている点である。ポリュクレイトスがピュタゴラス派の影響をうけたことは、下記[*37]から推論できるように思われる。しかしま

＊35　イタリアの芸術家、技術者（一四五二―一五一九年）。

＊36　ドイツの画家、彫刻家（一四七一―一五二八年）。

＊37　原注（28）のこと。

た、ウィトルウィウスはポリュクレイトス以外に**均斉の教え**〈praecepta symmetriarum〉について書いた芸術家を九人挙げている（*Praef.* VII. 14）が、この場合にも、R・ロバートがそこに挙げているポッリスをピュタゴラス時代の人と推定しているように（*Jahrb. d. K. Arch. Inst.* 30, 1915, 241）、だれかをその時代の人とすることができる。したがって、ポリュクレイトスにはすでに先行者がいたということになる。幸いにも、この芸術家が自説の実例としてつくった槍をもつ人〈Doryphoros〉（図版三）では、その学説が厳密には守られていないし、前四世紀の芸術は、これらのにせ科学に意識的に反対していたのである。リュシッポス[*38]は近代的な均斉、すなわち真をでなく、見かけの真を顧慮しなければならぬ均斉に成功した。(29)

しかしながら、人間の描写にあまり適しなかったポリュクレイトスの『カノン』の均斉は、それがじっさいに適する第二の技術としての古代の飛び道具の構造では、不変の真価を発揮した。現存の最古の飛び道具についての筆者である機械師**ピロン**[*39]は、その指令の最初に、ポリュクレイトスの

*38　前三三〇年ころのシキュオン（ペロポンネッソス半島）出身の彫刻家。

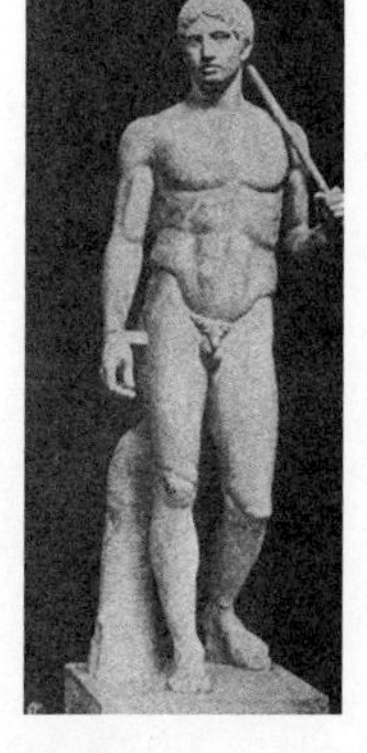

図版三　ポリュクレイトスの『カノン』。槍をもつ人（ミュンヘンのF. Bruckmann 出版の Brunn, *Denkmäler* による）。

『カノン』のいくぶん不可解なつぎの題詞を述べている。「作品のよさは、わずかなところで、多くの数から生じる[30]」。それは、一作品の大切な比例は、互いに依存しあう多くの数関係によって左右されるという意味であろう。ちょっとの過失によって〈παρὰ μικρόν〉、完成〈τὸ εὖ〉できぬということがあるかもしれない。最初の小さな過失が、仕事の進行中に全体を台なしにしてしまう。だから比例は、正しく等級づけられた倍加のうちに彫刻品全体を均斉的にする基本量を前提とする。そこでピロンは、飛び道具にもこれを適用したのである。はじめに小さな過失をおかすと、それがたたって仕事全体が不完全になってしまう。

古代の技師たちが投射機をつくるさいに基礎とする単位量は、口径、つまり孔の直径である。この孔には、弾力性の弦がとおっており、それによって飛び道具がひきしめられ、ついでゆるめられて発射される。だから、飛び道具の大きさと綱の張力とは、発射する石弾または矢の重量に応じてつくられなければならない。アレクサンドリアの技師たちは、ピロンにならって、口径の大きさを確定する最良の公式

*39 前二世紀ころのビザンティオンの機械師。

$$\kappa = 1.1\sqrt[3]{100\mu}$$

を見出していた。すなわち、ひきしめ孔の直径（κ）は、石弾の重量であるアッティカ・ムナ（μ）〔一アッティカ・ムナは四三六―四三二グラム〕の一〇〇倍の立方根にその一〇分の一を加算しただけのダクテュロス〔一ダクテュロスは二〇・五ミリメートル〕とならなければならない。こうすれば、投射機のすべての部分はこの度量単位に還元される。

アレクサンドリアの技術は、同市のディオニュシオスがポリュボロンという古代の機関銃を発明したという(31)、まことにおどろくべき精密機械をつくったほどに進歩していた。そこでピロンはこの見地から、古代の技師たちをいくぶん軽視していた。しかし数学的原理による構造が、古い**飛び道具**づくりの大家たちにまで遡ることは疑いないであろう。かれらは前四〇〇年ころ、老**ディオニュシオス**[*40]のために最初の軍事用飛び道具をつくり、そのためこの名君は大戦果をおさめている。この王に科学的、技術的洞察と果断な実行力とがあったからこそ、当時シチリアとイタリアがカルタゴのものにならなかったのである。ピリストス[*41]はその歴史書のなかで、ディオニュ

＊40　前四〇五―三六七年までのシュラクサイの僭主。

＊41　前四三五年ころのシュラクサイ出身の歴史家。

シオスのこの飛び道具の威力を目撃者としていきいきと述べているし、[32]またディオドロスは、ティマイオス[*42]を仲介としたらしい報告を残している。[33]これらの記事によって、軍隊と船隊とを最高度化するために、どんなに一切の有効な精神力と経済力とが集中されていたかがわかる。かれは、三段橈船の代わりに新型の四段橈船と五段橈船とを建造させた。しかし何よりもかれは、諸方から招いて優遇していた技師たちに新しい飛び道具の製作を命じた。これによって、古い手弓の原理に代わって大機具があらわれた。[34]シチリアの西海岸のモテュエにおける包囲攻撃（前三九七年）で、はじめて海岸砲台の新しい飛び道具が用いられ、ヒミルコ[*43]の強大な攻撃船隊を全滅してしまった。

さて、このおそるべき新武器を創作した機械師たちは、どの方面から出ているのであろうか。シチリア自体、ことにシュラクサイは、すでに前五世紀のおわり――自負をもって自分たちの名を神像のそばに記しているエウアイネトスとその一党のみごとな貨幣を見てもわかるように――芸術的、技術的には高度に完成していた。けれども、この新しい飛び道具ということになれば、問題はいくぶんちが

＊42　前三五二年、シチリア生まれの歴史家。

＊43　前五世紀ころのカルタゴの海将、探検家。

ってくる。すでにお話ししたように、この機械をつくるには、十分な技術教育と有用な数学的素養とを結合させる必要があった。ここで思い出されるのは、**ピュタゴラス派**、(35)とくにディオニュシオス自身とも関係のあった同時代の有名なタラス[*44]のアルキュタス[*45]である。かれはピュタゴラス派の出身で、祖国タラス繁栄のためにその画期的な数学的研究と機械的才腕とを、最も効果的な実際活動に結びつけた。かれは七度(36)将軍に立って国家を指揮し、アリストクセノス[*46]の立証するところでは、一度も(37)敗れたことはなかったという。かれは、とくに機械学を科学的に改良し、またこの種の問題を実際的にもとりあつかった最初の数学者であった。伝えるところによると、(38)かれはたいへんな子供好きで、がらがら鳴るおもちゃを発明したり、秘密の空気仕掛で羽をばたばた動かす飛ぶハトをつくったという。このような数学的、技術的天才が、将軍としてその才腕を祖国のためにふるったのは当然のことである。だが遺憾ながらこれについては、単に概略的な報告が残っているにすぎない。(39)ところで、アルキュタスの祖国とかれがピュタゴラス派に属していたということから、もう一人の機械師**ゾピュロス**が思いおこされる。かれは自分の名と結

＊44　南イタリアのギリシア植民地。ラテン名はタレントゥム。

＊45　前約四〇〇―三六五年ころのピュタゴラス派の数学者、技術者、政治家。

＊46　前三三〇年ころのアリストテレスの門人。

びついている新構造のいわゆるガストラペテスによって、ディオニュシオスの革新とは密接な関係があるにちがいない。

弓は、ギリシアでは大むかしから知られており、最も栄誉ある武器とみなされることはなかったにしても、射弓は、あらゆる戦闘では一役を演じている。弓は、その幹を動物の腱で張り、矢をつがえて発射する。しかし、幹と弦とが頑丈になればなるほど、人間の手で弓をひくことはむずかしくなってくる(40)。そこで、いわば弓と発射機との中間に位置する小弩〈Armbrust〉というものが発明された(41)。だが、人びとはこれで満足せず、ガストラペテス（腹あて機の意味）という小弩に似た武器を製作した。これをひくには全身の力を使うようになっており、しかも平静に狙いを定めて引金をひくことができた。諸君はつぎの金曜日ザールブルクで、陸軍少将シュラム博士がヘロンの陳述によって再現したこの武器の模型をご覧になれば、この腹あて機と、そこにあるいろいろな投射機との差がごくわずかであることをたしかめられるであろう。ヘロンはその『飛び道具製作術』〈Βελοποιικά〉の序言中で、手弓から大きな飛び道具への発展を追求しているが、かれもまた、腹あて機には中間的地位を与えている。ところで、アレクサンドリアのビトンという軍事記者[42]は、この武器の多少複雑な二個の模型を伝えている。それらは、六、七フート（約一・八―二・一メートル）の矢を発射することができ、そして巻上器でひきしめられた。これは、腹あて機という名称の本来の意味を損うものである。大きい方の模型は、山砲（ὀρειοβάτης γαστραφέτης）として示されている[43]。ビトンはこれらの携帯用武器の機械的改良を、ミレトスやキュメ[*47]で働いたタラスのゾピュロスに帰している。ところで、アリストクセノスに由来するイアムブリ[44]コス[*48]のピュタゴラス派の人名簿中には、おそくも前四世紀の中ころに生きていたはずのタラスのゾピュロスという人の名が見えるが、このアルキュタスと同郷同派の人物を、腹あて機の製作者と同一視してはいけないであろうか。かれの携帯用武器の改良を、そのころディオニュシオスによっておこされた大規模な飛び道具製作事業と関連させるべきではなかろうか。最後に、数学方面のピュタゴラス学派とのこのような関係によって、ピロン、ウィトルウィウス、ヘロンが固持した既述の飛び道具技術の科学的基礎は、最も簡明に説明されはしないであろうか。

＊47　イタリアのカムパニアにあるギリシアの町。

＊48　後三三〇年ころ死んだカルキス生まれの新プラトン派の学者。

数の全能と尊厳や、精密科学にたいする数の根本的重要性に関するピュタゴラス派の直観を、当時、**ピロラオス**[*49]ほど徹底的に説いた人はいなかった。かれは、厳格な学派内にあって、最初に教科書を執筆したピュタゴラス学徒であった。断片第一一によると、「数の本質は、疑わしいかまたは未知のそれぞれの事物において、各人にたいして認識を与えるもの、指導的なもの、または教授的なものである」とある。[(45)]われわれにはほとんど神秘論者としか思えないこのピュタゴラス学徒でさえ、その数学的知識を実際的、技術的に活用していたにちがいない。というのも、かれはアルキメデスと同様に、理論と実際とを結合することのできた大家中の大家と呼ばれている[(46)]からである。

ピュタゴラスの門人たちにとっては、数の力は、音の世界において最も明瞭にあらわれるように思われた。古代のギリシア音楽がすでに衰亡に瀕していた時代に、ピロラオスは、音の組織の物理学的、数学的原理に関するピュタゴラスとその学徒たちの発見を著述した。音程の調和はかれらにとって、宇宙の見えない調和と均斉とを直接証拠立ててくれるものとなった。アルキュタスの真正な一断片は、

*49　前五世紀のピュタゴラス学徒。

音楽の三つの比例である算術比例、幾何比例、調和比例から、エウクレイデス以前の幾何学の基礎になっている数学的比例論全体を誘導している。(47)

ところでこの調和説は、最初に著述したクロトン[*50]の医師**アルクマイオン**[*51]にもあらわれている。かれはその故郷の関係から、ピュタゴラスの最古の学校と関係があり、その著書を師の三人の門人たちに捧げた。かれの教義の要点は、つぎのような命題である。健康とは温、冷、乾、湿、甘、辛などの一定の質的均衡であって、疾病とは、だからこの調和の攪乱を意味する。(48)人間の体質を七の数で理解し支配しようとする愚劣きわまるこころみが、ヒッポクラテス派の著作『疾病の七日目について』〈*De hebdomadibus*〉のうちに書かれている。(49)これはその数学的傾向において、現代の医師たちの機械的合理主義につよい印象を与えたあの二八と二三のリズムによるフリース[*52]の「生命の流れ」説(50)を思いおこさせる。この古代の疾病七日目説を、今日さらにつよく真似した二人の心理学者がいる。一人はメビウス[*53]で、かれはゲーテの生涯の恋愛的、詩的頂点を七年周期で理解しようとした。もう一人のスヴォボダは、人間生活の標準周期を一般に

*50 南イタリア海岸にあるギリシア植民都市。
*51 前五世紀はじめのピュタゴラス派の学者。
*52 ドイツの医学者（一八五八―一九二八年）。
*53 ドイツの医学者（一八五三―一九〇七年）。

七年と考えている。(51) こうして前五世紀の医学は、ピュタゴラス派を手本として、疾病七日目説を冒険的なまでに追求したり、また、エムペドクレス*54とその一派のシチリア医学派とがピュタゴラス派の四の数〈Tetraktys〉を、あの一〇〇〇年間も支配した液体病理学にとり入れたりしているが、われわれはここでもふたたび、数学的合理主義がどのようにしてピュタゴラス学徒から次第に全技術へと浸透していったか知るであろう。というのも、古代的な見解によると、**医学**も技術であり、医師は職人だからである。(52) ヒッポクラテス派の臨床講義でさえ、接骨にある程度の精巧な外科用器具を承認していたというような非常に広汎な治療も、この見解から説明がつく。(53)

けれどもまた一方、この技術は前五世紀のはじめ以来、科学と哲学との進歩に密接に関係していた。**ヒッポクラテス**派*55の全集は、多種多様な論文に満ち、新旧の諸学説が医学的に利用されている。ピュタゴラス、エムペドクレス、アナクサゴラス、アポッロニア*56のディオゲネス*57、さらにエレア*58の学徒さえもひき出され、この派の医師たちの空想的な体系を支持したり、または反論したりしている。もちろん『古い医学について』〈*De prisca medicina*〉の誠実な著者のよ

*54 アクラガス出身の哲学者（前約四九〇―四三〇年）。

*55 コス出身の医学者（前約四七五―三八〇年）。

*56 クラゾメナイ出身の哲学者（前約五〇〇―四二八年）。

*57 前五世紀のアテナイ在住の哲学者。

*58 エレアは南イタリアの都市で、クセノパネス、パルメニデス、ゼノン、メリソスなどの哲学者を一括してエレアの徒と呼ぶ。

うに、「新流行の医学」を痛烈に攻撃する分別者もいることはいる。[54]しかし、ガレノスにおいて最も緊密になった哲学と医療技術とのこのような結合を、あらゆる時代を通じて求めることは、この場合あまりにも広汎すぎる。私はここで、ただ一例だけを挙げることにする。アリストテレス[*60]とデモクリトス[*61]とを、アテナイとアレクサンドリアとを、それぞれともに結びつけているペリパトス学徒の**ストラトン**こそ、近代的魅力のあるその実験物理学によって、当時の医師と機械師とを同様に感奮させた哲学者である。[55]名医エラシストラトス[*62]は、その生理学をストラトンの真空の恐怖〈horror vacui〉[*63]に基づいて築きあげ、機械師のクテシビオス[*64]、ピロン、すこしおくれてヘロンは、かれらの機械の製作品を、ペリパトス学派の近代的な実験物理学を基礎にして製作している。この場合もまた、機械学がどんなにうまく医学と結合したかが、[56]古代から数多く残存している精巧な医療器具（図4）からわかる。じつに当時の精密機械学は、懐中水時計をつくり、しかも、あらゆる時代の最も重要な医師の一人であるヘロピロス[*65]は、この懐中水時計で患者の体温を測った。[57]

またこの時代の天文学も、アレクサンドリアの機械学を育成して

*59　約一二九―一九九年ころペルガモン出身でアレクサンドリア、ローマで活躍した医学者。

*60　前三八四―三二二年、スタゲイラ生まれの哲学者で、ペリパトス学派の創立者。

*61　アブデラ出身の原子論者（前約四六〇―三六〇年）。

*62　ケオス出身の医学者（前約三三〇―二五〇年）。

*63　真空の存在を否定するアリストテレスの考え。

*64　前三世紀にアレクサンドリア在住の機械技術者。

*65　前三〇〇年ころアレクサンドリア在住の医学者。

非常な業績を挙げた。古代における最大の天文学者ヒッパルコス[*66]の科学的諸発見には、星の観測をきわめて容易にしたアストロラーブ[*67]の構造が大いに関係している(58)。時刻の測定法は、当時のおどろくべき高度な技術によって、根本的に洗練され、改良された。すでに前五世紀には、昼間時を影の長さで測定する幼稚な方法の代わりに、クレプシュドラによる水量測定法があらわれている。それとともに、前四世紀にはすでに目覚し時計がつくられているが、アリストクセノスによると、プラトンもまたこれとおなじような夜時計〈νυκτερινὸν ὡρολόγιον〉をつくったという(59)。それ以来 ὥρα は「時間」の意味をもつようになったが、それが最初に見出されるのは、アリストテレスのホメロス問題中であろう(60)。それ以後、天文学者たちはいっそう精確に時間を決定できるようになりはじめた。古くから幾度も記述された時計仕掛(61)、しかも季節による一時間の長さの食いちがいを顧慮しているこの時計仕掛こそ、まさに、科

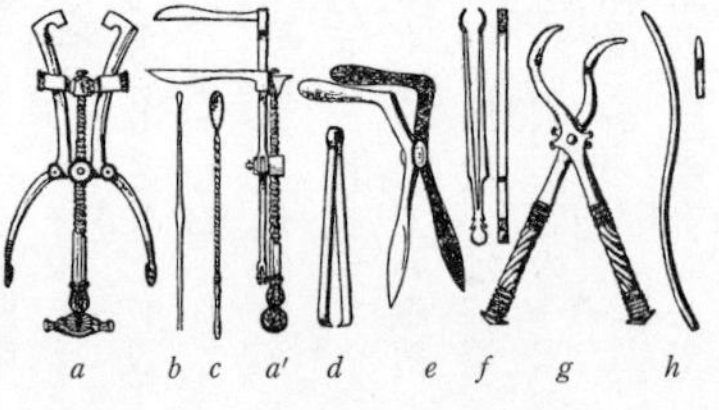

a　b　c　a′　d　e　f　g　h

図4　ポムペイ出土の外科用器具。Overbeck, Pompeji. 3. Aufl. Leipzig, 1875, W. Engelmann, S. 413 から。*a*（*a*′）は子宮鏡。*b* は消息子（ゾンデ）、*c* はさじ、*d* はピンセット、*e* は肛門鏡、*f* はピンセット、*g* は骨砕片を除去するための曲った鉗子、*h* はカテーテル。

＊66　ニカイア出身の天文学者（前約一九〇—一二五年）。

＊67　天体の高度を測定する古代の天文器具。

学的に組織されたギリシア技術の頂点を示すものである。そしてこの技術は前二世紀以来、ローマ人に模倣された——もっとも、それをじっさいにとりあつかったのは、ギリシアの職人であった。

古代人が、技術的発明や、専門科学以外の発明家たちの人がらに、ほとんど興味をもっていないということはおどろくべきことである。ルネッサンスと近代において、多数の技術者がきらびやかに輩出しているあの壮観は、古代では医学と軍事技術を除けばほとんどまったく見られない。しかも医学と軍事技術の分野でさえその高名は、すでに述べたクセルクセスの橋梁構築者の名が偶然に残ったパピルス断片にわずかに示されているように、跡かたなく消滅しているありさまであった。ことにこのパピルス文書には、アレクサンドリアの隆盛時代の最も知りたいことがらの表が最も簡潔な形式で記されている。この**アレクサンドリアの表**〈*Laterculi Alexandrini*〉——私はそう名づけている——には、最も有名な画家、彫刻家、建築技師、それに世界の七不思議に関する章の前に、七人の有名な機械師〈図版四〉が記入されている。前二世紀に技術的に定評のあったこれら七人の機械師のうち、四人についてはまったく知られていないし、残る三人については、ほんのごく皮相なことしかわからない。この三人のうち、私はとくに**ディアデス**について述べてみよう。かれについては、パウリの百科全集第一版に「ウィトルウィウスは機械について著述した人びとのなかに挙げているが、その他の点はまったく不明である」とあった。その新版(一九〇五年刊)には、軍事記者たち〔Köchly u. Rüstow, *Gr. Kriegschriftstellern*, 1853〕からの引用で、ディアデスは、ピリッポスの攻城用飛び道具をつくったポリュエイドスの門人であり、みずからアレクサンドロス[*68]の出征に参加したということが付加されている。ところで、アレクサンドリアの表からわれわれは、ディアデスがあの記念すべきテュロス[*69]の包囲攻撃を指導した技師であることをはじめて知るのであるが、(62)この包囲攻撃なら、歴史家たちは幾ページにもわたって報告するすべを心得ている。(63)戦闘のくわしい消長は、最も綿密に叙述され、その史表には、城壁を一番乗りした兵士の名が見えている。しかしながら、テュロスその他のあらゆる町々にたいするアレクサンドロスの包囲攻撃を指導し、その技術を教科書に書いてそのなかで可動攻城やぐら、新式攻城つち、吊橋その他の軍用機器の発明を記載した(64)この技師につ

*68 前三五六―三二三年、マケドニア出身でピリッポスの息子。いわゆるアリグザンダー大王のこと。

*69 フェニキアの港町。

図版四　アレクサンドリアの表の説明。機械師たち。ヘラクレイアのエピクラテス。ロドスで飛び道具を製作した。○ポリュエイドス。ビュザンティオンでヘレポリス（攻城機械）を、ロドスで四輪を製作した　○クセルクセスにしたがうハルパロス。ヘッレスポントスの架橋者　○アレクサンドロス王にしたがうディアデス。テュロスその他の町々の包囲者○ステュッパックス。オリュムピアで出発点をつくった○アブダラクソス。アレクサンドリアの機械師　○ドリオン。リュシポレモス（戦闘調停用の機械）の発明者。E. Schramm は 'Επικράτης ὁ 'Ηρακλεώτης を 'Επίμαχος 'Αθηναῖος のとりちがいだと考えている (*Athen. mech.* p. 27, Wesch., Vitruv. X 22, 4)。

Μηχανικοί. 'Επικράτης ὁ 'Ηρακλεώτης ○ *ὁ τὰ ἐν 'Ρόδωι ὄργανα πολεμικὰ ποιήσας* ○ *Πολύειδος ὁ τὴν ἑλέπολιν ἐν Βυζαντίωι καὶ τὴν ἐν 'Ρόδῳ τετράκυκλον* ○ *"Αρπαλος ὁ μετὰ Ξέρξου.* ○ *οὗτός ἐστιν ὁ ζεύξας τὸν 'Ελλήσποντον. Διάδης ὁ μετ' 'Αλεξάνδρου τοῦ βασιλέως Τύρον καὶ τὰς λοιπὰς πόλεις πολιορκῶν* ○ *Στύππαξ ὁ τὴν ἐν 'Ολυμπίαι ἱππάφεσιν* ○ *'Αβδαράξως ὁ τὰ ἐν 'Αλεξανδρείαι μηχανικὰ συντελῶν* ○ *Δωρίων ὁ πὸν λυσιπόλεμον.* つぎに *τὰ ἑπτὰ θ* 〔*αύματα*〕とつづく。

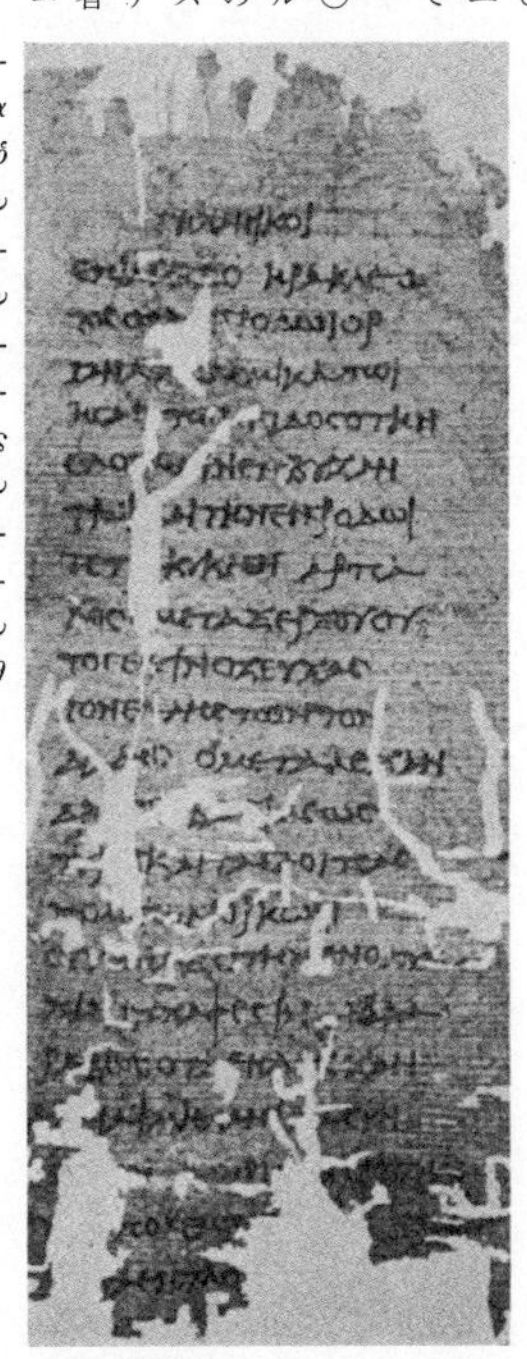

いては、歴史家たちは何も知っていないのである。まさにかれらも、すべての古代人と同様、技術者を軽視していたのである。

技術のこの軽視には、さまざまな原因がある。ことに、古代人はアテナイやローマのような民主的都市形態を発展させてはいたが、考えかたはまったく貴族的であった。ペイディアス[*70]のようなすぐれた芸術家でさえ職人とみなされ、「美にして善良なる」貴族階級から職人や農民を隔てている鉄壁は打破されていない。しかもプラトンはその理想国家のなかで、生産階級にどんな教養や教育を授けることも拒否している。啓蒙的な国王たちの寄与によって、科学と技術が最高度に達したヘレニズム時代でさえ、技術者の身分はなんら変っていない。機械工学の輝かしい業績は(おそらく飛び道具製作を除けば)、ひろく社会に評価されていない。こうして技術は、せまい一部の好事家仲間にかぎられたため、一七、一八世紀の場合のようないわば遊戯的なものに一つの特色をもつようになった。しかもその特色はすでに、当時機械学の分野で最もすぐれた天才クテシビオスに認められるのである。[(65)] その後(ヘロン)の技術の諸著作は、この特色のために道楽芸という独得の極印が押されている。

*70 前五〇〇年ころのアテナイの有名な芸術家。

古代において技術的発見の普及が小さかった第二の原因は、古代の奴隷経済にある(66)。ギリシア世界とローマ世界の工業中心地における手工業の軽視によって、この奴隷経済はいよいよ奴隷の働く作業場に集中し、自由労働は制限されてしまった。そこで、手工業に代わって機械をつくろうとする衝動は失われた(67)。おそらく水車と建築工事とを除けば、ローマ帝国における技術はどんな進歩もしていない。ついで、帝国時代に奴隷階級がローマの平和〈Pax romana〉のために次第に衰えていたころには、人手不足をもっぱら技術的動力で補充することが、もはやできなくなった。技術の養母である科学は根絶し、技術問題についての興味は、水時計や水オルガンのようないくつかの珍奇なもの以外は消失してしまった。技術者自身に関するわれわれの知識は、ギリシアとヘレニズムの時代よりもさらにすくない。後五〇〇年ころにガザ[*71]の精巧な時計について記述しているソフィストのプロコピオスなどは、その製作者の名を、そのくわしい記述中に全然書いていないほどである(68)。

ただ一人だけ例外がある。それは、シュラクサイ[*72]の**アルキメデス**である。その生涯、その死、その主著は、小、中学校のどんな生徒

*71　パレスティナの南方にある町。

*72　シチリア東岸にある町で、アルキメデスの生地。通称はシラクサ。

でも知っている。また「わかった」〈*Εὕρηκα*〉とか、「私に一つの足場を与えてくれれば、地球を動かしてみせる」〈*Δός μοι πᾶ βῶ καὶ κινῶ τὰν γᾶν*〉とかいうかれの言葉は、プュッヒマン[*73]のなかにのっている。アルキメデスの伝記作者で編纂者のハイベルク[*74]は、アルキメデスが数学者でありながら、その専門の科学以外の著作に従事した唯一の人物であることを強調しているが(69)、それはそれでよろしい（せいぜいそれに、プラトンやホラティウス[*75]のためにアルキュタスをつけ加えてもよいかもしれない）。ところが、ハイベルクはアルキメデスの異常な名声を、シュラクサイ包囲攻撃のさいのかれの活躍に求めているが、これは、ディアデスの例でもわかるとおり、訂正すべきである。シュラクサイの人でこの有名な同郷人を知るものは、その後一〇〇年以上はほとんどなく、やっとキケロ[*76]が、雑草がはびこり忘れはてられたかれの墓碑を、その地の長官〈princeps〉に指示しなければならなかったほどである。だから、ローマ人とローマの歴史がその強敵にたいしていだいた興味が、のちのギリシア人たちにもこの天才を覚えさせ、その著作を保存させることになったわけである。アルキメデスは、理論的天分と実際的天分とを最も理想的

＊73　その著 *Geflügelte Worte.*

＊74　デンマルク出身の古典学者（一八五四—一九二八年）。

＊75　ウェスニア出身のローマの詩人（前六五—八年）。

＊76　アルピスム出身のローマ共和制時代の政治家、哲学者（前一〇六—四三年）。

に合一した人物である。その生涯は著作とともに、今日なお称賛と共感とに満ちみちている！

アルキメデスは、天文学者の父ペイディアスから星学の手引きをうけた。そして早くから、天文観測——たとえば、一年の長さについての観測——だけでなく、水力でまわすプラネタリウム[*77]もつくった。このことは、かれが自分の理論的知識を、どのようにして力学上の実際に移し変えることができるかを立証している。かれのこの実際的性向は、また別なかたちでもあらわれた。天文学者に必要な計算は、ギリシアの数学組織のような小さい数系列では不便であった。そこでかれは、無限の数字系列を確実に分類し記号することのできる新方法を『砂粒の計算者』〈Ψαμμίτης〉のなかで提出した。また、アルキメデスの螺旋揚水器の発明や、かれがヒエロン王の巨船を進水させた複滑車[*78]の発明も、おそらく青年時代になされたものであろう。

さてかれは、力学上（機械学上）の問題には熱心だったので、一九〇六年にハイベルクが見つけたアルキメデスのエラトステネス[*79]への文書『力学的諸定理に関する方法[70]』中の主要な数学問題を、力学

*77 太陽系内の各天体の運動を説明するための装置。

*78 二つ以上の滑車と揚索とを組み合わせたもの。小さい力で重い荷物をあつかうことができる。

*79 キュレネ出身の地理学者（前約二七五—一九五年ころ）。

によって解決した。いうまでもなくかれは、この方法を、単に暫定的に確立したものと考えたにすぎなかった。それ以後の著作では、かれは、最も重要な諸命題については精密な証明を追加している。しかしながら上記の文書で、かれがアルキュタス(71)の足跡を超えて数学を力学的に処理し、古代力学が不安気に回避している無限概念をまったく近代的にとりあつかったあの果断こそ、じつに驚歎に価する。なおまた、かれの静力学に関する研究も、この第一期に属するものと思われる。

かれの第二期の活動は、純数学的活動であったように思われる。その成果は、主著『球と円柱について』〈Περὶ σφαίρας καὶ κυλίνδρου〉のなかに総括されている。ついでかれは、この理論的研究を『コノイドとスフェロイドについて』[*80]〈Περὶ κωνοειδέων καὶ σφαιροειδέων〉によって完結したのち、さきにヒエロン王の偽造の王冠の鑑定のさいにおこなった比重に関する発見を、『浮体について』〈Περὶ ὀχουμένων〉として仕上げた。なおかれが、円周率πの数値についてくわしく論じたことも一言述べておこう。これについては最近、さらに精密なかれの計算が発表されている。[*81]かれの螺旋に関する研

*80 コノイドは回転放物線体のことで、スパイエイドスは回転楕円体のこと。

*81 アルキメデスはπの数値を、$3\frac{10}{70} > \pi > 3\frac{10}{7}$ または $\frac{211182}{67441} < \pi < \frac{195885}{62351}$ としている。

究は、その後の円錐曲線の大家アポッロニオス[*82]によって継続された。
かれは老年になると、ふたたび力学（機械学）者となってあらわれている。かれは青年時代に愛着をいだいて帰国し、祖国シュラクサイの防備に専念した。今やかれはたゆむことなく、ローマの攻撃にたいする防禦対策を練っている。投射機を製作し、敵船を重い角材または鉤型起重機で撃沈したり釣り上げたり、またシュラクサイのけわしい岩角にあてて破砕するために奮闘している。その結果、市の囲壁にただ一片の綱か棒があらわれるだけでも、たちまちローマ兵はおそれをなし、ローマの将軍マルケッルス[*83]はほとんど絶望してしまうほどになった。アルキメデスが有名な凹鏡で敵船を炎上させたという後世の報道は、むろん、ポリュビオス、リウィウス、[*84]プルタルコス[*85]の標準的史料では確認されていない[(72)]。シュラクサイが占領されてローマ兵がかれを襲ったとき、「私の円をじゃまするな」〈Noli turbare circulos meos〉といった最後の言葉こそ、大学者にふさわしい言葉である。この老人は、強大な敵軍におびやかされて生都が危機に瀕したさいは、なんの役にも立たなかった。こうしてかれは、最後まで自分の学問によって生都を救おうとして、身辺に野獣

*82 前三世紀ころのアレクサンドリアで活躍した幾何学者。

*83 前三世紀末、シュラクサイ攻略のローマの将軍。

*84 前五九年にパハウィウム生まれの歴史家。

*85 カイロネイア出身の歴史家（約四五―一二五年）で、いわゆる『プルタークの英雄伝』の著者。

のような敵兵の侵入をうけたのである。キケロはかれを評して、温和で人間味のある人物というよりも、むしろ天才肌であるといっている(73)。またハイベルクは「古代の最も天才的な数学者で、近代の大家たちに匹敵する(74)」人物と呼んでいる。事実、私がかれと肩をならべるような人を挙げるとしても、あの偉大な数学者、天文学者、物理学者、最小自乗法[*86]の発見者で回光器[*87]と磁針電信機の発見者のガウス[*88]くらいのものであろう。

これらの大家たちについてわれわれが感じることは、理論と実際との実り多い一致という点である。これは、科学全般にとって大切なことである。科学的探究が実際生活と結合しているところにしか、文化の偉大な進歩は獲得されない。技術にとって科学は欠かせないものであるし、また逆に、科学における純粋思弁は、それがいくたびとなく新しい生活の息吹きに触れなければ、不毛となり死滅してしまうであろう。科学的精神がすでに消滅しようとしている時代に生きていたウィトルウィウス[*89]は、その著書の序言で、若い同業者たちにつぎのような警告を発している(75)。「科学なしに、もっぱら機械的な熟練だけを求めようとする棟梁は、その仕事からはけっして権

*86 観測値を基にして、適当な平方和をつくり、それを最小ならしめる値を求める方法。

*87 太陽観測に用いる接眼鏡。

*88 ドイツの科学者(一七七七—一八五五年)。

*89 アウグストゥス帝(前六三—後一四年)時代のローマの技術者。

威ある名声を得ることはできない。反対に、計算と科学だけにたよっている建築技師は、有名無実で実際を追求していないように思われる。理論と実際とを根本的にわがものにすることこそ、求める目標に異議なく達するための完全な武器である」。

むかしのこの実際家の金言は、今日でもりっぱなものである。今日のわが高度な文化は、科学と技術とのふかい浸透があるからこそ保証されている。外国ではドイツの躍進を、この理論と実際との健全な結合の賜物だとみている。このことから、青年時代には下級生も上級生も、広大で率直な直観と、知識や科学的洞察に結合した実際的技量とを喚起する課題が生じるのである。

このことは、これもまた一つの技術でしかも国家における第一の最も重要なわが教育学のアルキメデス的な眼目である。(76)古代の事情を歴史的に概観して教えられたことは、経験と理論とは提携しなければならぬということであるが、これは教育学というこの技術にもあてはまる。教育の技術が向上し、教師が単に形式主義的な技術の達人になろうとする今日にあって、青年に現代の諸問題の予備教育を施そうとするならば、科学との不断のつながりが教師には必要であることを銘記しておかなければならない。

さて最後に簡単に、古代の類例として、高等教育術を最初に職業化したソフィストたちの学問を例に挙げて、ここで戒めとしたい。真理の探究を断念して、門人たちにできあがりの型を教えこんだこの学派の行動は、形式的訓練一点ばりの青年教育者の行手を明示している。科学の進歩にもはや歩調を合わせようとはせず、また精神教育を外面的な訓練だけで満足だとする青年教育者に禍いあれ！卑屈でかたくなで、くる日もくる日も自分は真理に近よらず、それでいて青年を真理に近づけようとする教育技術者に禍いあれ！ソフィストたちの達者な職人根性を打倒したプラトン(77)こそ、たゆむとのない真理探究心をもった典型的な先駆者といえよう！かれにあっては、実際と理論、技術と科学、思惟と行為とが、つねにどんなに調和していることか、すべてはわが生命にささげる女神、真理のために！

第二講* 古代の戸と錠(1)

技術の社会的基礎／ホメロスの戸／神殿鍵／ホメロスの錠／戸のかんぬきと魔の結び目／バラノス錠／ばね錠

古代人といえば、今日でもひろく、すぐれた文芸作品の創作者とみなされているようである。また科学の基礎も、古典古代の奨励によるものだとして感謝されている。さらにギリシアの大哲学者たちは、ほとんど今なお現代文化にとって現実的な力をもっているものとされている。ただ技術に関してだけは、人びとはいつも沈黙している。蒸気、電気、航空機の時代は、古代世界のこの分野における貧弱な発端をほほえみながら回顧している。

じっさい技術は、今日の場合とちがって、古代では文化の中心になっていなかった。社会情勢が、まったくちがっているのである。古代ギリシア社会も古代ローマ社会も、その考えかたは貴族的であった。技術者自身は、支配階級に属していなかった。古代の最も民

＊ 第二講から第五講までは、一九一二年九月、ザルツブルク大学における講演である。

主主義的な諸国家は、現代の最も貴族主義的な諸国家よりも、さらに社会的＝貴族主義的な考えかたをしていた。

この貴族階級は、たとい国家が君主政体になろうが民主政体になろうが、つねに奴隷制度を基礎にしていた。貴族の所有していた工場でも、奴隷が管理し勤務していた。しかも、奴隷に日給一〇ペニヒが給与できれば、人力に代わる機械を発明する必要はなかった。今日でも、人口過剰な中国では、機械が正当な労働力を失職させるおそれがあるため、新しい技術の採用に非常な困難をともなっている。また反対にアメリカでは、正常な労働力の不足を、技術的発明をものすごく増加することによって救おうとしている状態である。

このような状態にもかかわらず、古代には偉大な技術的業績が欠けてはいなかった。ただそれが、ほとんど知られていなかったのである。というのも、古代では、この方面への特別な関心は一般になく、この方面の発達がいちじるしくなった現代になってようやく、歴史的にこれら初期への興味も喚起されはじめているからである。もちろん、現代世界と古代技術者たちとの関係は、もはや生徒と教師との関係ではない。このことは、ルネッサンスの場合にもいえる。

この分野では、生徒はすでに、古い教師を乗りこえてしまっている。あらゆる方面に天分のあるギリシア民族のすぐれた明敏さは、この文化活動[*1]にも早くから成功していたにしても、われわれは、古代において人間が自然力を克服してなすことができた進歩がどんなに苦労で緩慢であるかを知っているだけに、それをいっそう公平正当に評価することができる。

私は最古のギリシア時代として、ホメロス[*2]の時代からはじめよう。というのも、シュリーマン[*3]とその後継者たちのおどろくべき発掘によって、二〇〇〇年代のギリシア文化であるいわゆるミュケナイ文化が再現はしたけれども、この文化の保持者がすでに後世の意味におけるギリシア人であったかどうか、また、このエーゲ文化がアジアやエジプトの古い文化中心とはどれほど無関係に発展していたものかが疑わしいからである。われわれは、この先ギリシア時代の技術に関する伝説、たとえばラビュリントス[*4]の築造や、ダイダロス[*5]が飛行に成功したことや、鳥人イカロス[*6]の墜落については、あえて触れずにおこう。

私は、諸君を**ホメロスの世界**に導き、『イリアス』〈*Ἰλιάς*〉や

*1　技術を指す。

*2　ギリシア最古の詩人、『イリアス』、『オデュッセイア』の作者とみなされている。

*3　トロイアを発掘したドイツの考古学者（一八二二―一八九〇年）。

*4　ダイダロスがミノス王のために設計した迷路のあるクノッソスの王宮。

*5　ギリシア神話にあらわれる技術の代表者。ろう製の翼をつくり、その子イカロスとともに飛ぶ。

*6　ギリシア神話でダイダロスの息子。父とともにろう製の翼で飛び、太陽に近づき墜落する。

『オデュッセイア』〈'Οδυσσεία〉の作詩された前八世紀ころの家屋の戸の構造と巧妙な戸の閉めかたとを示そう。

『オデュッセイア』の第一巻をひもといてみよう。テレマコス[*7]は、求婚者たちにはじめてきびしい申し渡しをした。かれらは夜になると家路についた。この若い領主は、王宮内の自分の居間にいく。忠実な女中のエウリュクレイアは、くらい館をたいまつで照らす。かれは戸を開け(1, 436)、寝室に歩いていき、寝床に腰かけ、下着を脱ぐ。そしてその下着を、老いた女中に命じて寝台のかたわらの吊手に掛けさせる(441)。

　こうして彼女は出てゆき、銀の把手をにぎって、
　しずかに戸をひき閉め、革ひもでかんぬきをかけた。

以上のことからわかるように、われわれは、両開き戸について考えてみなければならない。片扉を閉めることは、自明のこととして述べていない。さて、このような戸が一般にどんなふうであったかは、ミュケナイの諸王宮やその後の建築物など、古代の発掘物によって明白になっている。それらは、今日の戸の構造とはまったく趣きがちがっている。つまりギリシア古代では、戸をまわす蝶番(ちょうつがい)がな

*7 オデュッセウスとペネロペイアとの子。

いのである。むしろ両扉は、ギリシア人が軸〈ἄξονες〉と呼んでいる丸い支柱にはまっていた。そう呼ばれるのは、それがまったく車軸に似ているからである。なおついでながら、この言葉と製車術とがギリシアから近世に伝わっていることはご承知であろう。[*8] あのボイオティアの農夫で、『オデュッセイア』の詩人ホメロスよりもそうおそくはない詩人ヘシオドスは、自分の意見で人びとが製車に使用したという「一〇〇本の」木材のことを不十分ながら記述しているが、[2] そこには、軸の大きさと車輪構成部の大きさとが示されている。[3]「軸」は、ソロン[*9]の立法でも一役演じ、一本の垂直な中心軸のまわりに、法令の記されてある四枚の表がはまってまわるようになっている。[4] 今日、このような回転装置は、博物館や停車場におなじ目的で備えられている。さてこれらの戸軸を、ホメロスはタイロイ[5]〈Thairoi〉と名づけているが、前五〇〇年ころのエレアの哲学者パルメニデスは、それをじっさいに「軸」〈ἄξονες〉と名づけ、しかも「豊富な銅で細工したもの」〈πολύχαλκοι〉といっている。つまり軸は、優美な青銅製の沓(くつ)に差しこまれ、そしてこの沓といっしょに、おなじく青銅で裏づけされた軸受けのなかで回転する。こ

＊8　車軸は、ドイツ語でAchse, 英語でaxis, フランス語でaxeという。

＊9　アテナイの立法家で「七賢人」の一人（前約六四〇—五五九ころ）。

のような軸受けや戸沓は、発掘のさいにさまざまなものが見出されている（図5）。ところでこの戸柱（回転材、軸）の上部は、石造の上枠の孔に差しこまれている。こうして左右の扉は、（西洋だんすのように）上下の隅が回転して開閉する。そのさい、戸枠は、上下の敷居のいくぶん突起した縁にとりつけられているため、扉は外へは開くが、内へ開けることはできない。

時がたつと、ふつう、木材は収縮するから、扉はもはや軸受けにぴったりしなくなり、ひと押しで、はずれるようなことがしばしばおこったであろう。さらに、このように底が丸味を帯びているだけの支柱は、扉の全重量を一つの留め針で支える場合にくらべると、まわりにくいであろう。そこで前六世紀には、戸沓の下部に一本の尖ったほぞがとりつけられ、それが軸受けの孔へ差しこまれた（図6）。今日伝えられているソロンの軸も、パルメニデスが記述している天の戸も、そのように組立てられていた。[6]

ところで戸そのものは、どのように錠がかけられたであろうか。ホメロス（Od. 1, 441 f.）は、

彼女は銀の把手をにぎって、

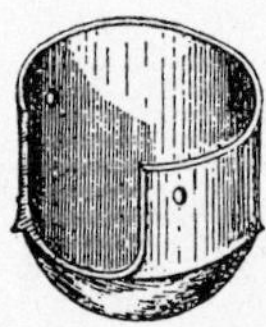

図5　戸の回転軸に差しこまれる青銅製の沓。

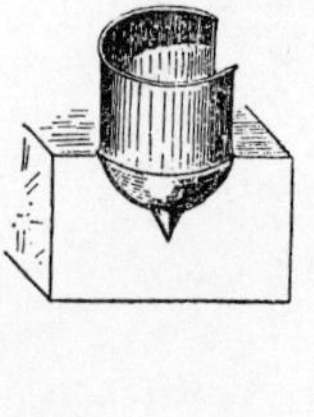

図6　ほぞのある青銅製の戸沓。

しずかに戸をひき閉め、革ひもでかんぬきをかけた。

といっている。

これを理解するには、いわゆる**神殿鍵**というギリシア最古の鍵を知らなければならないし、また、この鍵と、ホメロスの錠をかける場面の革ひもとを描いた古いつぼ絵がなければならない。私は一八九七年に、これら二つの要素から、ホメロスの戸の方式を再現することに成功した。(7)

まず、神殿鍵を吟味してみよう。宗教では、すべてのことがらを大むかしから忠実に固守する習慣があるから、女神官たちは、最古のホメロス時代の鍵のかたちを保持してきている。この鍵は、今日慣用のものにくらべると非常に大きくて重かった。だからふつうそれは、肩にかつがれている(図8)。幸いなことに、アルカディアのルソイにあるアルテミス[*10]神殿という高名な聖所の鍵が、前世紀末に見出され保存されている。(8) 前五世紀の筆跡を示すその銘文が、その起原を確証している(図7)。これは、アッティカのつぼ(図8)や墓石(図9)の鍵をもつ女中の多数の絵と一致している。しかもなお、前二世紀にポリアス[*11]の女神官ハブリュッリスのために建てら

*10　アルテミスは、ギリシア神話のゼウスとレトとの娘で、森の守護神。

*11　女神アテナの別名。

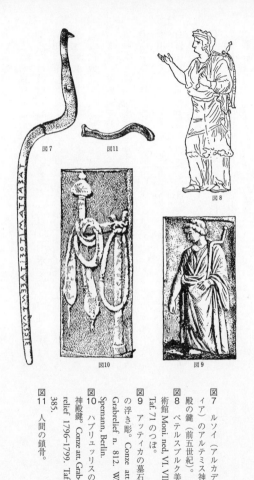

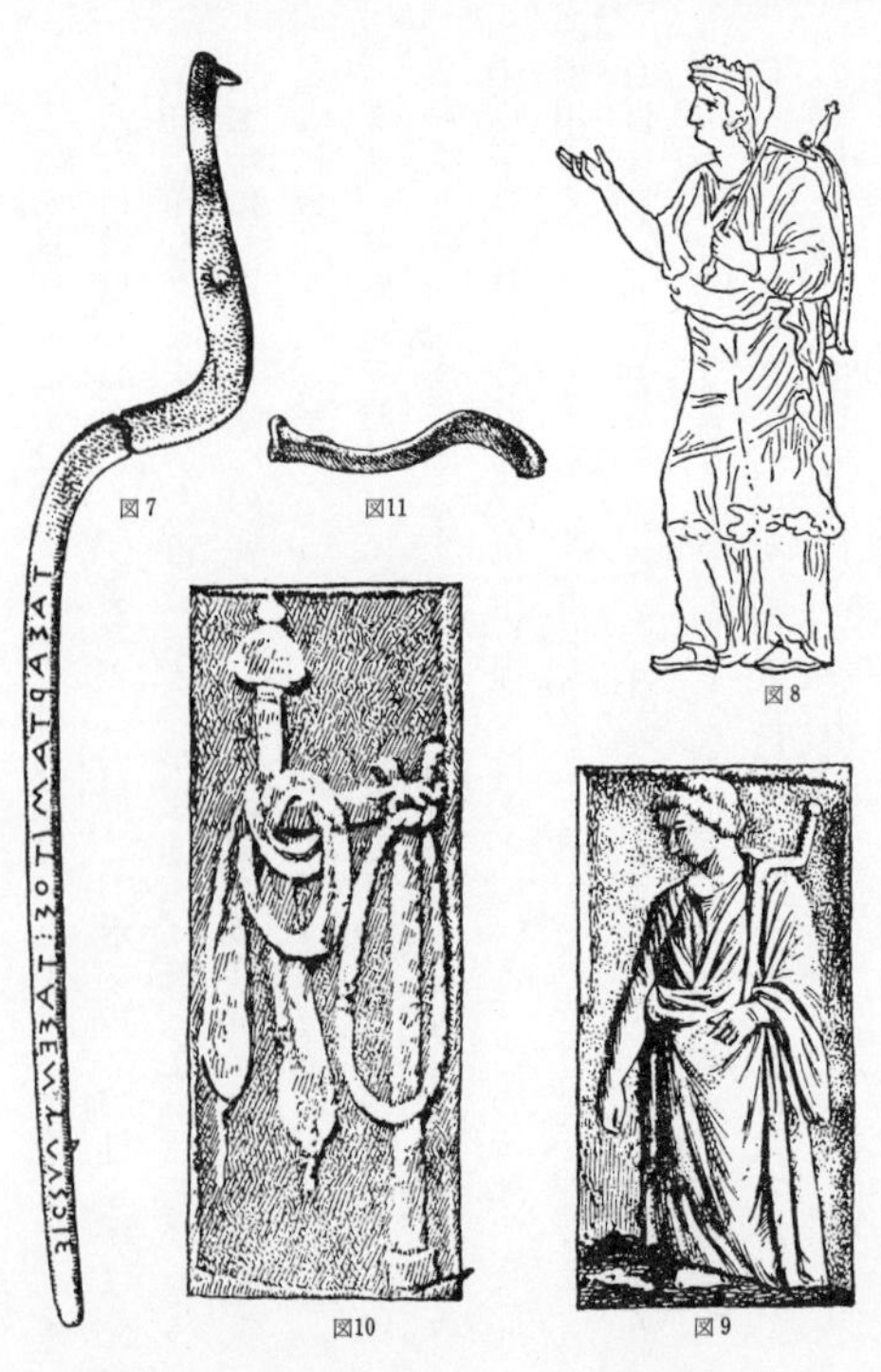

図7　ルソイ（アルカディア）のアルテミス神殿の鍵（前五世紀）。

図8　ペテルスブルク美術館 Moni. ned, VI. VII Taf. 71 のつぼ。

図9　アッティカの墓石の浮き彫。Conze att. Grabrelief n. 812. W. Spemann, Berlin.

図10　ハブリュッリスの神殿鍵。Conze att. Grabrelief 1796–1799. Taf. 385.

図11　人間の鎖骨。

れた墓石には[9]、彼女の鍵の詳細図が見出されたのである（図10）。この鍵には聖鉢巻（左側）のほかに、鍵の右側の曲り目に革ひもが巻かれている。この革ひもの使用は、のちに判明するだろう。

この鍵の使用がどれほど古いかは、ルソイの鍵からわかるように、またつぼ絵にしばしば見出されるように、この器具が丸味あるS字型であることから、それが人間の鎖骨[*12]の名で呼ばれるようになったという、言語的な考察によって明かになる。この名称（κληΐς）は、すでに『イリアス』にしばしばあらわれている。この骨の図（図11）によって、この転義の理由がはっきりするであろう。

こうして鍵のことがわかると、はじめていっそうの理解をもってホメロスに立ち戻ることができる。

われわれはこの詩人から、オデュッセウスの弓をとってくるペネロペイアが、どういうふうに戸を開けるかを聞こう（21, 5 ff.）。

> 彼女は、館の高い階段をかけ下りて、
> ほどよく曲った鍵を手にしっかりとにぎる。
> 鍵はみごとな青銅ででき、柄は象牙でつくられていた。

諸君はペネロペイアが、手触りのよい象牙の柄をもつ曲った青銅

*12　胸部の前上方にあって、多少S字形をなす骨。前方は胸骨に接し、後方は肩胛骨に接する。

の鍵をにぎっていることがおわかりであろう。これがわれわれのいう神殿鍵である。さて、記述はさらに進む(21, 42 ff.)。今や気高い女王は、部屋に着いてオーク材の敷居に歩みよる。

これは、大工の親方が、きびしい技法と基準尺度にしたがってみごとに組立てたものである。
それには柱が立ち、光かがやく戸がはまっていた。
女王はいそいで革ひもを、柱の環から解きはずし、
鍵を差しこみ、狙い突きで戸からかんぬきを押しのけた。
戸はまるで、雌ウシが花咲く牧場でうなるように、きしみ鳴り、
光かがやく戸に鍵をあてると、音を立ててさっと開いた。

こうして彼女はまず、革ひもを環から解きはずし、鍵を鍵孔にさしこみ、戸のかんぬきを押しのける。そのさい、かんぬきと鍵とが触れてごろごろと大きな音を立てる。

ホメロスが懇切にくわしく述べているこの手順は、古いベルリンの水がめに描かれた絵(図版五)によって最も具体的に説明できる。[10]最初フィンクがこの絵をとり上げたが、説明を誤った。もしも正面

図版五 鍵をもって宝庫を開けている乙女。ベルリン博物館二三八二の赤絵の水がめ(Furtwängler, *Beschr. d. Vasens. im Antiquarium* II. S. 654)。

の出来事から、戸の背後に隠されているものをたしかめようとすれば、おのずから妥当な説明が得られる。

この乙女のように、長くて重い鍵を柄のところで握っておれば、だれでもそれを槍のように突くであろう。そこで、ホメロスのいう（一）鍵をとりあつかわねばならぬところの「手でしっかと握る」（χειρὶ παχείῃ）、（二）「狙い突きで」（ἄντα τιτυσκομένη）ということが解明する。こうして彼女は上方から、金具で縁どられた孔へ曲った鍵を突きさしている。しかも柄は外に残るが、鍵の長い部分はかんぬきの内側にあたるくらい突きさす。もちろん、つよく突いても（まことに詩人のいう、ウシのうなりそっくり）いたまぬように、かんぬきにも青銅が打たれていたにちがいない。鍵の狙いをまちがいなくするために、いくつかの標本では、鍵の端が幅広く打ち延ばされている。すでにお話ししたアテナイの女神官ハブリュッリスの鍵（図10）もそうなっている。さてこの図版では、女中が背後にあるかんぬきを突いて押しのけている。戸は開くであろう。

図12（右）　ホメロスの戸の外部。
図13（左）　ホメロスの戸の内部。aは頭飾り。bはかんぬき。cは革ひも。dは鍵孔。eは鍵。fは革ひもの孔。gは把手。

二つの図（図12、13）は、ホメロスの扉を示している。一つは外部からの図で、鍵が上方の孔から中央のかんぬきを突いているところ、第二の図では、戸はまだ閉っているが、やがて、上から突いている鍵がかんぬきの上部突起（頭飾り）をつかみ、かんぬきを右方へ押しのけ、左側の扉にとりつけているかすがいからかんぬきを抜いてこの扉を開けるところである。

この方式のもので、ブリンクマン教授が考案し修正したものによると、かんぬきの上部の突起は一個でなく、二個または数個とりつけることができる（図14）。これによって、かんぬきの退く余地がかなり拡張される。[11] 今、かんぬきを押しのけて戸が開いたとすれば、じつに最も簡単な方法で、ふたたび戸を閉めることができる。すなわち、かんぬきの下部にある革ひもを孔から引けばよい。だから、この方式では鍵と革ひもとは、開けることと閉めることとに相当するのである。それで女神官ハブリユッリスも、革ひもづきの鍵をもっているのである。というのも、神殿はかならずしも見張りされるとはかぎらなかったから、住宅でよくやるように革ひもを差しこんだままにはしておかず（図版五を見よ）、革ひもを孔C（図15）とかんぬき

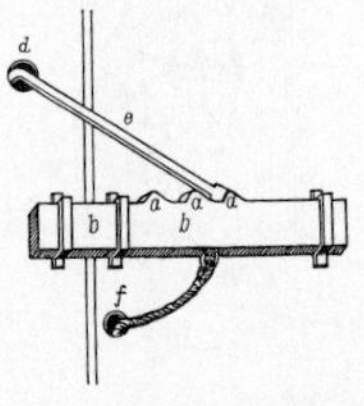

図14　三個の突起（*a*）をもったかんぬき（*b*）。Brinkmann（S. 44）による。

（AまたはB）のはめ孔とへ差しとおし、それからふたたびその一端を孔Cにとおして外へひき戻しておくようにすべきだからである。そうすると、革ひもの両端をつかんでかんぬきをかけてから、革ひもをその一端で軽くひき抜いて、鍵に結びつけて家にもち帰ることができたのである。

ホメロスは、ペネロペイアがかんぬきを〈ὀχῆας〉押しのけたといっている。だからすくなくとも、もう一個のかんぬきがあったと考えられる。なぜなら、弓が保管されているのは、じつは宝庫であって、それはちょうど今日の金庫のように多くのかんぬきがとりつけられていたにちがいないからである。ここに掲げた見取り図（図15）によって、一つの鍵孔Dから上下にある二個のかんぬき（AとB）をはずす方法は一目瞭然であろう。

ところで、盗人にたいする戸締りは十分だったであろうか。そうでなかったのである。だからペネロペイアは、エウリュクレイアがテレマコスの寝室で宝庫の戸を革ひもでひき、かんぬきをかすがいに差しておくやりかただけでは満足せず、さらに革ひもを環に結びつけたのである。ホメ

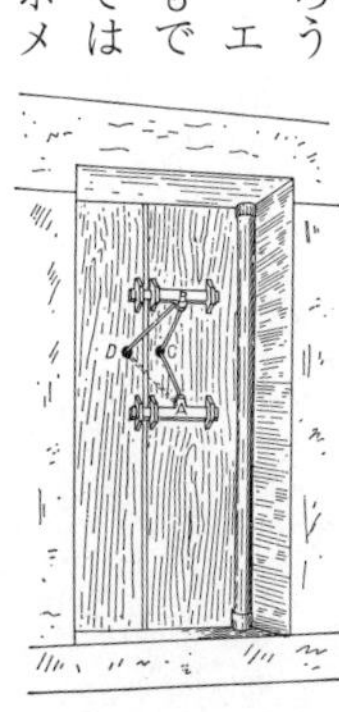

図15　ホメロスの戸の二重錠。BCとCAは二重の革ひも。Dは鍵孔で、ここからBとAを突くことができる。

ロスはこの主意を、『オデュッセイア』の他の個所（8, 438）で教えてくれる。パイアクス[*13]の女王はオデュッセウスに、贈物を入れる蓋つきの長箱を与える。それは、ベルリンの水がめに描かれた乙女の左手にもっているもの（図版五）とだいたいおなじものだと考えてよかろう。

その間にアレテは、客人のために、華麗な長箱をもってきて、
かずかずの贈物を入れた。
パイアクスの諸侯たちは、黄金と織物とを贈った。
さらに彼女は外套に、みごとな下着をそえて与え、ねんごろに
かれをさとした、
ご自身で蓋をして、早く結び目をおつくりなさい、黒い船でご帰航のさい、こころよいうたたねに襲われて、盗まれないように。

このことから、それが、神のような受難者オデュッセウスだけが結び、解くことのできる魔の結び目であることがわかる。なぜなら、かれは魔女キルケ[*14]のもとでそれを覚えたからである。しかも、すぐつぎのように書かれている（446）。

＊13 『オデュッセイア』に出てくるシチリア島の住民。水夫として有名。

＊14 ギリシア神話で、ヘリオスとペルセイスとの娘で、アイアイエ島に住む魔女。

神のような受難者オデュッセウスはこれを聞いて、
蓋をかぶせて、魔女キルケが教えたように、
あちこちと幾重にも、いそいで結び目をつくった。

残念ながら、戸締りした宝庫を魔の結び目(12)で守れるような人間の純朴な状態は、長くはつづかなかった。そこで精巧な錠が発明され、その鍵は「**ラコニア鍵**」と名づけられている。アリストパネス[*15]は、その戯曲『テスモポリアを祝う女たち』〈Θεσμοφοριάζουσαι〉のなかで、女たちの不平をおもしろく描いている。男たちが三個のほぞをもった意地わるい秘密の鍵で、彼女たちを閉めだしてしまったため(13)、今では食物貯蔵室で彼女たちはつまみ食いができなくなったというのである。このラコニア鍵の方式は古くからあって、ギリシアで発生したものではない。これとおなじ鍵は、エジプトではすでにラムセス二世(前一二九二―一二二五年)時代にあるし、今日でも、東洋やわれわれの身近かには、なおさまざまな変型が用いられている(14)。

この最も簡単な方式は、つぎのようなものである(15)。ここに二個または三個のほぞをもった鍵があって、それがかんぬきR(図16)か、またはその上のケース(図17)に差しこまれている。まず最初、こ

*15 アテナイ在住の喜劇詩人(前四一四―三八八年ころ)。

の鍵をすこしばかりもち上げる。するとほぞは、その上にあって上部のケースを遮断するためかんぬきに嚙みあわされている木栓(βάλανοι すなわちオークの実)Bを、かんぬきから上方へ押し出す。するとかんぬきの遮断は解かれる。さてそのさい、ほぞは以前に木栓が占めていた孔に押しこまれるから、かんぬきは鍵で右方にひかれて、閉鎖が解かれるのである。

かんぬきの上でおこなう第二式のもの(図17)も同様である。鍵Sをケースに差しこみ、木栓B(図18)を押し上げて、下方のRと嚙みあっている部分をひき上げる(図はこの状態を示す)。すると下方のかんぬきの遮断が解かれる。そこで、右方に突きだしているかんぬきの端を軽くひっぱるのである。

これで諸君には、このバラノス錠が戸そのものにどう作用するかがおわかりであろうから、ここで一つ私は、今日のキュプロス島の[16]ポリティコ村にある両開き戸をご覧にいれよう。ここでは、すこし変型されただけで一〇世紀間というもの、古い方式が忠実に守られている(図版六と図19の模型)。

図版の右方は閉められた場合の錠で、錠の上には引き環がある。

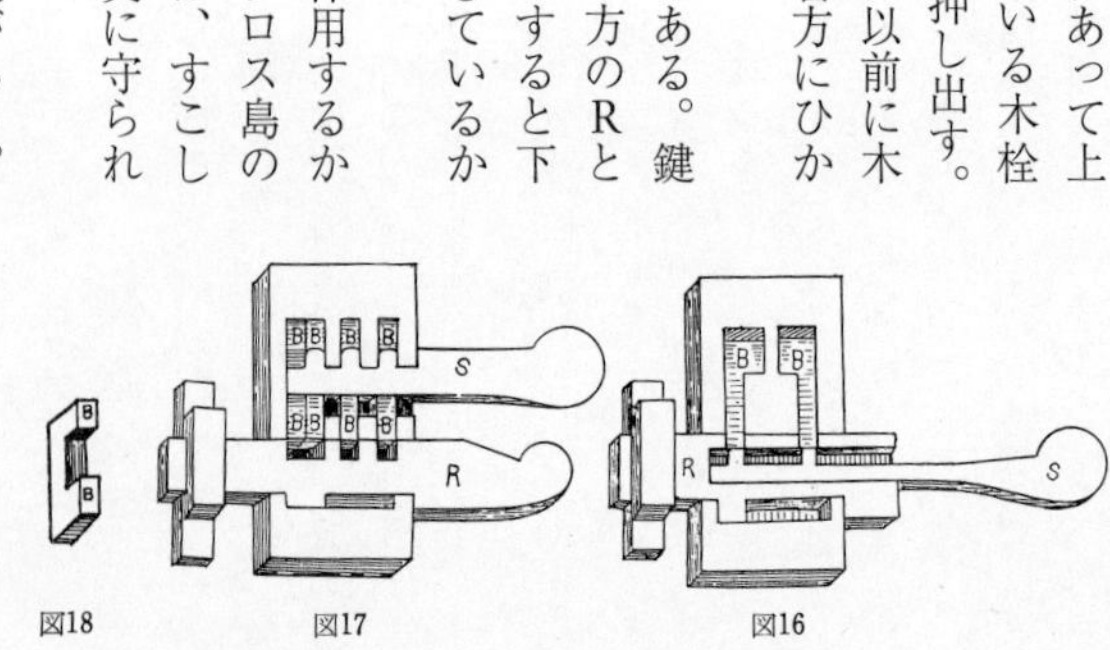

図18　図17　図16

鍵はとり去られるのだが、ここでは説明のため、かんぬきとそれを抜きすぎないためのかんぬき止めとの間にのせてある（引き環と錠との間にある得体の知れぬ棒は、ものさしである）。さて戸を開けるには、三枚の歯をもった鍵S（図19）を鍵孔に差しこみ、内部にあるバラノス栓Bをかんぬきの歯からひき上げる。すると、かんぬきを左側の木釘Pまで押しのけることができる。

「ラコニア」鍵とそれに付属するバラノス方式との使用は、ギリシア本土とその植民地では、たしかに前五世紀のはじめまでしか遡ることができない。ところで、アリストパネスは前述の『テスモポリアを祝う女たち』で、この近代風の鍵を「秘密鍵」（*κλειδία κρυπτά*）と呼び、そして『イリアス』の制作年代上最新の一個所[17]では、ヘラの息子ヘパイストス[*16]がどんな他の神も開けることのできぬ秘密錠（*κληῖδι κρυπτῇ*）をとりつけたというヘラの寝室〈thalamos〉が記述されている。この場合、他の点でも非常に近代風な後者の挿話の作者は、天の戸を記述したパルメニデス[18]と同様にあの秘術を暗にほのめかしているように思われる。サモスのテオドロスが鍵（ラコニア式としか考えられぬ）を発見したそうだというプリニウス[*17][19]の報告は、

図16、図17、図18　Jacobiによる木製バラノス錠の模型。

*16　ギリシア神話の火と鍛冶の神。

*17　コモ出身の博物学者（二三―七九年）。

図版六（上）　ポリティコ村（キュプロス島）にある扉。バラノス錠。
右　閉めたところ
左　開けたところ

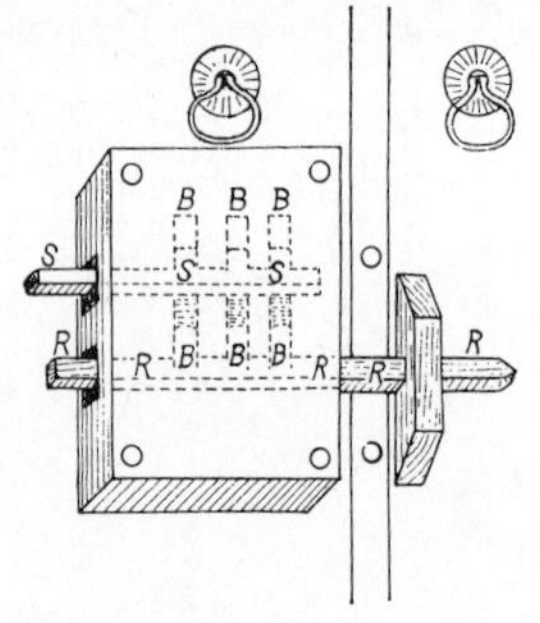

図19　キュプロス島の錠の内部構造。
Sは、かんぬきからバラノス栓をひき上げようとしている鍵。Rは、まだかけられているかんぬき、Bは、バラノス栓でかんぬきのところにもはまっている。Pは、かんぬき止め。

注目すべきかもしれない。というのも、前に述べたように、[20]この島はポリュクラテスのころギリシア技術の先頭を切っていたからであり、また、エジプトとの頻繁な関係によって、当時の聡明な技術者たちがエジプトからある方式を故国に輸入したことが考えられるからである。しかもこの方式の優秀な諸点は、今日ふたたび、安全金庫の精巧な錠に利用されている。

もちろん今日慣用のものは、**ばね錠**である。この錠の構造は、模型図（図20）によってたやすく知ることができる。一本の管鍵が軸針Bにはめられる。鍵の「突部」は、この固定点Bのまわりを動く。そしてこの回転のさい、弾力性のかんぬきAは右から左へまわされ、かんぬきは錠のなかに押し戻されて錠は開くのである。この「**回転錠**」は、すでにローマ人に知られている。ローマ時代に見出された鍵は大部分、この方式に属している。そのなかには、ポムペイの戸の鍵（図21）のように、ある程度精巧につくられたものがある。私は以前、アッティカのつぼに描かれている戸の錠と鍵とから、この便利な閉鎖器の起原をギリシア古代までに遡らせようとこころみたことがある。[21]この証明は、このような細部を問題にする場合には、

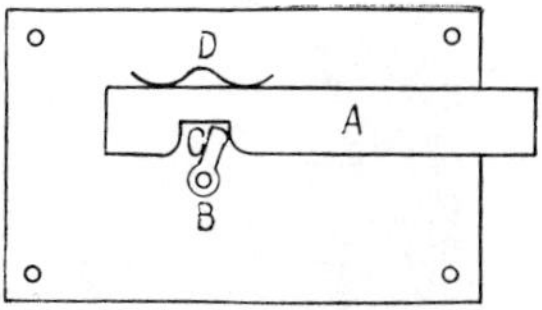

図20　今日の回転錠の内部。
Aはかんぬき、Bは管鍵。Cは錠の突部がはいるところ。Dはばね。

つぼ絵画家の誤りによってまったく確実にはいかないものである。だから、日付けの定まった発見物がこの仮説を是認するまで待たなければならないであろう。しかしいずれにせよ人びとは、伝えられているものから、古代の技術は、熟練と成果とをもってその所有権の保全をはかり、そしてこの分野においてもまた、近代に実り多い刺激を与えた、という印象をうけるだろう。

図21 ポムペイの戸の鍵。

第三講　蒸気機械、自動装置、賃金表示機

ヘロンの汽力球／ヘロンの自動装置の芝居／路程計／ヘロンの自動聖水装置

たいていの諸君は、ヘルブルン[1]近くの公園内にある水力装置をご存じであろう。ただ、一七、一八世紀に評判になったこのおどろくべき技術作品が、ギリシアの一作者の発案に負っていることをご存じのかたはすくないであろう。しかもこの物理的、機械的な製作は、古代の科学的基礎に立った技術のほとんど唯一の遺物として、アラビア人から今日にまで保存されてきているものである。この作者は、アレクサンドリアの**ヘロン**といい、後二世紀[2]と思われるころの人である。かれがわれわれにとってとくに重要なわけは、いくつかの独得な小発明とともに、古代の物理学と技術との偉大な財宝を文字どおり書きつくし、それがルネッサンスこのかた近代力学を多方面にわたって刺激し、充実させたからである。[3]

かれの名は、学校教育ではいわゆる**ヘロンの噴水**と結びついている。それは球内の水が圧縮空気によって流出するようになっている装置である。[4] この原理は、すでにクテシビオスの発明した消火ポンプ[5]に使用されている。現代のこの形式のものには、サイフォンと香水撒布器とがある。

後世になっていっそう重要になったものに、近代蒸気機関の萌芽となったヘロンの**汽力球**〈Aeolipile〉[6]がある。古代から伝わっている現在のヘロンの写本の模型図は、門外漢には理解しにくいので、[7]図22をご覧にいれよう。

ヴィルヘルム・シュミット自身が原文に付加した蒸気機械の両面図[8](図23、24)は、もっとわかりやすいであろう。

下部の汽鑵部$\alpha\gamma\delta\beta$内にある水は熱せられる。すると蒸気は管$\varepsilon\zeta\eta$にのぼり、ηとλとのまわりを回転する球$\theta\kappa$のなかに侵入する。この球には、その端が逆方向に曲げられた二本のかぎ状の吹き出し管がある。吹き出した蒸気は、管に生じた反動力によって、可動球を蒸気の方向とは反対に動かし、そのため球には迅速な回転が生じる。

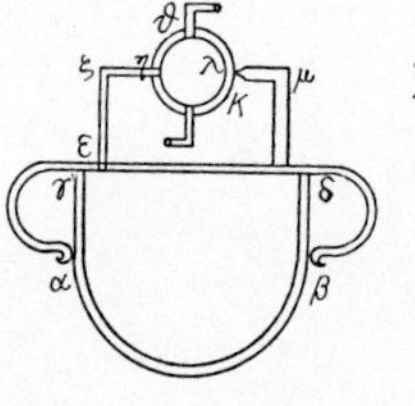

図22 ヘロンの汽力球。Taurinensis の挿し図による。

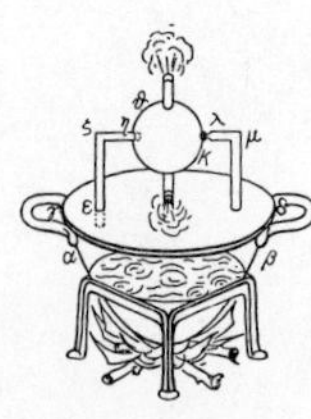

図23 ヘロンの汽力球の正面図。

ここで、諸君に古い実験をお目にかけよう。まん中が球状に膨れた┐└型のガラス管を用いる。(9) そして一本の針金をこの球の両側にかけ、ガラス管はその軸のまわりをたやすく回転できるものとする（図25）。今、この球にいくらかの水を入れ、球を注意しながら温めていく。すると蒸気は両側に吹き出し、管は、温度と蒸気発生とが増加するにつれて、ますます回転が速くなってくる。

イギリスの学者ジョージ・グリーンヒル卿が工夫した小さな片腕装置は、もっと簡単である。(10) これもここでお目にかけておこう（図26）。

さて、この小規模な実験で、蒸気力の作用がはっきりとわかったとしても、(11) 蒸気機関までにはまだまだ距離がある。ヘロンの時代は、実際的な目的よりもむしろ遊戯的なものに注意がむけられていた。ヘロンの物理学的諸問題の叙述は、まるで一七、一八世紀の王侯貴族の骨董部屋でなされていたような物理学を思わせる。ヘロンの蒸気機械の実験を実用化したものといえば、一六一六年以来ロレットのサンタ・カサ聖堂の建築技師になったジョヴァンニ・ブランカが、一六二九年に公表した発明がいつも挙げられる。(12) かれは吹き出した

図24　ヘロンの汽力球の側面図。

蒸気を羽根にあて（図27）、多くの連動装置を経てそれで小さな搗(とう)砕(さい)工場を運転したといわれている。この計画が実行されたかどうかは、私には確言できない。

ともかく、タービンの根本思想をふくむこの発明は、最初は、技術にはけっして広汎な成果をもたらさなかった。

またヘロンの**自動装置**も、大部分は結果からみて、遊戯的なものにおわっている。この古代機械学の優雅な諸作品をとりあつかっている著書[13]は、芝居むきまたは卑俗な信仰むきに書かれている。この「自動装置の芝居」の個所では、バッコス祭[*1]を小規模に演じて観客たちを魅了するための装置が述べられている[14]。その他では、古代の戯曲『ナウプリオス』[*2]〈Ναύπλιος〉五幕がとり上げられ、その登場人物はすべて、車輪連動機と綱とで自動的に相ついで動かされるようになっている[15]。ナウプリオスの息子パラメデスは、ギリシア人の陰謀によってトロイアの陣営で石殺しの刑に処せられた。そこで、父親ナウプリオスはこれに復讐しようとして、帰路についているギリシア人にたいし、エウボイアの南端で暗夜に虚偽ののろしを上げた。ギリシア人の船は、危険なカペレオス岬[*3]でことごとく沈没する。

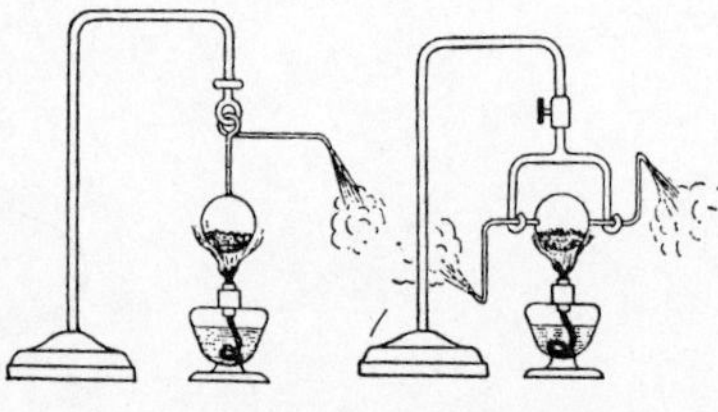

図25（右）　両腕の汽力球。
図26（左）　片腕の汽力球。

*1　酒神ディオニュソスのこと。
*2　トロイア戦争時代のエウボイアの王。
*3　エウボイアにある岬。

アテナ[*4]はアイアス[*5]にいなずまを投げつける。

さて自動装置の芝居は、この戯曲五幕をつぎのように演出している。

第一幕　一二人のギリシア人が船を進水させるため、そのかたわ

図27　ブランカの蒸気製粉機。

*4　ローマ名はミネルヴァ。ギリシア神話のオリュムポスの一二神に属する知恵と工芸の女神。

*5　トロイア戦でギリシア軍に参加したロクリの王。

らで立ち働いている。背景では各種各様の職人が、のこぎりで挽いたり、槌で打ったり、孔をつくったりなぞしている。それはヘルブルンの自動装置とよく似ている。ただ、この古代ギリシアの自動装置の芝居では、水力でなく強力な錘によって運転されている。つまり錘にひもをつけて、車輪や道具を動かすのである。

第二幕　船の進水。

第三幕　船の航行。イルカが舷側に出没する。

第四幕　しけ。ナウプリオスが虚偽ののろしを上げる。

第五幕　難破。アイアスは陸地を目ざして泳いでいる。そのとき、諸道具の上に（古代アッティカの芝居とまったく同様に）女神アテナがあらわれ、かれにいなずまを投げつける。雷鳴器が用意され、さわがしい音を助奏する。アイアスは流れのなかに沈んでいく。そのさい、全景を前に推しやって泳手を隠してしまう。

このような芝居の自動装置は、早くから歳の市のからくり芝居でいろいろと模倣されてきている。今日、ヘロンの自動装置のうちで実用に供されているおもちゃには、たとえば「さえずる鳥」などのたぐいのものが少数あるだけである。けれども、ヘロンのつぎの二つの装置は、最近、交通運輸上から非常な意義をもっている。それは、**賃金表示機**と**商品自動販売機**とである。

ヘロンは、賃金表示機を**路程計**〈Hodometer〉と呼んでいる。かれの記述を自由訳にするとつぎのようになる[16]。

> 路程計があれば、測量鎖とか測量なわを使ってむだ骨を折らなくとも、陸地の経過距離は測量できる。むしろ車内にのんびりと腰かけていて、車輪の回転で簡単に経過距離が測れる。
>
> 機械の組立てはつぎのようにする（図28）。箱ΑΒΓΔをつくり、その下底に八本のピンをもつ車輪ΕΖをとりつける。この車輪は、一本の軸のまわりを箱の下底と平行に回転する。そしてこの軸の上端は中底に差しこまれている。箱はあのピンをもつ車輪が回転する個所で、このピンと下方から出ている一本の垂直な無頭釘とが噛みあうように切りとられている。そしてこの無頭釘は大車輪のこしきに接合していて、この大車輪が一回転するごとに、あの水平の八本のピンの一つに触れてそれを推し進める。こうして第二、第三……のピンが、切りとり個所に押し出される。

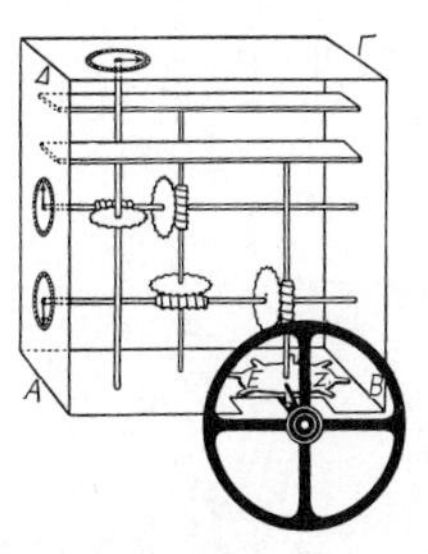

図28　ヘロンの路程計。

ピンをもつ車輪の垂直軸には、無端ねじがしつけられている。この無端ねじには、横軸に固定した垂直歯車が嚙みあっている。この横軸にもまた無端ねじがあって、それが第二の水平歯車を運転する。そして無端ねじをもったこの軸がさらに第三の歯車を運転し、これが第四の系に連絡する。そしてこれ以上任意に増していける。歯車と無端ねじとを多くすればするほど、路程計で測れる距離は長くなる。

さて、この機構を運転するにはつぎのようにする。無端ねじが一回転するごとに、歯車は一歯だけ動く。そこで、もしも車の回転車輪が完全に一回転すると、こしきの無頭釘は八本のピンのうちの一本をまわす。そこで今、つぎの歯車が三〇個の歯をもち、車の車輪が8×30＝240回転したとすると、隣接する第二の無端ねじは一回転を示す。だから、つぎの歯車が一回転するには、240×30＝7200回転しなければならない。今、車輪の周囲を一〇ギリシア・フート＝一五ギリシア・フートとすると総計7200×15フート、すなわち一〇万八〇〇〇フート〔約三二・四キロメートル〕になる。ところで、六〇〇フートは一ギリシア・スタディオンであるから、経過距離は一八〇スタディアになる。

この回転数を外部からただちに読みとるために、歯車の円形軸が外部へ貫通し、貫通したところで軸は正方形になっている。この端に指針をとりつけ、この指針が度盛りのある円にそってまわるようになっている。ここで各歯車の示度が読み上げられ、距離がくわしく確定される。だからこれは、今日の電気のメーター[*6]とだいたい似ている。

＊6　正しくは積算電力計のこと。

アレクサンドリアの手本にならってヘロンと同様な機械学的の著作をラテン語に改作したローマの建築技師ウィトルウィウス(17)（X9,1-4）は、いくぶんちがった路程計について述べている。ことに、消火ポンプの発明者であるクテシビオスの諸発明を伝えている。その他の点では、ウィトルウィウスの路程計（図29）も、ヘロンのものとおなじような構造である。ただ、その回転によって経過した旅程の総計が指示される最後の車には、一日行程の距離数だけの孔数が円形に開けられている。これらの孔には球がつめられており、しかもそれらは、この車とすぐ間をおいて下にある箱のふたとの間に、ゆるく挟まっている。さて、一マイル

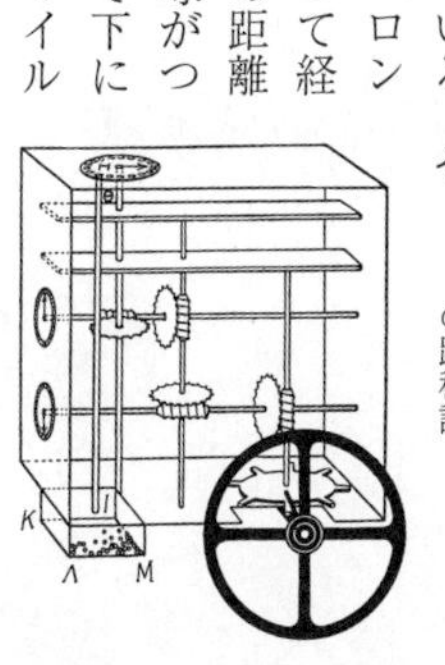

図29　ウィトルウィウスの路程計。

〔約一・六キロメートル〕回転すると、車の孔Hはそれに相当する箱の孔の上にくる。そしてこの箱の孔は車の孔のように球をとおす。この孔に管HIの一端が接し、車からの球はこの管をとおって下方へ運ばれ、路程計箱の下部の青銅製のひきだしKΛIMに落ちる。このため、同乗者にはそのたびごとに、経過した距離が聞こえるのである。旅程がおわると、青銅製のひきだしをひき抜いて、球数を勘定する。つまり、球数がマイル数に比例するわけである。周知のように、ウィトルウィウスの装置はヘロンの道標[*7]ほど、優雅でも科学的でもない——実際的であり、ローマ的ではあるが！

さてここで興味あることは、ウィトルウィウス（X 9, 5–7）の報ずるところによると、ヘロンはこの路程計が航海にも使用できると発表している点である。舷には、橈船（かいせん）でも帆船でも、今日の外輪蒸気船のように一定の寸法の水掻き輪がとりつけられている。[18] 船が進めば車輪を動かし、そしてこの車輪が経過したマイル数を記すわけである。

この方式は、最近までのあらゆるこころみにもかかわらず、一五七七年に銅版彫刻師ハムフレイ・コールが発明した現代船のめんど

＊7 路程計のこと。

うで不正確な速力計の方式に、まだとって代わっていなかった。しかしながらここ三〇年来、路程計は輝かしい成果を挙げている。すでにレオナルド・ダ・ヴィンチは、ウィトルウィウス[19]によって路程計の見取り図を二枚描いた。また今日の賃金表示機も、古代の路程計の原理をまったく模倣したものである。ただ、後輪の回転が直接装置に導かれないで、空気蛇管によるか、またはむしろしなやかな接手によって運転台に導かれるようになっているにすぎない。

最後に私は、ヘロンの数多くある装置のうち、今日のチョコレートや切符の自動販売機の先駆をなす**自動聖水装置**についてお話ししよう[20]。この装置は、古代では神殿の前にあって、信心ぶかい神殿参詣者が銅貨を入れると聖水がちょろちょろと流れ落ちるようになっている。ヘロンによると、抜け目のないエジプトの神官がこの聖水盆〈περιρραντήριον〉と賽銭箱〈θησαυρός〉との組合わせを考案し、アレクサンドリアの機械師がこの装置をつくったといわれている。かれは自分の自動装置をつぎのように述べている（図30）。賽銭箱

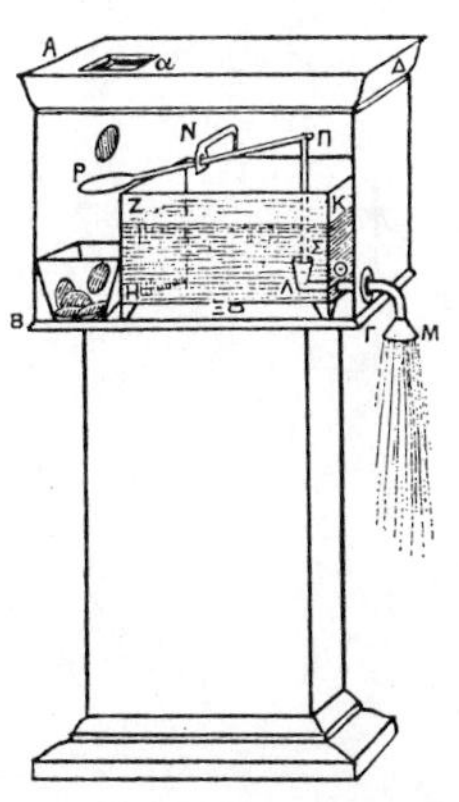

図30　ヘロンの自動聖水装置（正面から内部をうかがう）。

ΑΒΓΔの上板に金銭投入口αをつくる。この箱のなかに水を満した容器ΖΗΘΚがある。この容器の底には、流水管ΛΜに連絡する筒Λがある。

賽銭箱のなかの水を入れた容器の背後には垂直棒ΝΞがあって、この棒の上部のかぎ型に曲った端には秤ざおΡΠが釣合っている。秤ざおの一端には小さじΡがあって、休止しているときでは水平のふたまたは賽銭箱の底と平行にある。しかしこのさじは、すこしの重みか一枚の銅貨が加わると下がり、したがって秤ざおの他端Πはそれに応じて上がるようになっている。このΠの個所に棒ΠΣが吊り下げられ、それが筒Λのなかにはいって栓をしている。そして休止しているときには流水管ΛΜは閉鎖されている。ところが上方の金銭投入口αへ金銭を投げこむと、これがさじΡの上に落ち、さじをおさえ、ついで賽銭箱中の小さい傾斜板へとすべり落ちる。他方、秤ざおが下がると右脚を上げることになって、棒ΠΣが上がる。すると筒Λの閉鎖は開き、水は容器ΖΗΘΚから管ΛΜをとおって流れ出る。金銭が落ちてしまうと同時に、秤ざおは跳ねてふたたびもとの位置に戻り、棒ΠΣもふたたび流水管を閉鎖する。そしてこの遊びは、あらためてまた開始されるわけである。聖器の監視人は、ときどき賽銭箱を開けて銅貨をとり出し（ヘロンは、一ロット〔一七・八〇グラム〕よりもすこし重い五ドラクメ貨を標準貨としている）、さらに新しい聖水を入れておくのである。

この古い珍奇な神殿用具の発明者は、まさかこの着想が、すこしばかりの改良でまったく近代的な小売販売機に変形されてしまうとは思いもかけなかったであろう。現代の自動販売機の発明者(21)が、直接ヘロンを利用したかどうかはわからない。しかしこの書物は、近代力学全般に直接、さらに多く間接に、影響をおよぼしているのであるから、関係は十分に可能である。ことにイギリスでは、今なお古典教育が従来どおり教養人の看板になっていて、一言語学者と一機械師との協力によってなされたその現代英語訳(22)は、古代思想をドイツの場合よりもいっそう普及させているのである。

第四講　古代の通信術

二枚折りの板／スキュタレ／文字輪／打点法／伝書バト通信／発火通信／水通信機／ポリュビオスのたいまつ通信／光学的通信機

自分の意志を遠くにいる人びとに通知しようとする望みは、つねに**文字**の発明につよく協力した。シュメル人[*1]やその後継者のバビロニア人、アッシリア人、またエジプト人の場合には、その発明は太古のうちに消えてしまっている。またミュケナイ時代の支配者たちも、完全な文字を制定していたのであるが、残念ながらその解読はまだ困難である。[(1)][*2] **ホメロス**の朗吟歌人たちが目に一丁字もなかったかのように考えるのは、最近三〇年間の諸発見によってまちがいであることが立証された。古代人自身がフェニキアの文字と呼んでいた——事実それはフェニキア人からの借りものだったから——慣用のギリシア文字でさえ、前九世紀のホメロスのころには知られてい

*1　メソポタミアにおける最古代の文化民族。

*2　今日では、ミュケナイの線文字Bがヴェントリスによって解読されている。

たのである。それについては、『イリアス』〈Ἰλιάς〉の有名なつぎの個所がある。[(2)] 今や、考えなおしたプロイトス王[*3]は、ベッレロポン[*4]に、この手紙を持参したものを殺害せよという手紙をもたせて、王の義兄弟であるリュキアの王イオバテスのもとに派遣することにする。「折り重ねた板に、殺害の意味を刻みこんだ符号」をアジアにいくかれにもたせ、それを血縁の支配者に差し出すように命じた。

　この手紙を持参したものを殺害せよという秘密命令の書かれたこの書板は、ベッレロポン自身には見えなかったはずである。だからこの書板は、古代全般におこなわれていたような、両板の片側がくっついていて他の側を糸と封印とで閉じた木製の二枚折りの板からできていたにちがいない。しかもここでは、それが折り返された一枚の白カバの樹皮であったように思われる。そして符号は、大むかしにおこなわれていたように、または、凹んだ面にろうを注いでそこへ筆で符号を刻んだ後世の木製の二枚折りの板のように、内側に刻まれた。このような「**二枚折りの板**」〈Diptykhon〉が、美しいタナグラ[*5]の乙女の膝の上にある（図版七）。彼女は、そこに綴られた[(3)]恋文を見て、もの思いに沈んでいるのであろう。さてホメロスの述

*3　アルゴスの王で弟と相争い、のちに仲なおりをする。

*4　プロイトスの王妃にいいよって拒絶された。

*5　ギリシアのボイオティアにある町。

べているような、この手紙を持参したものを殺害せよという手紙は、その形式はどうあろうと、ともかく秘密急報の最古の方式を示している。

もう一つの秘密通信方式に、スパルタやイタカのようなギリシア諸都市で公用された**スキュタレ**〈Skytale〉[*6]というのがある。この言葉の転義は、すでに前六五〇年ごろアルキロコス[*7]によって使われていたから、これが前七世紀のはじめにギリシア一帯に知られていたことはまちがいない[(4)]。このスキュタレは、まったくおなじようにつくられた二本の丸棒からできていて、そのうちの一本は文書庫に保管され、もう一本が急報をとり交わそうとする相手方の役人に手渡されていた。急報は、棒に螺旋状に巻きつけられた一本の革帯に記される。だから棒を抜きとると、文字は切れて、この秘密を知らぬものには読むことができない。しかし、遠くにいる相手方の役人は、

図版七　二枚折りの板をもっているタナグラの乙女（Saburoff 収集品）。

＊6　原意は棒。

＊7　前六五〇年ころのパロス出身の詩人。

その革帯を自分のもっているスキュタレに巻きつけた。すると、文字はふたたびもとのように配列されるので、役人には、その意味がつかめたのである。

ここで諸君に、直径（一・七センチメートル）が精確に等しい二本の太い木製筒型の棒をご覧にいれよう。[5] さて私は、この白い一〇センチメートル幅の革帯を、すき間のないように斜めに棒（σκυτάλη）に巻きあげる。その上へインクで、棒の長軸の線にそって、ギリシア文を大文字で書き流してみる。諸君は、このギリシア文がたやすく読めることはおわかりであろう。こんどは、この革帯を解きほぐしてみる。すると、どんな天才の言語学者でも、ここにあらわれた半切れの文字には手のほどこしようもなかろう。ところで今この革帯を、もう一本の棒に巻きつけてみる。するとただちに螺旋はぴったりと密着し、言葉のつながりが最初の棒の場合のように、はっきりとしてくる。スキュタレの秘密はここにある！

時代とともにギリシアでは、秘密急報の方法がますます多くなった。前四世紀の中ころ、都市の包囲攻撃に関して、『戦術家アイネイアス』〈*Aeneas Tacticus*〉と呼ばれる一書を著した古い一軍事記者は、包囲攻撃にも大きな役割を演じるこの問題をきわめて重視し、大きな一章（第三一章）を費している。かれはこの章で、秘密急報と暗号記法との方式を一六種記載している。このうちには、今日もなお使用されているものが数種ある。たとえば、ある任意の書物中の文字に点を打ち、それらの文字を組合わせていくという第一法は、今日でも恋人同士でおこなわれているそうである。(6) 恋人にシラーの詩を送り、そのうちのある詩の点を打った文字をならべてみると、秘密の意味がわかるというぐあいである。

アイネイアスのおなじ章にある**文字輪**による方法(7)は、なかなか洗練されている。これは、小さな模型で説明することができる（図31）。諸君がここでご覧になる木製の円板には、周辺に二四個の孔と中央部にも二個の孔が開いている。中央部の二個の孔の配置は、周辺の孔のはじまりを示している。周辺の最初の孔は第一の文字Aにあたるから、右まわりに進むと残り二三文字の順序もきまるわけである。さて、発信すべき急報の文字に対応する孔々に、一本の糸をとおしていくのだが、そのさい同一文字がたびたび相前後してあらわれる場合は、糸を中央部の孔の一つに差しこみ、そこからふた

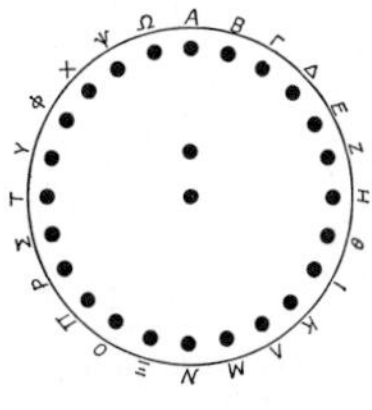

図31　アイネイアスの文字輪。

たびもとの孔に戻すようにする。ちょうどまん中にある孔は、最初は糸をとおさずにおく。それは、一語が終るごとに糸を差しこむためである。そこで、孔の秘密に通じた受信者は、ただ糸を抜いていきながら文字を右から左へ、つまり逆に記し、一語のおわり目をコムマで印をつけていきさえすればよい。輪の編みこみが解かれると、急報は明白に読みとられる。

　アイネイアスはその他の暗号記法のうち、**打点法**についても述べている。それは、母音を点で表わし、しかもαは一点、ωは七点となるようにしている。[*8] このような書式は、フェニキア人やユダヤ人やアラビア人が、かれらの文字のうちの母音を省略したり、あるいは線か点であらわすやりかたを想起させるもので、おそらくオリエントから借りたものと想像される。アイネイアスの伝えている急報は、小ディオニュシオス[*9]とその将軍ヘラクレイダスとを引照している。[8] シチリアでは、フェニキア人の影響が非常に大きかったのである。この方式は、近世外交上の巧緻な暗号記法がヴェネツィアから流布される以前、中世においてはかなり普及していた。

　アイネイアスは、包囲攻撃や戦争一般において、一地点より他地

*8　したがって、εは二点、ηは三点、ιは四点、οは五点、υは六点。

*9　シュラクサイの王（前約三九六―三三〇年）で、同国を訪れたプラトンを追放した。

点への急報を速めるための最も有用な一方法としての**伝書バト通信**のこと[9]には触れていない。けれども伝書バト通信は、常時のギリシアには存在していたのである。ノアの箱船から飛び立って使いしたハトの美しい伝説は、この賢明な動物がオリエントではすでに早くから通信用に使われていた証拠である。喜劇作家のペレクラテス*10は（断片第三三）、前五世紀のギリシアにおける伝書バトを確認しているし、またわれわれは、おなじころアイギナのタウロステネスがオリュムピア*11における自分の勝利を、ハトを使ってその日のうちに郷里に知らせたということを聞いている。

ローマ人は、競走に勝った場合にも、（前四三年のムティナ*12における）包囲攻撃の場合にも、伝書バト通信を用いた。その後は、オリエントでつねにおこなわれていたこの急行郵便が、アラビア人の手によってとくに発達した。ローマ時代とその後の一三世紀から一五世紀へかけて、西方アジアとエジプトでは、伝書バト通信がまったく定期的におこなわれていた。

しかしながら、以上述べたことはすべて、決して真の通信術、つまり通信記号ではない。通信術とは、**火花通信**で終始するものであ

*10 前約四四〇—四一五年ころ活躍したアテナイ出身の喜劇作家。

*11 ギリシアのエリスにある競技場。

*12 北イタリアにある今日のモデナ。ローマ人とガリア人との戦闘地。

る。もちろん古代の通信術で利用された火花は、今日の無線電信から出るような電波ではけっしてなく、積み重ねた材木の炎上やたいまつで、夜間に、望楼から望楼へとひらめく火花であった。

敵襲の防衛に仲間たちを手早く集合しようとする場合に、このような信号がすでに早くから、いたるところで使用されていたにちがいない。デモステネス[*13]の栄冠論にある有名な一挿話（§169）には、アテナイ人はピリッポス[*14]のエラテイア[*15]攻撃（前三三九年）の報に接したので、市場のヤナギ編み細工店を燃やして信号火としたということが述べられているが、これはおそらく、アクロポリスの丘からアッティカ在住の戦闘員に急報したのであろう。スイスの高地にある見張所がこれに似ている。フリートリッヒ・レオポルト・シュトルベルク伯[*16]の明快な記述によると「こういう高地の見張所は、スイス全土にわたり、おそろしい敵襲にたいする全スイス連邦の備えになっている。一火がひらめくと、すぐに相ついで点火され、二四時間内に連邦の男子たちは武器をとって立ち上がる」(10)とある。

すでにホメロスは、包囲された都市の住民たちが夜間、**発火信号**をあげたということを述べている(11)。ホメロス以後の帰国の歌という

＊13 パイアニア出身の雄弁家（前三八四―三二二年）。

＊14 マケドニア王でアレクサンドロス大王の父（前三八二―三三六年）。

＊15 ギリシアのポキスにある町。

＊16 詩人でベルリン駐在オランダ公使（一七五〇―一八一九年）。

叙事詩では、ナウプリオスの虚偽の発火信号のことが物語られていたが、[12]このことによってわれわれは、エーゲ海の島々や岩礁には灯台とか火見やぐらを設けていたことが推定できるはずである。古代人は、ナウプリオスの息子パラメデスを、発火信号の発明者だとみなしている。ヘロドトス（9,3）によると、マルドニオス[*17]はサラミス[*18]の海戦後、敗走のクセルクセス王にペルシア陸軍のアテナイ占領を、発火通信によって（πυρσοῖσι）島々を経て（διὰ νήσων）アジアへ知らせる見込みがあったという。そこでこのことから、アジアにはすくなくとも、このような設備のあったことが推定できる。[13]しかしまた、こういう火見やぐらは、ヘロドトスが述べているように、ペルシア戦争中[*19]にはギリシア諸島にもあった。すなわちヘロドトス[*20]（7,182）は、エウボイア北端のアルテミシオン島のギリシア人は、相対するスキアトス島からの発火信号で（παρὰ πυρσῶν ἐκ Σκιάθου）二隻のギリシア船がペルシア人に捕獲されたことを知ったと述べている。

前五世紀のギリシアにおける発火通信については、アイスキュロス[*21]（前四五八年）の戯曲『アガメムノン』[*22]〈Ἀγαμέμνων〉に最もは

*17　ダレイオス（ダリウス）一世（前五二一—四八五年治世）の婿でペルシアの将軍。

*18　サラミスはギリシアのアッティカ西方の島で、この付近でギリシアの軍船がペルシアの軍船を撃破した。

*19　前五世紀はじめから同世紀の中ころまで継続したギリシアとペルシアの戦争。

*20　前約四八四—四二五年ころのハリカルナッソス出身の歴史家。

*21　ギリシアの悲劇作家（前五二五—四五六年）。

*22　トロイア戦争におけるギリシア軍の総大将。

っきりと書かれている。もしも当時のギリシアに、すくなくともこのような発火通信術が組織されていなければ、この劇作家がこの種のものを自由に案出できたはずはない(図32)。コロスの長は、クリュタイムネストラ[*23]にトロイアはいつ陥落したかを訊ねる。そこでこの女王は答える。

それはこの日の前、昨夜のことでした。

コロスの長

それで、それほど早くご存じとは、どんな使者のしわざでございますか。

クリュタイムネストラ

ヘパイストスがイダ山から、燃える光を送ってくれたのです！
発火通信でつぎつぎと焔があげられ、ここまで伝わったのです。
イダ山からレムノスのヘルメス山に伝わり、
第三に燃え上がるのろしをうけとったのは、
ゼウス[*24]の宮のあるアトス山でした。
ついで、たいまつは大きく伸びて、
海をからかうかのように飛び越え、

＊23 アガメムノンの妻。

＊24 ギリシア神話における最高神。

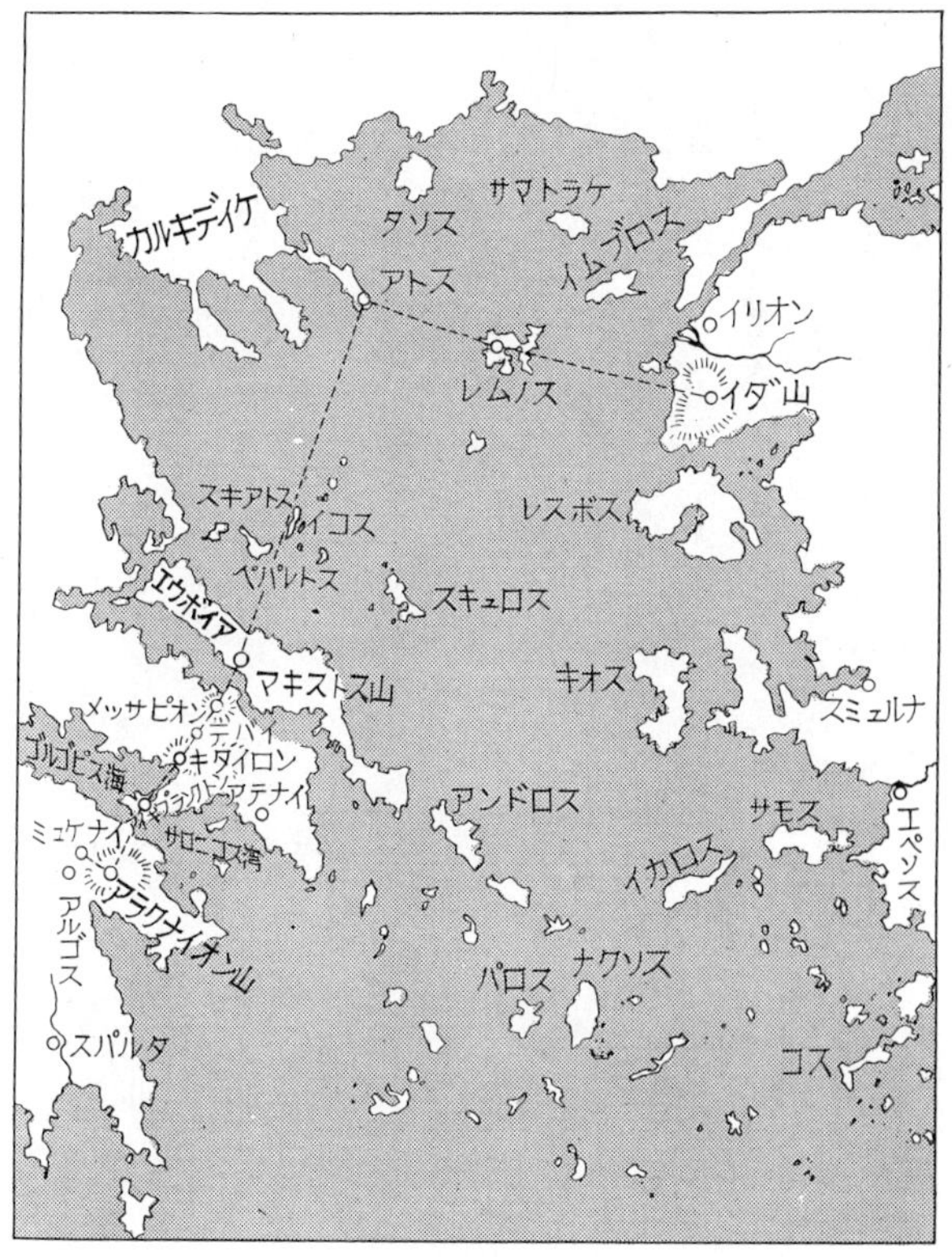

図32 アイスキュロスの『アガメムノン』における発火通信。

陽光のように明るいたいまつの光は、
エウボイアの高台マキストスの見張人に送られました。
この男は、なまけものの居眠り屋ではありませんでした。
いいえ、その男は急いでこの発火通信を、
さらに前方の、エウリポス海峡[*25]を越えたメッサピオン山の見張人どもに知らせました。
かれらはこれに呼応して、荒野の乾草に火を点じ、発火信号としたのです。
そして輝くこのたいまつの、疲れを知らぬ光は、
アソポスの平野を横切り、
満月が輝くように、キタイロンの岩壁に映じ、
そこで火は、新しく点火されたのです。
一睡もせずにいた山の見張人は、
遠来のこの使者を拒みませんでした。
それがゴルゴピス海をす早く越えて、ヤギ山にまできたのです。
そこでも見張人は、多くの木を使って火をあげました。
焔は巨大な柱になって天高く燃え上がり、

＊25　ギリシアのエウボイア島とボイオティアとの間にある海峡。

サロニコス湾は烈火につつまれました。

火は、難所をたちまち飛び越え、
最後の通信地である近くのクモ山に達しました。

こうしてイダ山の火が伝えに伝わって、
ついに、この王宮にきたのです。

これが、私のたいまつ伝送隊の順序です。

焔の使者はこうして、手から手へす早く伝わったのです。

最初のものも最後のものも、勝利にあやかりました。

これが、今日トロイア[*26]から夫の知らせてくれた吉報の保証であり、担保なのです。


この最古の火花文句によるトロイアからの勝報は、イダ山からレムノス島を越え、アトスに達し、それから南へエウボイアを過ぎボイオティアのキタイロンへ、ついでそこからイストモス(アイギプランクトン、すなわちヤギ山)を越えてエピダウロス[*27]付近のクモ山(アラクナイオン)へ、そして最後にミュケナイ[*28]の王宮に通報されている。しかしそれが荘重な詩味を帯びているだけに、文字どおりの真実性はあまり要求されていないとみるべきであろう。[14] 精確に計算

*26 小アジアのミュシアにある古都。通称はトロイ。

*27 ギリシアのアルゴリスにある町。

*28 ギリシアのアルゴリスにある町。ギリシア文化の先駆をなすミユケナイ文化の発祥地の一つ。

したところによると、この通信系統内のアトスからエウボイアのマキストスまでの距離一八〇キロメートルは、発火信号をするには困難である。じっさい、ここではすくなくとも一つの中継所を介在させねばならなかった。だがそれにもかかわらずわれわれは、これらの屯所のどれ一つとして、当時の、またはそれ以前のかつて存在していた信号設備の手がかりがなければ選べないということを認めてさしつかえなかろう。

しかしながら、この火花通信術には大きな欠点がある。それは、あらかじめしっかりと約定した急報以外は伝送できないということである。またたとい、ヘロドトスが述べている場合のように、確実な信号の申合せによってかなり十分な通知ができたにちがいないとしても、簡単なたいまつ通信では、われわれのいう通信を発すること〈Telegraphieren〉は不可能であろう。さてところで、前述の戦術家アイネイアスは、ポリュビオス[*29]によって伝えられた一断片中で、**水通信機**とでもいえる巧妙な装置について述べている[(15)]。かれはそれをつぎのように記述している（図33）——「発火信号で急ぎの通信をとどけたいとき、おなじ直径と深さをもつ二個の土器を準備せよ。

＊29　メガロポリス出身の歴史家（前約二〇四—一二二年）。

図33　水通信機。

深さは、約三エッレ〔約一・三メートル〕、直径は一エッレ〔四四センチメートル〕にとれ。つぎにコルクの小片を用意して、その直径を両土器の直径よりいくぶん小さくせよ。コルクには三ゾル〔五・五センチメートル〕の間隔に、切り目をつけた棒を固定させる。その結果、各棒は二四の目に区切られる。これらの目には、戦時中に最もおこりがちな事件を記入しておく。たとえば、第一の目には「国内に騎兵が侵入した」、第二の目には「重装兵」……、第三の目には「軽装」……、さらに船とか糧食とか、およそ従来の出来事のうちで最も確実と考えられるものを二四の目に記しておく。双方の棒は、もちろんまったく同一の切り目にし、おなじことが書かれていなければならない。つぎに双方の土器筒の底に、むろん同一個所で同一直径の排水孔を設ける。そこで容器に栓をし、水をふちまでいっぱいに入れ、信号を書きこんだ棒つきコルクをうきとしてのせる。これで通信装置はできあがった。一方の装置は発信所におき、もう一つは受信所に渡しておく。

さて記入した事件の一つがおこったとする。するとまず、夜になって発信所でたいまつ信号を与える。受信所ではそれに応じるたいまつ信号で待機の合図を告げる。つまりこの瞬間は、たいまつは双方ともに高く上げられている。つぎに発信所では、たいまつを下げる。これは、土器筒の孔を開けて水を徐々に排出せよという約定の信号である。受信所では相手方のたいまつが下げられたのを見ると、ただちにこちらの容器の栓を抜く。こうしてこちらの容器からも、相手方と同様に水が徐々に流れ出る。今や、双方の容器の水面は同一に沈んでいくから、双方のコルクのうきも同一に沈んでいく。さて急報すべき信号が容器のふちと同一水平面にきたとき、発信所ではふたたびたいまつを高く上げる。これは、栓を詰めよ！ という合図である。するとただちに受信所では、ふちにどの信号が認められるかを検べる。そこにあらわれたものが、つまり伝えられた急報になる」。

ポリュビオスはこの巧妙な様式において、おこり得る出来事の数が制限されていること、ことに、くわしい数字の報告ができないということを問題にしていない。ところが知りたいのは、騎兵の国内侵入ということだけでなく、その騎兵の数も知りたいのである。

私の推定によれば、まさに非難すべきは、おそらくアイネイアスの記述している装置にあるのであって、[16] 原発明にあるのではなかろう。なぜなら、ちょうど二四の目に区切るべきだというのは、指定された長さから割り出されるのであって、発明者はアルファベット式通信機をつくる意図であったと推定されるからである。その当時、一般に用いられていたギリシアのアルファベットは二四文字であった。[17] この二四文字を使うと、二四の事件でなくて、どんな事件でも通信できたであろう。もちろん、こういう通信になると、いくぶんめんどうであった。というのも、文字がアルファベット順にならんでいないときは、各文字ごとに約定の信号を上げて、新しく水を満たさねばならなかったからである。しかし、一文字ごとに水を満たして通信したとしても、二〇文字を一時間内に通報することは容易だったはずである。だから徹夜もすれば、たくさんの報告ができるであろう。

アイネイアスは夜間信号だけを述べているが、昼間でも手旗信号によれば、明らかにこの装置を利用することができた。もっとも、このような急報は少々長たらしくもあり、また兵士たちの非常な綿密さを必要とした。そこでアイネイアスか、またはかれがこの方式を借用した先輩か、ともかくそのような一現役軍人が、この装置の二四の目に巧妙な標題をつけることによって、一般実用むきの手ごろなものにしたのである。しかもこの簡単な方法の起原は、アイネイアスよりも約三〇年ほど以前に遡るものである。アイネイアスは前三六〇—三四六年間に執筆したが、この簡単な方式は、前四〇五—三六七年にシチリアを統治した老ディオニュシオス[*30]のころに出たもので、カルタゴ人に由来している。

のちの軍事記者ポリュアイノス[*31]が報じているところでは（VI 16, 2）、カルタゴ人はディオニュシオスと交戦中、大きさがおなじ二個の（ガラス製）クレプシュドラ[(18)]を所有していた。そしてこの容器は、そのまわりに釣合いのとれた移動環をもっていた。この環には、いろいろな通報、たとえば「軍船がきた」とか「荷船」とか「資金が欠乏した」とか「機械」とかが記された。水時計の一つはシチリアのカルタゴ人のもとに保管され、もう一つはカルタゴに送られた。そこで、たいまつ信号を前述の装置と同様におこなうと、水の滴下が調節され、環は一定の個所で停止するという。

ここで当然気づく点は、シチリアから二二五キロメートルも離れ

＊30　小ディオニュシオスの父で、合法的な僭主となる。

＊31　二世紀の中ころのマケドニア出身の軍事記者。

＊32　シチリアの西南にある小島。

たところへ直接たいまつで信号はできないということである。だから中継所（たぶんコッシュラ島[*32]）を介在させねばならなかった。しかしそれでも、まだ距離は長すぎる。おそらくこの装置が運用されたのは、ポリュアイノスが述べているようなアフリカとシチリア間ではなくて、シチリア内の各地間だったのであろう[(19)]。

私は二四の目のあるアルファベット式通信機を仮定し、つぎにカルタゴ人のクレプシュドラ通信機を、そして以上二つを妥協させたものと見られるアイネイアスの水装置をお話しした。さて私はさらに、古代技術の隆盛期がこの発明に何をつけ加えたかを示さなければならない。幸いにも、あの著名な歴史家で兵法家の**ポリュビオス**(10, 45) が、一つの信号通信装置についてくわしく書いている（図34）。これは、アレクサンドリアの技師**クレオクセノス**と**デモクレイトス**とが発明し、ポリュビオス自身の手で改良されたものである。しかも両発信所も受信所も、もっぱら夜間むきに設備されている。しかも両所には、適当な間隔をおいて尖閣のある二つの城壁がそれぞれ築造された。この各城壁には、二フート〔約六一センチメートル〕おきに五つの間隙があって、この間隙にたいまつをならべて相手方に信号

図34　ポリュビオスのたいまつ通信装置。

できるようになっている。さらに両所とも、アルファベット二四文字をつぎのような順序で書いた暗号帳を所有している。

第一表　α——ε
第二表　ζ——κ
第三表　λ——ο
第四表　π——υ
第五表　φ——ω

さて、そこで通信されるわけであるが、たとえば「クレテ人一〇〇名が逃亡する」〈Kreter 100 desertiert〉という急報が発せられるとする。

まず文字Kが急報される。Kは第二表にある。そこで表を決定する左側の城壁の間隙に二個のたいまつをおく。受信所ではこれを記録する。つぎに右側の城壁に五個のたいまつをならべる。Kは第二表の第五番目の文字だからである。つまり右側の城壁は、左側の城壁から信号された五つの文字群のうちの一群内の各文字の順序を示すのである。

受信所では、こうして第二表の第五番の文字Kを記録する。以下同様に、R、E、T、E、Rなどを処理していく。この方式は明らかに、今日の電信術の萌芽を内蔵している。ポリュビオスやアレクサンドリアのかれの先輩たちが、この私の再現した二四文字の信号方式によって、どれほど広汎な影響をおよぼしたかは疑問である。おそらくこの古い発明は、この種の多くの着想と同様、実用に供されなかったため忘れはてられてしまったことであろう。(20)

この方式が非常に複雑であることは、容易に認められる。ポリュビオス自身もこの異論は予想している。しかしかれは、日常生活も最初それに慣れるまではやはり複雑なものだという意見をもっている。

上記の「クレテ人一〇〇名が逃亡する」という急報には、一七三のたいまつ信号が必要であり、これには半時間あればできる勘定になる。組織を十分にすれば、この時間はなお非常に短縮されるであろう。(21) しかしどう考えてみても、時間のこの浪費ということがポリュビオスの方式が実用化されなかった理由にはけっしてならない。主因はむしろ、たいまつ信号の到達距離が短いという点にある。個々のたいまつはその光滲[*33]のために、二〇〇〇フート〔約六一〇メ

*33　発光体の大きさを、じっさいより大きく見る心理的現象。

ートル〕ぐらいまでしか明瞭に識別できない。そこでこの方式の改良は、フィシュルが提案するように[22]、つぎのようにすればよかろう。すなわちたいまつはただ一個だけ使い、城壁の背後でこのたいまつを最初は二回、ついで五回ひきつづき上下させて信号するのである。もっとも、見まちがいがおこらぬように、調子はきわめて緩慢にしなくてはなるまい。

古代においてこれらの光学的通信機が用いられる場合、つねに多くの中継所が必要であった。もしも中継所間の距離を一キロメートルにとれば、ヴィーンからゼムメリングまでの間には、じつに一〇〇以上もの多数の中継所が必要である。古代人には、この中継方式がめんどうで高価なものと思われた。だから、この発明には実用的効果がなかったのである。イゥリウス・アフリカヌスの報告によると[23]、ポリュビオスの装置の改良はローマの一無名人によってなされているが（原理的にはフィシュルの提案に近いものである）、けっしてひろく実用的には使用されなかった。

一六五九年、ナッサウの宮廷監理人〈aulae praefectus〉のドイツ人フェゲリン・フォン・クレールベルクは、たぶんポリュビオスからの借用であろうが、おなじような方式を考案した。[24] しかしかれはそのさい、当時すでに発明されていた望遠鏡を利用しており、この方式を昼間むきにつくった。

ローマ時代の著述家**ウェゲティウス**は、角材を望楼で上下させる通信術をごく簡単に述べている（*de re militari* III 5）。それから近世になると、この方式はさらに改良された。クロード・シャッペ[*34]はその光学的通信機の発明を、一七九二年三月二二日の国民議会に提出し、一七九三年、最初の実用的通信線がパリからリール[*35]付近の国境まで敷設された。その間に二〇個所の中継所が設けられ、各信号を通報するのに六分間を要した。この方式とこれに似たものとは、ドイツでも前世紀のはじめに設置された。なお一八三二年には、この光学的な線路がベルリン―ケルン―トリエル間に開かれた。しかしながら、一八〇八年のゼムメリング[*36]、一八三三年のガウスとヴェーバー[*37]、一八三七年のシュタインハイル[*38]というようなドイツ人たちの諸発明によって、**電気的通信術**[*39]が可能になった。それは、古代のアルファベット方式を採用したが、たいまつは電気火花に代えられたのである。

＊34　フランスの光学通信機の発明家（一七六三―一八〇五年）。

＊35　フランス北部、ベルギー国境近くの町。

＊36　ドイツの解剖学者、生理学者（一七五五―一八三〇年）。

＊37　ドイツの電磁気理論の開拓者（一八〇四―一八九〇年）。

＊38　ドイツの天文学者、物理学者、技術者（一八〇一―一八七〇年）。

＊39　電信術。

それにもかかわらず、古い光学的通信方式を欠くわけにはいかなかった。このことについては、フランクフルト新聞がつぎのように報じている。(25)

「戦闘区域の拡大によって、将来われわれは、火器の効果の増大を考慮するにちがいないが、また、司令官と軍隊との間の確実な連絡も必要である。電信電話や無線電信のような従来の技術的手段は、時と場所によっては、敵軍、地形、気象の影響のためにゆるされないか、または使用できないだろう。したがって、光学的連絡法も使用されるのであって、それは中間とは無関係であり、敵軍のために中止するなどのことがほとんどないのが特徴である。したがって、とくに通行困難な地形における通信を可能にする。しかしこのような手段が、有線連絡または無線電信の代わりに用いられると、それは非常な効果をもつにちがいない。軍隊に採用されている手旗信号は、近距離と好都合な状況とでは十分であるが、大規模になれば、大きな到達距離でも確実に通信できる信号設備が必要である。太陽通信機は、太陽の位置と気象とに依存し、単に日光が照射している場合にしか使用できない。**人工光による光学的通信装置**は、いうまでもなく光源の大きさと強さとに依存するが、いっそう確実性はある。今般ツァイス商会は、非常な性能をもつ装置をつくった。それは、きわめて強力な光源による優秀なもので、その到達距離は昼間では二五キロメートル、夜間では七五キロメートルにおよび、その信号は、中間の大気状態によっては肉眼でもよく見える。この装置の特色は、ランプの火口にある白熱体の加熱による光源を、アセチレン酸素ランプをもってしたという点にある。……信号通報は、ランプ内の光源と凹面鏡との間にとりつけられたきわめて簡単な遮光設備によってなされるもので、この遮光設備がモールス発信機と連結されているのである。装置を相手方と精確に調節するには、特殊なプリズム望遠鏡をもってなされる」。

この装置は〔第一次〕世界大戦中、わが軍によって完全に是認された。しかも大戦末期には、この装置は、秘密のうちになされたそれ以上の諸発明によって、とくに大成功へと発展した。こうして最も新しいものは、最も古い過去といちじるしく結びつき、ときに中絶はするであろうがけっして絶滅させることのできない人間の文化発展の単一性を教えている。

第五講　古代の飛び道具

古代飛び道具の再現／弓／小弩／腹あて機／オナゲル／発射機／パリントノン／くさび伸張機／青銅伸張機／ポリュボロン／アエロトノン／中世、ベイコンの秘法／ギリシア火／火薬とカノン砲／アルキメデスの蒸気カノン砲／ドイツのカノン砲発明家

古代における飛び道具の効果については、一方では古代の歴史家たちによって、他方ではその著作が伝わっている古代の技師たちによって、われわれに知られている。これらの技師たちのうちで最も重要な人びとは、すでに自動装置のところで挙げた**ピロン**と**ヘロン**である。その原文は、一部はむろん挿し図によって明瞭になっているが、それにもかかわらず、理解はきわめて困難である。だから、語学の知識と専門の知識とを握手させなければならない。そこでこれらの古代飛び道具を再現するために、前世紀には、言語学者たち

と将校たちが三度協力し、ついにじっさいの模型をつくることに成功した。そしてこれらの模型によって、古代の軍用機器の有能性が示されたのである。この仕事に協力した最初の一組は、言語学者のケヒリ[*1]と砲兵将校のリュストヴとであった。かれらは、ギリシアの軍事記者をドイツ語訳づきで一八五三―一八五五年に出版した。(1)これは、まず最初のものとしては非常に称賛すべきできばえであったが、ただその仕事があまりに性急で、また不十分な方法によった結果、この両学者の共同研究によってなされた書物は、今ではもはやすべての要求を満たすことはできない。かれらが一八六五年のハイデルベルク言語学会の席上でなした再現実験は、大してうまくはいかなかった。ついでナポレオン三世[*2]がこの問題をとり上げた。かれのカエサルに関するすぐれた研究が、かれを古代の飛び道具へも導いたのである。かれはエルザスの言語学者ヴェッシャー(2)と陸軍大将ド・レッフィとに、古代の原文の研究と飛び道具の模型復元とを依頼した。残念ながらとても気ままだったこの二人は、十分に共同して研究しなかった。だから、今でもサン・ジェルマン[*3]博物館に陳列されている大きな飛び道具模型は、いわば現代の空想的な機構にす

＊1　ドイツの言語学者、古代学者（一八一五―一八七六年）。

＊2　ナポレオン一世の甥、一時フランス国王となる（一八〇八―一八七三年）。

＊3　サン・ジェルマンはパリ西方にある町。

ぎない。最後に一九〇三年、ザクセンの砲兵士官だったドレスデンの休職陸軍中将で哲学士のE・シュラムが、古代の原典に基づいて最も重要な古代飛び道具の再現に着手した。そして一九〇四年以来、かれは私の亡友ルドルフ・シュナイダー教授から言語学上の助言をうけた。この実験は、プロシア衆議院とメッツのロートリンゲン史学会とから多大の補助金をうけ、大成功をおさめた。すでに一九〇四年、シュラムは、この問題に非常な関心をよせられたドイツ皇帝にたいし、メッツで三個の投射機を供覧することができたが、これらは、その作用において古代の諸報告に匹敵し、ともかく古代飛び道具の再現では今日までのところ最良のものである。これらシュラムの手になった飛び道具は、今日、一〇個に増されてホムブルクのザールブルク博物館にあり、またそのいくつかの小模型はベルリンの兵器廠にある。(3) それ以来またシュラムは、一九一二年にスペインのむかしの商業中心地だったアムプリアスで発見された飛び道具の遺物を現場で調査し、その後、ザールブルク博物館のためにその模型を作った。

古代の飛び道具は主として木製であったため、その遺物は当然、切れぎれになって発見されるにすぎなかった。もっとも、その発射物の弾はよく知られ、たくさん発見されている(4)。シュルテン(5)がスペインのヌマンティア*4発掘のさいに発見した弾は、最も興味ぶかい。それは、前一三三年にこの町が小スキピオ*5にたいして勇敢に防禦していたさい、この町へ飛んできたものである。これらの弾は、砂石からなっていて、重さは三—一〇ポンド〔約一・三—五キログラム〕ある。またやじりも発見されたが、それによって飛び道具から発射された投げ矢を再現することができた。それから、たとえばペルガモン*6の祭壇やトライアヌス*7の円柱のようなギリシア、ローマの浮彫り、また写本の挿し図やとくに歴史家、軍事記者のくわしい記述によって、飛び道具をいっそう精確に模写することができた。

以前は、飛び道具といえばユダヤ人のものだとされていた。というのも、『歴代誌』下の第二六章一五に(6)、ウジア王（前八世紀）について「かれはイェルサレムに技術をほどこし、これらをやぐらや石垣に備え、これをもって矢と大石を射出した」とあるからである。しかし、聖書のこの報告は不確実である。この著者は前三〇〇年ころにいて、そのころのギリシア時代の状態をそれ以前の時代に移し

*4　スペインのカスティリャ地方にある町。

*5　小スキピオ（前一八五—一二九年）は、老スキピオの養子でローマの将軍。

*6　小アジアのミュシアにある都市。

*7　トライアヌスは後九八—一一七年治世のローマ皇帝。その円柱はダキア遠征の記念にローマに建てられたもの。

たのである。(7) じっさいはディオドロスが確報しているように、(8) 飛び道具は前四〇〇年ころシュラクサイで発明された。そしてこの革新についてわれわれは、あの天才的で活動的な老ディオニュシオス王に感謝すべきであって、かれはギリシア、イタリア全土から優秀な技師たちを招き、攻防に適する飛び道具をつくらせたのである。(9)

古代の飛び道具は、人類最初の武器で最古代の発明品である**弓**から発達した。(10) ホメロスも、あの有名なパンダロス[*8]の角製の弓をイリアスのなかで述べているし、(11) また射手ヘラクレス[*9]は、ギリシア人の国民的英雄になっている。ピロクテテス[*10]やオデュッセウス[*11]の弓のようにとくに効果的につくられた弓は、英雄詩のなかでは有名である。われわれは『オデュッセイア』から、こういう英雄たちのもっている強い弓をひくにはどれだけの力が必要であったかを知っている。だから、ふつうの人間でも強い弓をひいたり射たりできるために、最初に考案されたものは、**小弩**〈Armbrust〉であった。諸君は今日の子供のおもちゃから、その簡単な構造がおわかりになるであろう。このような小弩は、たしかにローマ時代、おそらくはギリシアでも早くからすでに、弓から複雑な武器への過渡的なものとしてあった

*8　リュキア人の将軍としてトロイア援助に赴いた弓の名手。

*9　ギリシア神話の英雄で有名な一二争覇をなしとげた。

*10　ギリシアのマグネシアの住民でヘラクレスの親友。

*11　トロイア戦争におけるギリシア軍の勇士。『オデュッセイア』の主人公。

のである。しかし軍事記者たちは、この原始的な器具については沈黙している。古代の小弩についてわれわれ自身が知っているのは、わずかに、フランスのル・ピュイ付近で発見され、(12)同地のクロザティエ博物館に所蔵されている二つの浮彫りからである。図35に示したように、その構造はまったく今日の子供のおもちゃに匹敵している。ご覧のように、中央には矢を挿す中空の筒がある。この筒の上には、固い木製または金属製の弓に結びつけられた弦が刻み目にひっかけられ、そして下から引き金をうしろに引いてはじくようになっている。図によると、弦は小弩の柄の下をとおっているから、おそらく柄は、今日の子供の小弩とまったく同様、側面が裂けていたのであろう。その結果、弦は上柄と下柄の間を終端までひきしぼられ、矢をつがえると、弦はいっそう確実に裂け目のなかではじき出された。(13)

ところでギリシアの軍事記者たちは、この簡単な器具については何も報告していない。というのも、フランスの二つの浮彫りについていわれるように、おそらく、ふつうそれは狩猟家の備品であって、戦士の備品ではなかったからであろう。むしろ戦士たちは、「ガス

＊12 フランスのオート・ロアールの首都。

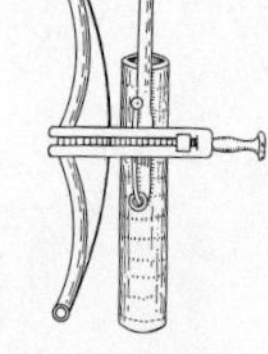
図35 ローマ＝ガリアの矢筒をもった狩猟用小弩。

トラペテス」(腹あて機)と名づけられているもっと大きな武器を携えていた[14]。この機械は、小弩と同様に弓、弦、発射溝を備えている。しかし手でひくことができないほどの強い弓力が必要である。むしろ、特殊なひっぱり装置の助けを借りなければならない。

つまり、ギリシア人は、発射溝をあり型の案内溝につくり(図36)、この溝に第二のあり(ありの雄、図37)をはめこみ、このありが溝の上を円滑に往復するようにする(図38)。つまり一種の「滑り台」または「滑子」である。さて、腹あて機に矢をつがえようとする場合、この滑り台を前方に推しやる。この台の後尾には鉄製の指があって、それが小弩の弦の中央をつかむようになっている(図38EF)。滑り台の突き出た一端をもって小弩を地上に突き立て、滑り台の他端のほうは腹にあてる。それから腹と全身とでひきしぼると、滑り台はふたたびのぼり、弦がひきしぼられてその位置において二個の爪歯止めで固定できるようにする。さて、このひきしぼられた武器を台にのせ、鉄製の指の前部の溝に一本の矢をおき、狙って射るのである。このとき、弦をつかんでいる指をひくには、側錠釬、いわゆる引き金をもってする。弦はたちまちうなり、その前

図36　ありの雌。
図37　ありの雄。
図38　腹あて機の細目(側面図)
AAは小弩の柄、Bは歯棒、Cは爪歯止め、Dは引き金、Eは止め台、Fは弦(指下によって張られる)、Gは矢。

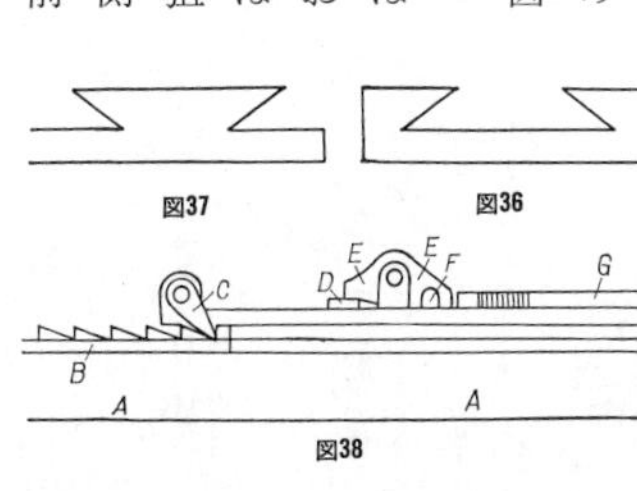

にある矢を飛ばす。

腹あて発射機はタラスのゾピュロスによって（おそらく前四世紀のはじめ）改良され補強されたが、[15] この腹あて機の構造から、今や真の飛び道具の発射機（*καταπάλται* または *καταπέλται*, catapultae, ballistae）が発達してくる。これには、度盛り伸張機である**エウテュトノン**（矢を発射する飛び道具、狭義の catapultae）とか、ひっぱり伸張機の**パリントノン**（石弾を発射する飛び道具、[16] とくに ballistae と呼ばれる）のような、さまざまな名称がついている。これらの巧妙な構造を述べる前に、まず私は、発射機が弓から発達したように、大むかしの投石器から発達した一つの機械について考えてみたいと思う。

この投石機械を、ギリシア人は**モナンコン**（片腕）、ローマ人は**オナゲル**すなわち野生のロバと呼んでいる。このオナゲルという呼び名は、野生のロバが追いつめられたとき、ひずめで石を背後に蹴飛ばしたという古人の寓話からとられたものである。この大投石機は、主として、尖閣から包囲軍を駆逐するためのものであった。

二個の支材を互いにしっかり組合わせた大きな滑り台を考えていただこう。その中央には弦（いわゆる伸張弦）が両支材の間を幾重

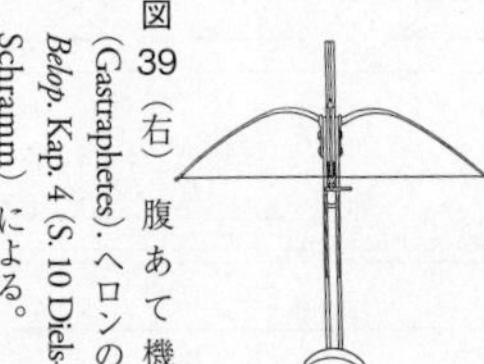
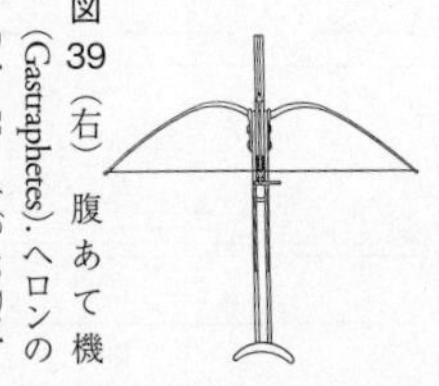

図39（右）腹あて機（Gastraphetes）. ヘロンの *Belop.* Kap. 4 (S. 10 Diels-Schramm) による。

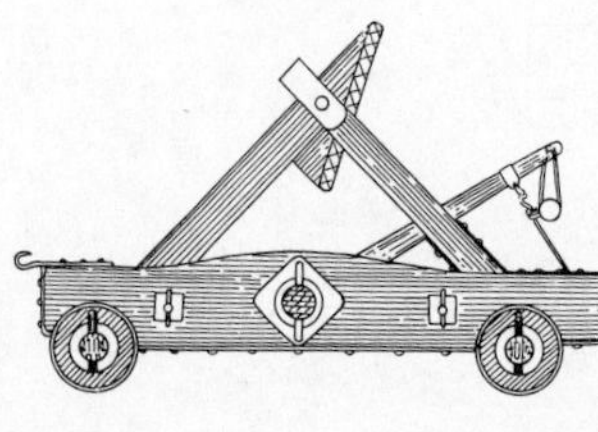

にも折りかえし張られている（図40[17]）。これによって弾力性のある綱ができ、この綱のなかへ、棍棒状の丈夫な木製の腕木が差しこまれている。ふつうこの腕木は、斜めに空中へ突き出ている。ところで、この腕木を下方へひっぱると、伸張弦をつよく張ることになり、伸張弦ははげしく腕木をもとの位置にはね戻そうとするであろう。機械が大きければ、腕木を下方へひっぱるために回転巻上げ器を用いなければならぬほどの力が必要になる（図41）。さて、腕木がつよくひっぱられると、かんぬきが差され、腕木を発射用意の位置に固定する。腕木の上部には、石弾を入れた投石器が吊られている。今、「射て」の命令で腕木の前にあるかんぬきが抜かれると[18]、腕木は、もとの位置に帰り、そこに固定された支柱にぶつかる。石弾は投石器からうなりを立てて飛び出し、高い弧線を描いて標的にあたる。シュラムの再現したオナゲルは、一ポンド〔約四五四グラム〕の弾丸を三〇〇メートルまで発射する。古代では、それがもっと強大なものであったと考えてよかろう。というのも、歴史家で軍人でもあったアムミアヌス*13が、この飛び道具を堅土とか石の上にはおいてはならないといっているからである。はじき返りが非常にひどい

図40（前ページ）オナゲル（大投石機）の側面図。

図41　巻上げ器によるオナゲルの張り。

*13　後三三〇年ころアンティオキア（シリア）生まれの歴史家。

ので、土台を完全にこわしてしまうからであろう。だから、芝生とか砕石の上におかなければならなかった。

アラビア人はオナゲルを、ビュザンティオン人から借りた**マンガニク**〈Manganik〉という名で襲用したようである。そしてこのような投射機をヨーロッパへもたらしたのは、十字軍[*14]のころのフランス人であった。しかしそこでは、弦束のよじれの代わりにてこの力で操縦された。最近の大戦[*15]では、ついに古代のオナゲルが「水雷発射機」として復活した。それは弦の張力の代わりに強力なばねを使ったものであるが、その原理と引き金装置とは、古代の「モナンコン」と一致している。

さていよいよこれから、真の**発射機**をお話しする。私はそのうちのパリントノンの小模型を、ここで諸君にお目にかけることができる（図42）[19]。この飛び道具の主力をなすものは、オナゲルの場合と同様、弦束のよじれである。このような弦束が二つあって、それが、発射溝の左右にある二つのケースのなかにとりつけられている。しかしそれらの弦束は、オナゲルの場合のように水平ではなく垂直に立っている。この両束のそれぞれには丈夫な棒が差しこまれ、これ

＊14　一〇九六年より約一七〇年間にわたる西ヨーロッパの聖地（イエルサレム）回復運動。
＊15　第一次世界大戦。

ら二つの木製の腕木の各端には、強い弓弦または弦綱が結ばれている。発射溝にはまた、背後から曲柄でひっぱられる指つき滑子が動いている。この指をにぎってひっぱると、両弦束の力は強くひきしまる。この張りは、ここでもまた爪歯止めによって保たれる。今、弦の前に、その構造に応じて弾（パリントノン）または矢（エウテュトノン）をおく。固定した指をはずし、かんぬきを抜く。すると発射して、発射物は両弦束の間をとおって標的に飛んでいく。上下左右を精確に狙うことができる。

エウテュトノンの構造は、古い諸原典からかなり明らかになっていたが、一九一二年にスペインのアムプリアス（むかしのユムポリオン）の発見物によって、好都合にも古代武器室は豊富となり、古い記述とそれによってつくられたザールブルクの飛び道具とが確証されるようになった。すなわち、そこではかなりよく保存された状態で一個の伸張枠が見出されている。シュラム氏はこの伸張枠を、古代の矢を射る機械の主要素だとして、この「アムプリアスの飛び道具」もかれの再現作業に組み入れ、その記述をかれの総括的著作に加えたほ

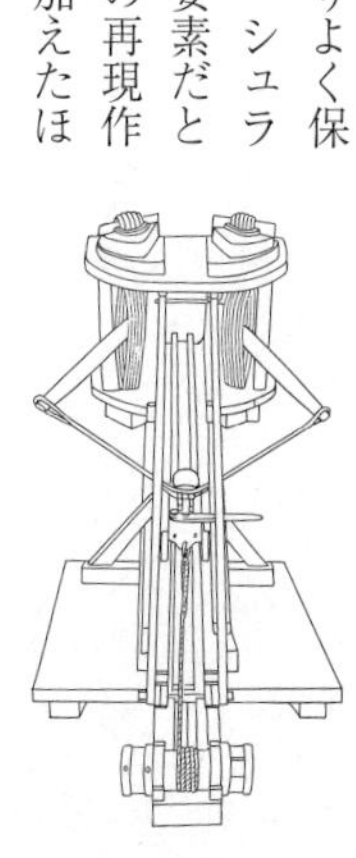

図42　ピロン、ヘロン、ウィトルウィウスによるパリントノン（石弾発射機）。

どであった[20]。

伸張枠は、はじめ私が純言語学的基礎から発展させ、ついでまた技術的にも基礎づけることができた一つの推測を確証してくれた。日ごろ私が気がかりだったのは、なぜギリシアの専門著者が綱支え——そのなかで伸張束をもった内筒が回転する——を、ペリトレトン〈Peritoreton〉(すなわち、環状に孔をうがったもの)と名づけたかということであった。そこで私は、伸張枠のこの部分に孔があるのは、回転内筒に必要なだけの張力を確保させるために、ペリトレトンの台に留め釘を差したからだと考えた。Th・ベック技師は、この目的のために内筒のふちに掛け金をとりつけた[21]。しかしこれでは綱の保護に有効な攻撃後の張りの戻しができなかったであろう。しかも古代の諸原典では、このような掛け金は知られていないのである。しかむろんまたそれらの諸原典では、その名称から予想され、しかも今やアムプリアスの飛び道具がじっさいに示しているような、本源的なペリトレトンの仕組みも、もはや知られていないのである。すなわち、ペリトレトンB(図43)は一六個の孔が円をなし、それらの孔は、伸張束をもった内筒のために切り抜かれた孔をとりまいてい

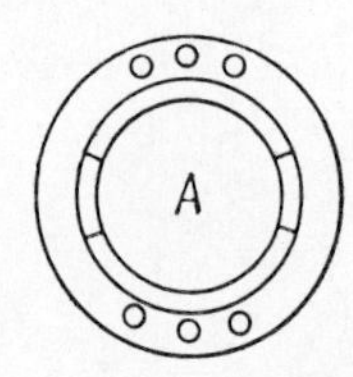

図43 アムプリアスの飛び道具。Aは青銅製の内筒、Bはペリトレトン(鉄製の台)。

る。内筒を横切って弦綱に差しこまれているひっぱりボルトの左右にうがたれた内筒Aの三個の孔は、最小限度一度半だけしめつけることができ、そして内筒を（あちら側とこちら側にある）二本の留め釘で固定することができる。もしもザールブルクの飛び道具の場合と同様に、（ペリトレトンの）鉄と（内筒の）青銅とはこすれなくて、木材と青銅または鉄とがこすれるならば、摩擦率は非常に大きくなり、したがって経験上、内筒の逆まわりのおそれがない。この理由と、ペリトレトンの穿孔が自然にその堅牢性を弱めるということのために、古代の軍事記者たちは、（だからその本来の名称に反して）穿孔されないペリトレトンを用いていたように思われる。

アムプリアスのペリトレトンは、ウィトルウィウスがかれの発射機に指定した一口径[22]（＝七・九センチメートル）の厚さを精確にもっている。このことからわれわれには、クテシビオスによって科学的に基礎づけられて以来、一度吟味された模型が、スペインの飛び道具のつくられた内乱時代や、アレクサンドリアの大家たちに威圧されているウィトルウィウスとヘロンの時代にいたるまで、どんなに忠実に守られていたかがわかる。

この新発見の飛び道具とウィトルウィウスの模型との類似は、シュラムの再現したものを比較すればただちに明瞭になる。ただ、規模が小さいだけである。ウィトルウィウスのほうは「四スピタマ」(二エッレ)であり、一方アムプリアスの発射機は「三スピタマ」(一・五エッレ)である。そして前者は八八・七二センチメートルの矢を、後者は七〇・九七六センチメートルの矢を射る。

シュラム陸軍中将が自作の飛び道具でおこなった発射試験は、つぎのとおりである。すなわち軽いアムプリアスの飛び道具は、ドレスデンのヘラー射撃場での試射では、その短い矢を逆風中で三〇五メートル飛ばした。古いウィトルウィウスのエウテュトノンは、長さ八八センチメートルの矢を三七〇メートル飛ばした。この矢は、厚さ三センチメートルの装鉄の楯にあたって、矢の長さの半分を貫通した。これでは、楯兵も戦闘不能になるだろう。最後に、かれの石弾の飛び道具(パリントノン)は、一ポンド(約四五四グラム)の鉛弾を三〇メートル飛ばした。

動物の腱は、絶大な力をもっている。しかしご存じのように動物の腱は、鋭敏な湿度計になる。だからその張力は、時がたてば、そしてことに湿潤な天候の場合には満足なものではない。そこでアレクサンドリアの技師たちは、つぎのような工夫をしたのである。伸張束のはいっている上下の内筒を反対の方向に回転し、それによって、弦楽器やピアノの音を高める場合のように、しめつけていくようにする。そして戦闘中だけ張力を十分に出すようにし、戦闘後は腱を保護するため、ふたたび張りをゆるめるようにした。しかしながら、ピロンが述べているように、このしめつけは、傷みやすいという欠点がある。そこでピロンは、在来の構造の不利を避けようとして、新しい構造を思いついた。

ピロンは**くさび伸張機**を発明した。ここでは、弦綱のしめつけは、ひっぱり滑子の左右に差しこまれたくさびによって任意に処理することができる。さらにかれは、いわゆる青銅伸張機（*χαλκότονον*）を思いついた。ここでは、弓柄を張っておくために、鍛えられた青銅ばねの弾性が利用されている。これらの器用な構造も、シュラムによって模造された。しかしこれらの機具は、古代では普及しなかったように思われる。青銅の弾性はつくるのがむずかしく、しかもその耐久力は、ふつうの動物の腱よりもさらに劣っているようである。ところが近代の水雷発射機では、鋼鉄製のばね装置の弾性が、ふたたびおなじような方法で用いられたのである（本書一三六ページを見よ）。

霰弾砲すなわち機関銃の原理を古代のねじり飛び道具で解決しているピロンの発明の記述は、きわめて興味がある。シュラム氏は、アレクサンドリアのディオニュシオスが発明したこの**ポリュボロン**（連発銃）も再現した。この発明は非常に複雑そうに見えたが、再現してみると、真実であることが証明された。

この飛び道具は、ふつうのものと同様、指が弦をつかんでひっぱるまで張られる。すると、その曲柄の回転は張力を生じ、引き金と連結している環鎖によって、指を自動的にはずすようになっている。それと同時にまた曲柄は、その回転ごとに新しい一本の矢をこめていくようになっている（図44の模式図参照）。

つまり、矢溝の上に矢出し筒があって、そのなかに矢が任意の数だけはいっている。この矢出し筒から一本の矢が、その下にある縦溝つきローラーに落ちる。矢はこの縦溝にちょうどはまるようになっている。さて、ローラーが回転すれば矢もまわり、矢はこの飛び

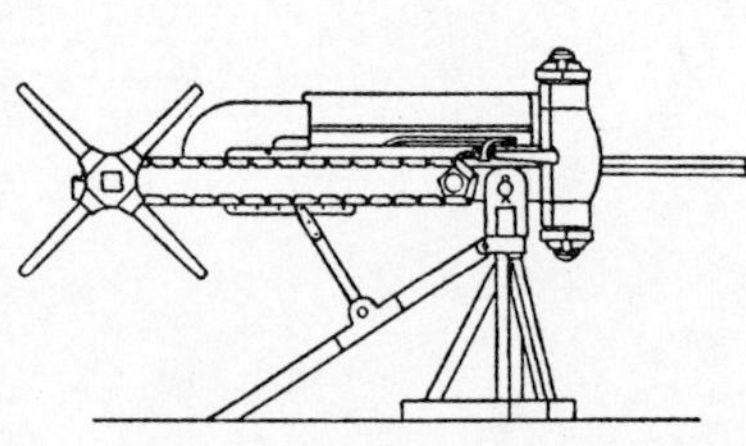

図44　ピロンによるポリュボロン（連発銃）の側面模式図。

道具の矢溝に乗る。矢が溝に落ちてからっぽになったローラーは、ふたたび上方へ回転する。そして新しい矢が曲柄の回転によって発射される間に、ローラーはふたたび上の矢出し筒から、一本の矢をうけとる。こうして一人の人間によってあつかわれるポリュボロンは、機関銃とおなじような作用をする。(23) シュラム陸軍中将は、この飛び道具の命中の的確さを、むろんほんの短距離であったが特記している。

すべてこれらの巧妙な諸発明は、動物の腱、毛髪、または金属製ばねの弾性を基礎にしている。しかし今日の砲の基礎をなすものは、ガスの圧縮である。古代にもこれに類似したものはあった。古代でも空気で発射されていたからである。今日われわれは、このような武器を**空気銃**(24)と呼んでいる。ピロンは、かれが**アエロトノン**（空気膨張機）と名づけているクテシビオス*16（前三世紀）の発明を述べている。この独創的なアレクサンドリアの技師は、丹念に手を加えた二個の円筒をつくり、そのなかでピストンが上下するようにした。これらのピストンは無理に円筒内へ圧しこまれたもので、発射機の弓柄がこれらのピストンをつかんでいる。しかも、弦の張力が円筒

*16　クテシビオスのこと。

内のピストンを圧し下げるようになっている。今、弦をはじきかえして張力をゆるめると、圧縮空気は、むろんピストンを押しのける。弓柄は反対側に突き返され、こうして発射された。

この発明はなかなか巧妙であるが、シュラムが再現したところによると、円筒の圧力を空気ポンプで調節する場合にしか実効のないことがわかった。もちろんこれは、古代ではできない相談である。この構造はまた、気象によって変化することが証明された。

だから空気膨張機は、ピロンがその効果を主張はしているものの[25]、おそらく、多くの単なる紙上実験の一つに属するものであろう。古代ギリシアとヘレニズム時代とにおける独創的な発明者たちは、まさに、実際よりもつねに理論を重んじたギリシア人だったのである。そして実際的なローマ人は、この分野ではほとんど何もつけ加えず、多くのものをなおざりにしている。ここに挙げる唯一の著者としての無名氏の『武器について』〈*De rebus bellicis*〉は、なるほど、ユスティニアヌス帝[*17]のころに古い忘れられた諸原本によって、軍事や軍船に関する数多くの空想的な提議をしている。だが、そのためにかれが、当時の人びとやのちの人たちに好評だったとは聞いていない[26]。

＊17　東ローマ帝国の皇帝（五二七―五六五年在位）。

一二世紀になって、はじめて技術は復興した。人間はふたたび自然とともに感じ、自然力を利用することを学んだ。この時代にまたもやヨーロッパ人は、その一部が古いギリシアに由来する処方集に基づいて、自然の秘密を奪おうとつとめている。アルコールを蒸溜し(27)、火薬を調合し、眼鏡と望遠鏡とを発見し、潜水服、自動車、汽船、航空機が製作されようとしているのである。これらのことがらはすべて、注目すべきフランチェスコ会の修道士ロジャー・ベイコン（一二一四―一二九四年）の著作『秘密のわざの書』〈*De secretis operibus*〉[*18]のなかに、多少とも明瞭に述べられている(28)。もちろんこの書物でも、のちのレオナルド・ダ・ヴィンチの場合と同様、単に理論的なものが大部分とそれに空想的なものが一部案出されているだけで、実験的には確認されず、実際的にも遂行されていない。けれども、諸問題は新しくおき代えられ、それによって、一〇〇〇年以上も埋れていた人間の発明力がつよく喚起されたのである。火薬の発明は、飛び道具にとっては転機となった。

この発明は、中世末期にあらわれる技術的進歩の大部分の発明と同様にはっきりしない。この暗黒時代において自然科学にうとい人

＊18　本書一四八ページ参照。

びとは、すべて気味わるい発明物を恐怖をもって眺め、その発明者たちを魔術師だと怪しんで、手早く片づけたがったからである。また飛び道具の改良は、ある程度、国家の秘密として厳重に監視されていたせいもある。たとえばわれわれは、火薬の先駆とみなすことができる**ギリシア火**の調製が、ビュザンティオンではそういう秘密裡にされたことを知っている。(29) 後六七三年、コンスタンティノポリス[*19]が包囲攻撃されたさい、ヘリオポリスの建築技師**カッリニコス**はギリシア火を使用して成功を博した。歴史家の指示から、この爆薬の組成と使用法とを想像することは容易でない。しかし、一二世紀の一ラテン訳で保存されているマルクス・グラエクスの処方によると、つぎのとおりである。

「一分の樹脂
一分の硫黄
六分の硝石[*20]
を粉末にして、アマニ油または桂油に溶解し、それを管または木製のくり抜いた筒のなかに入れて点火する。するとたちまち、思いのままの方向に飛んでいき、その火によってすべてのものを絶滅して

*19 以前のビュザンティオン。

*20 硝酸カリウム KNO_3 とおなじ。黒色火薬の主成分。

しまう」[30]。

なお火薬の組成については、同書の処方第一三にさらにくわしく報告されている。すなわち、「飛ぶ火〈ignis volatilis〉はつぎの第二の方法においてつくられる。一分の硫黄、二分のボダイジュ炭またはヤナギ炭、六分の硝石を全部粉末にして乳鉢に入れよ。するとそれによって、打上げ花火なり爆雷が好みのままにつくられる。打上げ花火は長くなければならないので、粉末はいっぱい詰められる。それに反し、爆雷は短く太く、半分だけ詰めこまれる。両者ともその端には、適当にたがをはめておかなければならぬ」。

レオ（おそらく、イサウリアのレオ、七一七―七四一年）はその兵術書のなかで、敵船に放火するために船首に一本の**サイフォン**（管）をもつ放火用三段橈船（かいせん）について記述しているが、それを読むとつぎのようなことがわかる。すなわち「調合された」[31]（ギリシア）火が、爆雷と、火に先立つ煙とともに管から発射される。そしてその結果、爆薬が点火されて打上げ花火式に発射され、敵船隊に消火困難な火を投げつける。同様に、同書第五六章にあげられている手サイフォン〈χειροσίφωνες〉も、敵の面前で投げられる小型の爆発花火球と解釈することができる。(32)ヴァティカノで見出されたビュザンティオンの一軍事記者の写本（Vatic. gr. 1605 f. 36ʳ）は、一一世紀に書かれたものであるが、それには、一兵士が包囲攻撃された町の城壁に通じる吊り橋の上に立ち、大型ピストルに火焔装塡をして発射し、敵兵を尖閣から駆逐しているさまが示されている（図版八）。

さて、このような典拠によってロジャー・ベイコンもまた、一二六〇年にあの有名な『学芸と自然との秘密のわざ、ならびに呪術のむなしさについての文書』〈*Epistola de secretis operibus artis et naturae et de nullitate magiae*〉をパリのギーヨム司教のもとで書いた。かれは第六章「おどろくべき諸実験について」〈*de experimentis mirabilibus*〉のなかで、まず、準備された小指大の塊が空気中で、かみなりよりもどんなにつよく爆雷と閃光とを発することができるかについて述べている。(33)

それからかれは、自分の爆雷粉末の秘密に第一一章の半分を費しており、またそのさい、閃光と爆雷とをつくりだすために、硝石と

図版八　ギリシア火による攻撃。Codex Vaticanus Graecus 1605 による。

硫黄と第三成分として字謎で隠された木炭粉末とを紹介している。[34]

ところで、硝石とその爆発力とについて知っていても、けっして近代のカノン砲は発明されはしなかった。というのも、あの混合物の爆破力を蓄積して、それを砲弾の原動力として利用することが眼目だったからである。われわれはこの重大な進歩を、その主張がたしかに訂正されていないアラビア人[35]にも、また中国人[36]にも負っているものではない。じつにこれはビュザンティオン人とイタリア人が新しい「野蛮的」技術の発明者とみなしたドイツ人に負っている。[37]一四、一五世紀には、砲術に関する著作はもっぱらドイツ人にかぎられ、また、いたるところで最初に勢力をふるった造砲師たちもドイツ人であった。[38]かれらは火薬砲採用以前にも、毛髪弦のねじれによる古い発射機を、外国で製造できる人びとであった。[39]ついで弦力が火薬の爆発力にとって代えられたとき、またもやドイツの名造砲師たちが、この新しい運動の先頭を切ったのである。火薬またはカノン砲の発明者だというベルトルト・シュヴァルツ*21のあの古い伝説は、もちろん歴史的には十分決定することはできない。ただきわめて確実なことは、一四世紀から一五世紀にかけて新しい火器がもの

*21 一四世紀のドイツにおける化学に通じたフランチェスコ会の修道士。

すごく急速にヨーロッパとアジアに普及したという点、また一四世紀の前半にすでに、ドイツとイタリアの多くの都市はカノン砲を備えていたという点である。最初のうちは、この新武器とともに古代型のものも保持されていた。しかしねじり飛び道具の高価な弦が、急速に改良された火砲の耐久力に劣ってきたため、やがて後者が勝利を占めたのである。ペトラルカはこの世紀の中ころ、幾人かがアルキメデスに帰しているこの新しい「悪疫」にたいして激怒している。(40) 次世紀のはじめ、成祖大帝[*22]（一四〇三―一四二五年）の治世にはカノン砲はすでに中国に進出している。現在ベルリンの民族博物館（Nr. 224）には、万里の長城から出土した火器が所蔵されているが、その火器には火孔があって、砲身には長さ三五・七センチメートル（口径一六ミリメートル）の青銅製の筒が装置されている（図45）。この火器は、信頼できる銘文によると、一四二一年のものであって、(41) この種の保存物のうちでは最古の年代のものである。

ひとたび火薬装塡のカノン砲が、(42) 小弩や鈍重なてこやねじり飛び道具にとって代わると、次第にあらゆる他の構造は消滅した。そして通称アルキメデスの発明によるといわれる**蒸気力ノン砲**――すで

*22 中国の明の帝王。

図45（次ページ）一四二一年の中国製の砲。ABは砲身、Aは柄の挿入口、Bは砲口、C

にペトラルカは、その構造には精通しなかったが、不明瞭ながら知っていたらしく、[43] レオナルド・ダ・ヴィンチはそれをくわしく記述している――でさえ、火薬砲の勝利を妨げることはできなかった。レオナルドの記述には興味ある論点がからんでいるので、私は結論として、蒸気時代にさえ実用化できなかったこの発明を諸君にご紹介しよう。この天才的な画家であり技術者である人物は、図解や下絵を添えた鏡像文字書きの手稿（B f.33）のなかで、アルキメデスの「原爆雷機」〈Arcitronito〉を三つの下絵で模写している[44]（図46）。

この「**原爆雷機**」は、長い砲身からなっている。そしてこの砲身の三分の一は、最上図が示すように、火室に差しこまれており、ここで、第二の図が示すように灼熱されるのである。砲身の右端には汽罐がある。*d* の符号のあるねじ（中央図の鏡像文字）をまわして開けると、水は砲身の灼熱部に流れ、急激に蒸気に変わる。そしてこの蒸気が、その前にある弾をつよく放出する。最後に、このカノン砲は重量一タラントン（二六・一九六キログラム）の弾を、六スタディア（約九八四メートル）まで投げると書かれている。[45]

功績ある技術史家マチョッスは、この「最初の蒸気機関」を古代

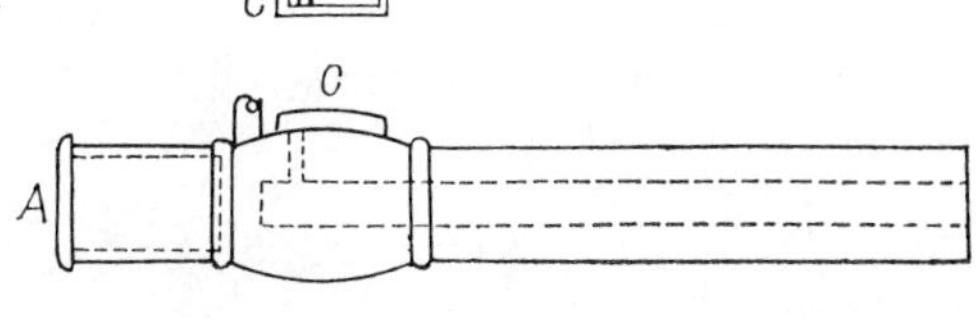

は火孔（直径四ミリメートル）のある薬池で、もとはふたがあった。

の最も有名な技師[*23]にためらうことなく帰しているが、[(46)]他の人びとは正常にも、この尊敬すべき名前を疑っている。われわれの知るかぎりでは、なるほど古代では蒸気力は小規模には実験されていたが、大型機械、ことに飛び道具の構造には使用されていないのである。もしもアルキメデスが有名なシュラクサイの包囲攻撃（前二一二年）のさい、このような飛び道具を使っていたとすれば、歴史はかならずそれについて報告していたであろう。

したがってフェルトハウスは、「アルキメデス」という名前を後世の一技師の異名だとし、レオナルドはその技師からこの発明を借用したものだろうと説いている。[(47)]しかしながら、この説明も十分とはいえない。なぜなら、既述のペトラルカの暗示はともかくとしても、タラントンとスタディオンという単位が挙げられていることは、たしかに古代ギリシアを表示しているからである。

これを正しく解決するには、アラビア人がアルキメデス[(48)]の名で多くの明白な偽作を紹介しているという観察が必要である。洋の東西

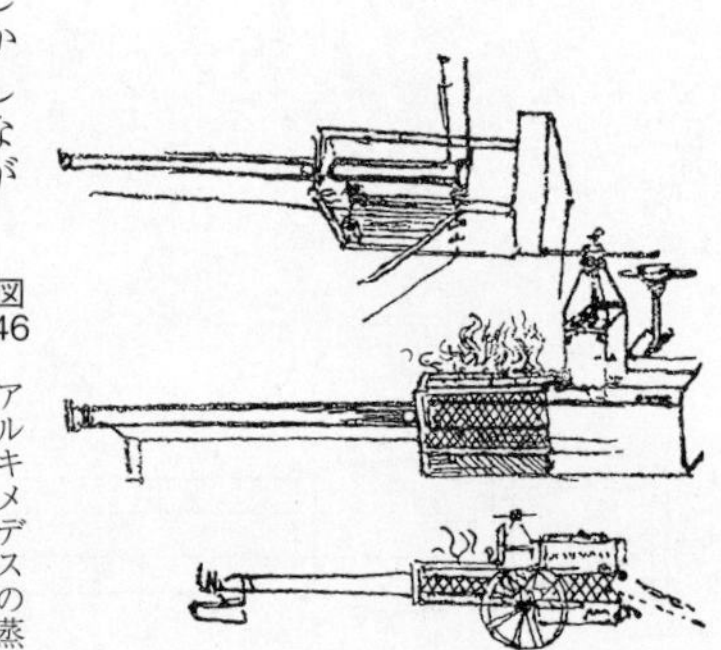

図46　アルキメデスの蒸気カノン砲（レオナルド・ダ・ヴィンチによる三つの素描）。

＊23　アルキメデス。

にわたって高名なこのシュラクサイの学者であり技術者である人物の名前が、空想的で素朴な偽作なら何でもしたがるアラビアの著作者仲間に、自然にすり替えをおこさせたのであろう。アラビア人の錬金術書や詞華集には、真の背景をもたない古代風や擬古風の名前がいっぱいある。中世の精神界における王者アリストテレスも、そこでは偽名を充満させる機会を与えた。こうして、アラビアの物理学者たちのうちの才知にたけた人物（こういう人物には不自由しない）が自分の思いつきを、シュラクサイ防備で名声を得たアルキメデスの高名を使って信用させ、ひろく普及させようとしたという推定が暗示されるのである。しかもレオナルドの同所（B f.96）に、アルキメデスは火船（すなわち、焼夷合薬をつめたつぼまたは銅製のケース）とピッチとを敵船隊に投げつけるためにある機械を発明したと報告されていることからみれば、この推定はほとんど確実なものとなる。レオナルドは、エスパニアの物語本のなかで、アルキメデスがこの打上げ花火器をエスパニア人と「イングレシ」人との戦いで用いたということを知ったのであろう。そしてとくに、アルキメデスはその発明によってキロダストリ人の王クリデリデスを援助したということを知ったのであろう。(49)このギリシア語口調の名前をもったエスパニアのおとぎ話は、ムーア・アラビア人の伝説になっている。アラビアの錬金術師たちが古代名をひどく弄んでいたというわけである。エスパニアのアラビア文献に精通している学者なら、このレオナルドの種本がありさえすれば、それをいいあてることはできるであろう。

こうして近代の軍事的発展は、たといギリシアの伝来と直接には無関係だとしても、古代から近代への、つまり古代の伝説に由来するギリシア火から近代の火器への変遷が、ここに不明瞭ながらも指示されるのである。新武器の育成に決定的な進歩をもたらしたのは、たしかに**ドイツ**人だが、ここでこそかれらはみずから、まさに消えようとする古代の火花をあかあかと点じることのできたたいまつもちであることを立証したのである。この新発明が古来の騎士道を根こそぎ変形、破壊させた当時は、もちろん多くのロマンティックな人びとは、残忍な悪魔のつくりものだとして戦慄をもって眺めた。ペトラルカが呪詛の宣告をくだしたことはすでにお話ししたが、そのほかでは、とくにアリオスト[*24]の苦情が目立っている。かれはこの

*24 一六世紀のイタリ

ア の詩人。

苦情を、英雄ロランの詩のなかにぶしつけに歌いこんでいる。この英雄はフリースランド王キモスコと戦った。キモスコはオランダに侵入し、そこで無益にも、長さ二エッレの火器をふりまわしてロランに立ちむかった。ロランは勝って、そのカノン砲を分捕った。だがかれはこの分捕り品を、沖の深みへ投げ捨てた——この「いまわしい筒」が以後どんな禍いもおこさず、そして騎士道が滅びることのないようにと。(50)

それにもかかわらず、この武器はふたたび台頭してくるのである。(51)

第一一歌

二二　一〇〇ひろの深海の墓穴から
そのときあらわれた悪魔の妖術に
餓えたもの、これこそ地獄の機械。
まずこれをうけとったのは
これで多くの企みをしたドイツ人で
つねにわれらの禍いだけを念じていた。
ドイツ人の魂は、悪魔によって研ぎすまされ
こうしてかれらは着々と

この機械づくりの大家となった。

二三　イタリア、フランス、すべての国は
このおそろしい技術を
あわてふためいて修めた。
こちらでは、炉に青銅を溶かしこみ
中空の鋳型にはめこまれ
あちらでは、例のとおり大小の
銃口に応じて鉄弾をつくる。

……………………

二四　あわれな戦士らよ、お前たちの宝刀にいたるまで
お前たちの武器の一切を
すべて鍛冶屋に与えよ！
今ぞお前たちは、銃をとらなければならない。
さもなければ、お前たちの給料はもらえないだろう！

二五　ああ、極悪愚劣な妖術よ、
お前はどのようにして活路を求めたのか。
偉業はすべてお前のために失われ、

騎士道はまったく地に墜ちた！

今日でもなお柔弱な人びとは、このむかしのイタリア人の苦情に共鳴し、近代砲のおそるべき戦争手段をサタンの発明だとしている。そして、近代砲が攻撃だけでなく、防禦にも大いに役立つことを顧慮しようとはしない[52]。ところで、この軍事技術の完成を、ドイツ人の天才の非文化的伝道の証拠とみなす人びとには、キケロが伝えた大ポセイドニオス[*25]のあいまいな思想を可動式活字印刷によってじっさいに移植した[53]あのグーテンベルク[*26]のような発明家を想起させるべきである。また、宇宙についてのピュタゴラス派の夢〈Somnia Pythagorea〉を真理化したコペルニクス[*27]とケプラー[*28]、そのほか、それ以後のドイツにおける数多い人類の恩人たちを想起させるべきである。すべての真のドイツ人が最も好んでいるのは、これらの人びとによって鍛えられた精神的武器をもって戦うことである。しかしながら、われらの物質的、精神的進歩をじゃま立てしようとするしっとぶかい隣人どもが、あくまでもう一つの武器[*29]をもって戦いをいどむ日があれば、われらもまた武装することを、かれらは知るであろう。アルキメデスに与えられた最高の栄誉は、祖国を最善の武装に

*25　アパメイア出身の哲学者（前一三五—五一年）。

*26　ドイツの活字印刷機の発明者（一三九七—一四六八年）。

*27　ポーランドの天文学者で地動説の提唱者（一四七三—一五四三年）。

*28　ドイツの天文学者で、ケプラーの三法則を導き出す（一五七一—一六三〇年）。

*29　銃砲のこと。

よって守備したということであったが、これはドイツのアルキメデスたちにとっても侮辱とはならないであろう(54)！

第六講* 古代の化学

化学の起原と名称／偽デモクリトス／錬金術の文献／錬金術的な神秘説／化学パピルス／両パピルスの内容／両パピルスの典拠／処方を秘密にすること／化学者としての神官／近世のあけぼの

＊ 本講は、一九一三年三月四日のベルリン考古学会における講演を拡充したものである。*Wochenschr. f. kl. philol.* 1919, 1040 参照。

化学は、前世紀にはとくにわが祖国でも、世界観の理論や世界的な出来事の実際にとって重要な、いや最も重要な科学にまで向上し発展した。しかし古代では、それは神秘のくらやみのうちに隠されている。一見したところ、その名称もことがらも、ともに明らかではないように思われる。しかしながら、数百年来知れわたってきたエジプトの諸墳墓や、この幽玄な領域に不断の献身をつづけてきた文献学者と化学者との史料研究が、くらやみのなかにいくぶんの光明を投げはじめている。

以前は、化学について述べた最初の人として、後三三六年ころに占星術の教本を書いた占星師フィルミクス・マテルヌスが挙げられた。[1] その第三巻の一節には、土星の宮における太陰の影響を論じ、この運星に生まれたものに錬金術の知識〈scientiam alchimiae〉を授ける約束をしたということが書かれてある。むかしの学者たちは、錬金術〈Alchemie〉という形式がアラビア人によってはじめてつくられたものだということを知っていたから、これを chimiae と読んでフィルミクスの筆になったものだと主張した。[2] 最近の研究では、この節全体はJ・アンゲルス師の大胆な書換えであることが証明された。かれは一四八八年にその著『アストロラーブの書』〈*Opus Astrolabii*〉のなかで、原文の一つの欠所を勝手気ままに補正した人である。さて、この書換えが拡充されて一ナポリ人に筆写され、それから(一四九七年と一四九九年にヴェネツィアで)その第一版に転載されたのである。

だから化学〈Chemie〉という語の証人として本質的に残る人は、後四世紀の錬金術の主要な代表者であるエジプトのパノポリス出身のゾシモスだけになる。かれはこの種の最初の書が予言者ケメス〈Chemes〉に由来しているためにその名があるとする意見を、あとでお話しする分析術の起原に関するユダヤの宗教伝説と結びつけている。(3) またこの語がエジプト語から派生したとするこころみによると、(4) この語は(黒い土地としての)エジプトまたは黒色をあらわしているといわれている。つまりこれは、金属改良の本源的な状態と理解されるし、また、「白色化」と「黄色化」とによって、錬金術の要求する結果が得られるというわけである。けれども、私の考えるところでは、このこころみはむだであった。というのも、化学的、錬金術的諸文書で、このような言語 chēmī を求めることは徒労におわるからである。さてまた、Chemeia と予言者 Chemes という問題の名称において、最初の ē とは無関係に、i または y が用いられるかどうかということもまったく不確実である。その理由は、ギリシアの化学者たちは、すでにわれわれの知っているかぎりの最古の諸文書や、のちのビュザンティオン時代においても、ずいぶん不良な綴字法を使っているのが特徴だからであり、また、紀元のはじめ以来、エジプトの民間に伝えられているエジプト原文では、今日の新ギリシア語と同様、これらの母音のひびきが一致しているからである。事実、写本には ē のある形とともに、y のある形もしばしばあらわれている。これらの形からまた、シリア人が伝えたChymesやChymeiaもひき出されると思う。chymós（液）からの推定は、もちろん成立しない。この医学と植物学との慣用語は、錬金術師の浸剤や液汁にはすこしも用いられていないからである。しかしながら、最初ヒッポクラテス全集中の金属について使用され、それからとくにギリシア語訳旧約聖書やその他のエジプト由来の諸文書で慣用されたChyma（金属鋳造）という語こそ、たぶんその語原を示すものと思われる。そしてこの語からは、のちの錬金術の中心点とはならなかったが古代の化学的技術の中心点となった金属鋳造術や、多数の派生語があらわれているのである。(5) こうしてChemieとは、より正しくいうならChymieとは、まず最初は金属鋳造の術であって、このことは、古代から伝わる文献の内容や、この技術の起原に関する宗教伝説が証明している点である。

さきほど、「化学」という名称の語原に関してひき合いに出したあのゾシモスは、この技術の本源について独得の古伝を報告している。(6) それによると、この学問は邪悪な天使どもに由来しているものので、かれらは、人間の最初の男女を楽園から追放したのち、地上の娘たちと私通し、その報酬として彼女たちに自然の一切の秘密を公開した。この伝説は、『創世記』と結びついている。すなわち、その第六章にはつぎのとおりに書かれている、「ところが、人が地のおもてにふえはじめ、娘たちがそこに生まれたとき、神の子たちは、娘たちの美しいのを見て、自分の好む娘を妻にめとった。……そのころ、またその後にも、地にネピリムがいた。これは、神の子たちが人の娘たちのところにはいって、娘たちに産ませたものである。かれらは、むかしの勇士であり有名な人びとであった」。前一世紀のユダヤの宗教伝説は、これを萌芽として詳細な物語を形成したが、その名ごりは、一部分がギリシア語訳で保存されている『エノク書』[*1]のなかに見出される。このユダヤのダンテ[*2]はその第六章で、二〇〇名の天使どもの墜落を物語っている。かれらは人間の娘たちのところへ降りてきて、娘たちの献身にたいする報酬として、魔法や幸運の木の根や植物を教えた。天使どものうちアサセール(7)と呼ぶ天使は、人間に刀剣、楯、甲冑の製作を教え、金属とその加工とを示し、また腕環、装飾品、美眼料の製造や、宝石の使用と加工や、着色剤の調製の手引きをした。この報告の最後は、「こうして神に

*1 旧約経典外聖書中の一書。
*2 エノクのこと。

背いた多くのものどもは勢威をふるい、姦淫をおこない、邪道に踏みこみ、一切の小道は破壊された[8]」と結んでいる。

後世しばしば繰りかえされたこの宗教伝説[9]では、二つのことがらを注意すべきである。一つは、邪悪な天使アサセールの発明のうち金属、宝石、着色剤が特記され、のちの「化学」と名づけられる技術の精髄として総括されていること、もう一つは、この技術そのものがなにか嫌悪すべきものとして、すなわち一種の悪魔のつくりものとして述べられていることである。この二つのことがらは、アレクサンドリア世界の古代化学にあらわれた著作形式から説明がつく。したがって、『エノク書』の著者は、ヘレニズム初期の支配的見解の反響を再現しているのであって、この見解はまた、自然科学的、技術的内容をもった包括的な一大全書を通じて影響をおよぼした。この著作は、誤ってデモクリトスの偉大な名前がつけられ、その後中世末期になるまでの一切の自然科学的、農業的、医学的、技術的著作を支配した。この著作は、前二〇〇年ころエジプトでつくられ、総合的な化学的、技術的知識を総括している。そしてこの知識は、オリエントと西洋、エジプトの大図書館と神殿、さらに当時の世界貿易や世界産業の中心地のアレクサンドリアにおけるギリシア資料と非ギリシア資料とを合流させたものである。この双書の作者は、**ボーロス**という人物であった。かれは、テオプラストス[*3]とポセイドニオスとの間（前約二五〇—一五〇年）の人で、ギリシア科学、エジプト技術者の実際、それにオスタネスとザラッシュトラ[*4]とに帰せられている古代ペルシアの空想書から、人間、動植物、金属、石をふくむ自然科学的一大百科全書を書いた(10)。スイダス[*5]の報告では、その標題は「生物、植物、石の共感と反感」(11)といい、さまざまな自然界の内部関係をそれらの諸現象の共感と反感とにおいて暴露しようという明瞭な意図のもとに、莫大な備忘的資料をとりあつかっている。むろんこのような意図は、極端な迷信や妄想的な奔放さがなければ生まれるものではなかった。さて著者はこの作品を、多方面な興味やいわゆるオリエント的な故知との接触でこの神秘学の有能な一代表者と見られているアブデラのデモクリトスの名で、公刊したのである。こうしてこれを典拠にして、多くの抜萃や改作があらわれた。そのうちとくに、化学と、ローマ帝国時代にひそかに成熟した錬金術とにとって重要になったのは、百科全書の「着色術」の部

*3　レスボス出身の哲学者。アリストテレスの門人でペリパトス学派を主宰（前三七一—二八七年）。

*4　前八世紀ころの人ともいわれているペルシアの予言者で、国民的宗教の改革者ゾロアスターのこと。

*5　九七〇年ころのギリシア辞典編纂者。

〈βίβλοι βαφικαί〉からの四篇の抜萃で、「デモクリトスの自然学と神秘説」(12)と題するものであった。残念ながらこの作品は、脱落がある上に後世の追加によってまげられた改作が現存しているにすぎない。だからこの書物の原形を確信をもって決定することはもはや不可能である。(13)たとえば、ここには(14)錬金術師たちが万能を会得する(15)クラウディアヌム〈Claudianum, κλαυδιανόν〉という語がある。この語は、おそらくクラウディウス帝*6の名から派生したものであろう。また、のちの初期ビュザンティオン時代にはじめて確認できる「ラック」(16)*7〈Lack〉というような外来語が、文章の渋滞を省くためにあらわれているが、これはこの著書の伝統をゆるがせにしたからであろう。しかしいずれにせよ、この著書やその他の集成は、古いボーロスの作品をいろいろと変形して曲げたにすぎないとみるべきである。

ヘレニズム時代からの証拠は、残念ながらほんのわずかしか保存されていないが、それらは、自然学の基礎をなすボーロスの文書の内容を確実に報告している。しかしポセイドニオスから判明するように、(17)この人はデモクリトスが著者であることに気をわるくするこ

*6 前一〇—後五四年のローマ皇帝。

*7 ワニス類の塗料。

となく、その他の技術的諸発明のほかに宝石の人造もこの哲学者に帰している。ところで、のちにくわしくお話しするストックホルム化学パピルスには、(18)模造緑玉石の製造がまったくおなじ言葉で書き出されているから、ボーロス＝デモクリトスの作品が宝石とその人造とに関する一節をふくんでいたことは疑いない。それはちょうど、このパピルスの冒頭に挙げられているアナクシラオス*8が、銀の偽造法α1と12の由来をデモクリトスから明瞭に証言しているのとおなじとみてよかろう。またプリニウスも、水晶から上述の緑玉石*9の製造を引用し、この偽造術――かれはそう呼ぶことを欲していないが――に関する書物のあることを述べている。(19)このように銀と宝石（真珠はこのなかにはいっている）とに関するデモクリトスの確証された二巻に、なおその後の抜萃によって、金に関する一巻と紫の着色術に関する一巻とが加わる。ここに描かれている化学的教説の内容はすでに『エノク書』において、墜落した天使アサセールのきわめて不吉な婚礼の進物として述べられていることがらとだいたいおなじである。さらにこの文書には、ほとんどすべての錬金術書と同様に、二面観のあることが知られる。すなわち一方では、一定の目

＊8　アウグストゥス帝ころの著作家。

＊9　緑柱石の一種でSmaragdgrün のものを特称する。

的に役立つ工程と加工とができるかぎり技術的に有効に記述されているが、それと同時に、この化学集成の抜萃を信用するときには、自然哲学的、グノシス的[*10]な神秘説の雲が、宗教的なきまり文句や哲学的な気迷い引用文、さらに幽玄な魔法妖術とも結合しているのである。つまりそれは、有意味と無意味、ギリシア的グノシスとオリエント的迷信とから醸成された真にいまわしい飲物であって、こういうことは、アレクサンドリア世界におけるオリエントと西洋とを結合した折衷主義の文化形態からだけ明らかになることがらである。

これらの錬金術文書とおなじ論題の著作物には、ネケプソ[(20)][*11]とペトシリス[*12]の占星術文書や、最近の探究によってその起原が紀元前のアレクサンドリア時代に達する[(21)]ヘルメス文書があり、またのちの（後四世紀の）最も有名な錬金術師**ゾシモス**の著作もじつにそうである。すなわち、ゾシモスはその「姉」テオセベイアに献げた大著『イムート』〈*Imuth*〉のなかで、この神通力の精神と形式とをみなぎらせている。

いわゆるデモクリトスが、その師の古い妖術者オスタネスの口伝によって得た深奥な言説のうち、近代まで錬金術書を支配している

＊10 ギリシア末期の宗教における神の認識を意味し、超感覚的な神との融合のうちに体験される神秘的直感。

＊11 前二世紀ころのエジプトの王。

＊12 前二世紀ころのエジプトの神官。

最も有名なものに[22]、

自然は自然を喜び、
自然は自然に打ちかち、
自然は自然を征服する。[23]

というのがある。この呪文は、あらゆる物質相互の根本的親和性や適当な操作によって一から他を得る可能性を説明しているといわれている。錬金術は最も古くから、金属相互の変換をとりあつかい銅を銀にし銀を金にする秘密を発見しようとするものであるから、この秘術的な言説に与えられている重要性が理解されるであろう。この錬金術全体を理解するには、エジプトと古代全般にわたって天然にしばしば存在する淡黄色の金銀の合金であるエレクトロン〈Elektron〉が大きな役割を演じていることを知らなければならない。ところで人びとは、このエレクトロン（エジプト語のasem, ギリシアの錬金術ではἄσημος）から純銀や純金を遊離することができる場合と同様に、一般に分析術によれば、それぞれ金属はどんな金属にも転換することができると信じた。

この金属加工術からくみとられる経済的観念は、科学時代のエジプトでは、前三世紀に同地に流入したギリシア哲学よりもいっそう学術的な特色を示した。タレス以来の古イオニア自然哲学の原則だった物質の統一性、すなわちあらゆる物質は一つの原物質の変更にすぎず、それらは火から空気へ、空気から水へ、水から土へ、またその逆にと相互に転換することができるという確信は、ごく少数の例外はあるが、古代の自然学全体にわたる特色である。エムペドクレスの四つの固定原素説にしたがっているプラトンやアリストテレスでさえ、この集合状態の相互の転換を承認している。[24] しかしながら、後年の錬金術における最大の象徴は、エレア派の一は全体である〈Ἓν τὸ πᾶν〉である。それについてはオリュムピオドロス*13がそのゾシモス注釈で、「クュメス〈Chymes〉[25]は、パルメニデスが一は全体であって、一によって全体が生じる、なぜなら、一が全体をふくまなければ、全体は存在しなかったから、といったとき、かれにしたがった」と報じている。だから錬金術集成には、この Ἓν τὸ πᾶν がみずから尾を咬んでいるエジプトのヘビにかこまれ[26]、玄妙でふしぎなものとしてかたどられている（図47）。

最近まで人びとは、この一すなわち全体という思弁にはあまり実

図47。

*13 六世紀末のアレクサンドリアのプラトン学徒。

証的価値をおいていなかった。現代化学で確立したものといえば、つぎつぎと九〇個ばかり確定されてきた諸元素[*14]は、相互に転換することはできず、どんな状態でも不変性を保持しているという命題であった。ところが最近、ラジウム元素[*15]の実験[*16]によってラジウム元素はそのエマナチオンにおいて次第にヘリウム元素[*17]に変化するらしいということがわかった。このことは、それ以前には考えおよばなかった元素崩壊の可能性を示すものである。なおこのラジウムという物質は、この他の崩壊生成物の一系列（ラドンとラジウムAからFまで）[*18]をもち、最後の崩壊生成物は鉛元素と同一でなければならぬと考えられている。[27] この研究はあまりに新しいので、科学の確実な基礎とみなすわけにはいかない。[*19] だがそれにもかかわらず、これらの研究は、古代の化学者の一元論の夢想を慈光で照らしている。もちろん、ギリシアの化学者集成の諸文書がその大半を、原質とか神の水（θεῖον ὕδωρ）[28]とか賢者の石（λίθος τῆς φιλοσοφίας）をつくるために、難解で無知な誇張をもって規定している諸操作には、けっして技術的な価値はない。その大部分は、まどわされた詐欺師どもの気狂いじみた思索であって、じっさいの実験には基づいていない。

*14　現在は一〇〇個以上の元素が知られている。

*15　Ra. ウラン鉱物中に存在し、強力な放射能を示す。

*16　一九〇八年に、ラザフォードによっておこなわれた。

*17　He. 稀ガス類元素の一つ。そのスペクトル線によって、はじめて太陽において見出される。

*18　現在ではA、B、C、C'、C"、D、E、F、Gとなっている。

*19　現在の進歩した放射能学では、この一句は不要である。

そのほかに、一連の技術的な処方書がある。なるほどこれらの処方書は、あの集成とおなじ源泉から摂取し、偽デモクリトスやその後のその改修者を引用はしているが、しかしあの集成が発散している神がかり的、哲学的、奇蹟的臭気をまったく排除して、技術的に有用なものか、またはすくなくとも表面上有用なものだけに限定している。

このことから、ちかごろしばしばおこなわれているように、(29)ボーロスの古い原集成のこの化学篇には、すくなくともどんな神秘説もふくまれていなかった、と結論することはゆるされない。しかもこの結論はまた、中世におけるそれからの諸抜萃がビュザンティオン錬金術の神秘説を前提とし、現存の最古の真正な錬金術文書以後、ことにゾシモスの大集成以後数百年で書かれているにもかかわらず、この神秘的な要素をほとんど完全に見すごしているというところからなされているのである（八世紀の『象眼の着色に関する配合』〈*Compositiones*〔*ad tingenda musiva...*〕〉、一〇—一二世紀に書かれた『金をつくる処方の手引き』〈*Mappae clavicula*〔*de efficiendo auro...*〕〉、一二世紀のマルクス・グラエクス）。これらの処方書は、古代の両パピルス*20

と同様、実際家たちの手によって、実用的に目論まれている。反対に、化学者集成の特殊な錬金術的文献は、残念ながら、処方のくわしい報告をただあまりにも度外視している。それは、これらの「哲学者たち」が「賢者の石」と「神の水」とを何よりも問題にしているからである。ところがそのさい、かれらが伝えている化学的な処方というのが、匿名や誇大な書き換えや神秘臭で充満しているため、「神聖な技術」の秘密をそれによって公開するというよりも、むしろおおい隠そうとする意図が明らかにうかがえる。したがって、まっ先きに公開した錬金術の著者たちは、まさにこの仲間内では非難されており[30]、反対に「デモクリトス」と「マリア」とは、そのずる賢い隠語のために賞揚されている。

さて、あのオスタネス（本書一六五ページ）はしばしば一切の秘術、とくにその後の化学的諸文書における錬金術的な秘密の知恵の元祖とみなされているが、この場合われわれは、この伝説がけっして後期帝国時代やビュザンティオン時代の暗黒の諸世紀に局限されていないということを、プリニウス[31]によって知っている。むしろプリニウス以前の隠秘学〈die okkulten Wissenschaften〉の著者たちも、

＊20　あとで述べるライデン・パピルスとストックホルム・パピルスを指す。

すでにこのオスタネスとそのオリエント的な知恵のふしぎな妖術臭とを知っているのである。人びとがこの神秘的性格を、ボーロスの偽デモクリトス百科全書中の、オスタネスやその他の気迷い著者どもをひきあいに出している部の第一篇——ここでは、人間とその疾病、(32)動物と植物とをとりあつかっている——だけに与え、無機物界をとりあつかい、さらに金属、宝石、真珠、紫の着色術の分野にまでおよんでいる第二篇は、純技術的でなんの神秘説もなく論じられていたのであろうとするのは、まったくの独断にすぎないであろう。というのも、古来じつにこれらの貴重品こそ、オリエントの迷信がとくにつきまとっているものだからである。それではなぜ、(そこでも利用されているディオスコリデス[*21]の調剤書のように)純技術的だった両化学的処方書[*22]のために、大部な原作品さえもこの部においてアレクサンドリアのピュタゴラス派の思想と明らかに緊密な関係のあった著者ボーロスをとくに引用したり、(33)かれについて、当時のその作品のすぐれた普及性を保証せねばならなかったことを、人びとは黙殺しなければならなかったのであろうか。このピュタゴラス派の思想の実相というのは、本質的にはロマンティックな神秘

*21 一世紀ころのキリキア出身の薬物学者。
*22 ライデン、ストックホルム両パピルス。

説であり、文学的な妄想なのである。大むかしの証人や予言者や奇蹟をおこなう人びとが召集され、あらゆる時代のあらゆる地方の最もおそるべき奇蹟が熱心に収集され、それらが独自の諸発明と混和しているのである。

さてところが、この博物学的な気迷った書物のおどろくべき影響を新しくビュザンティオン時代まで追求したM・ヴェルマンは、ハドリアヌス帝[*23]時代に自然療法〈Ἰατρικὰ φυσικά〉を書いたアエリウス・プロモトゥスを出版して、[34]私にその一個所を示した。そこには、アエリウスがその師オスタネス自身が調剤しているのを見たという、熱病についての処方が述べられている。かれは、鉛くずとイワレンゲとをかまどに入れて解熱剤を調製した。これは、今日の見方からすれば、アエリウスが、どうしても後一〇〇年ころ生きていたことになるオスタネスを、医師または薬剤師と呼んでその門に学んだとみなければならないであろう。しかしながら、二世紀の著者気質というものは、今日とははっきりとちがっていた。人は万事、教養一点張りのものを書き、書写し、そして奇抜に記載したり、じっさい利用した著者を巧みにおおい隠したり、信じられぬような権威で飾

＊23　一一七―一三八年在位のローマ皇帝。

ったり、孫引きすることによって、当時の一般読書狂の満足を買おうとした。(35) ことにかれらが古い証人を単に写しとった場合は、それを目撃したふうをして威張るのである。あらゆる時代の経験からわかるように、神秘と詐欺とは隣同士である。ペイシストラトス時代[*24]の神秘家が、大むかしの予言者の仮面をかぶってまったくの偽作をこしらえたり、ボーロスがアレクサンドリア期に同様な気迷った書物を大規模につくったように、ロマンティックと神秘に沈潜している後二世紀の気迷った連中も、詐欺とあまり変らぬやりかたに誘惑されている。アエリウスの迷信的処方書は、なお、ボーロス＝デモクリトスとともに有名なネケプソも証人としてひきあいに出して、(36) この著者の性格を十分明らかにしている。さて以上によって、かれがオスタネスと名のる現実の師につかなかったことはまったくたしかである（どのようにして、この古い妖術者の不名誉な名前をまじめにつけ加えようとするのであろうか）。(37) かれは単純に、目撃したという自慢を文字どおりデモクリトスから模写しただけであって、ローマ時代のデモクリトスの抜萃には、じつにひんぱんにこの妖術師が引きあいに出されている。このような迷信好みが、書き写された証人

＊24　前五六〇年から二三年間アテナイの僭主になる。

の仮面をいかに臆面もなくかぶっているかは、テオドシウス帝[*25]時代のローマの貴族マルケッルスによって示されている。かれは、幼稚な迷信がしたたり落ちる自分の処方集のなかで、たとえばウァレンスという人物を師として挙げているが、(38)ここの個所はすべてスクリボニウス[*26](94)に由来するものである。まったく同様に、その見聞したと称しているものも、(39)文字どおりスクリボニウスからの書き写しである。

だからわれわれは、その詐欺的な小細工にたいして、もとの偽造者ボーロスを堂々とひきあいに出して弁明しかねないこれらの気迷った連中をとおして、まじめに考えるべきではない。またオスタネスがハドリアヌス帝時代の実在の著者だとか、さらにまた、われわれには理解できるボーロスの二世デモクリトスとならんで、錬金術師三世デモクリトスを信じたりすべきではない。同一の原集成が、前一世紀のころさまざまな方法で改作され、拡大されたと考えておけば十分である。これらの不信な著者たちのうちには、われわれに知られているものもいるが、無名のものとか偽名のものもある。しかし、純粋に手工業的な両パピルスの処方書を除けば、かれらは新

*25 ローマ皇帝(三四六―三九五年)。

*26 クラウディウス帝(後四一―五四年在位)のころのローマの医師、四三年に同皇帝とともにブリタニアに渡る。

ピュタゴラス派の神秘説にその本領を発揮している。この神秘説はボーロスから発し、ことにこの派の秘密会合でおこなわれたもので、すでにキケロの時代には、ニギディウス・フィグルス[*27]が、名望はあるが多くの人びとからおそれられていた代表であった。また、ボーロスの作品の仲介著者として、ストックホルム・パピルスからも認知されているあのアナクシラオスも、この仲間に属していた。ところで、その魔術のために追放されたこのピュタゴラス学徒[*28]が、どうして、その抜萃の化学的な部分[*29]で無害な技術者に転向しているのであろうか。

したがって私は、古代化学の神秘的性格、つまりわれわれが錬金術と呼んでいるものは、ヘレニズム時代の、しかもエジプトのピュタゴラス派的とみられる仲間から由来しているという、私の根本見解を固持しなければならない。ところでまたそのころ、カルデアの星占いについての改作が、ネケプソの名をつけられてエジプトにあらわれたが、このネケプソ[(40)]は、その尊敬すべき名を占星術の底本に残したにちがいない人物で、しかもその底本がまた、わがボーロスからの改作のように思われるのである。[(41)]

＊27　前五八年ころのローマの学者で執政官。

＊28　アナクシラオス。

＊29　ストックホルム・パピルス。

さていよいよ、幸いにも保存された二篇の最古の化学記録、すなわち後三世紀のパピルスについてお話ししなければならない。この両パピルスは一八二八年エジプトで、テーベの一墳墓を発掘したさいに発見されたもので(42)、その墳墓は明らかに、呪術文献と隠秘学の非常な一愛好家の遺骸を葬ったものであった。すなわちこの二つの化学古文書は、魔よけをふくむいくつかの呪術的な巻物といっしょに発見されたもので、同所で発掘されたその他のパピルスと同様、後三世紀のものである。この世紀のおわり(二九七年)、ちょうどエジプト人の血なまぐさい暴動の鎮圧にとりかからねばならなかったディオクレティアヌス帝[*30]は、古い錬金術書を焼きはらわせた。それは同地の住民たちから、この秘術によって、つまり貨幣用として標準価格のある宝石を偽造して不正な金もうけの手段をとり除くためであった(43)。さて、この両化学古文書も禁書のうちに数えられているのだが、その所有者はたぶん、自分の後継者たちに迷惑がかからぬようにそれらを自分の墳墓に埋めさせたのであろう。こうしてこれらの隠秘な知恵の全財宝は、今から九〇年前にその復活が祝福されるまで、じつに一五世紀以上もの間、砂漠の砂のなかに隠されて

*30 二八四―三〇五年在位のローマ皇帝。

いたのである。この両古文書は、おどろくほどの達筆であるが、おそろしいほど正書法に反した書きぶりで無事に保存されており、これらを学界に普及するには当然長い間待たなければならなかった。一方の古文書は、その他の発見物とともにライデンに移され、一八八五年にはじめて公刊された。(44) これを『ライデン・パピルス第一〇番』〈*Papyrus Leidensis X*〉と呼んでいる。第二の古文書『ストックホルム・パピルス』〈*Papyrus Holmiensis*〉は、発見後さらに数奇な運命をたどってきている。というのも、一八二八年エジプトでノルウェイ＝スウェーデンの副領事アナスタシイがこの古文書を手に入れ、ストックホルムのスウェーデン・アカデミに寄贈したのち、それはふたたび永眠してしまっていた。ところで、この古文書はその後ウプサラ[*31]に移されたが、この数年前、スウェーデンの一言語学者がこれをじっさいに蘇生させたのである。(45) さてこの双子の両写本は、じつに好都合なことに、互いに補足しあっている。ライデン・パピルスのほうは、エジプトの金属偽造と紫の着色との秘密を暴露し、ストックホルム・パピルスのほうは、金の合金に関する最初の部は見失われているが、その代わり、銀の処方と、紫の着色に関する非常

＊31 スウェーデンのストックホルム西北にある都市。

図版九　本書一八八ページ参照。後三世紀の化学書。*Papyrus Graeca Holmiensis* 一ページ目の一〜三三行まで。〔下はこれを解読したもので、洋銀の製法が記述されている〕

A. 'Αργύρου ποίησις. Χαλκὸν τον Κύπριον τὸν ἤδη εἰρκασμένον(sic) *καὶ ἔκτασιν ἔχοντα τῇ χρήσει κα[ι]τάβαφον ὄξει βαφικῷ στυπτηρίᾳ τε καὶ τρισὶν ἡμ (έραις) ἕα βρέχεσθαι. τότε δὴ χωνευετε* (すなわち *χωνεύεται) τῇ τοῦ χαλκοῦ μνᾷ γῆς Χείας ἁλὸς τε Καππάδοκος καὶ στυπτηρίας σχιστῆς ἐκ δραχμῶν* $\bar{\zeta}$ *ἀναμείξας· ἐπείρος* (すなわち *ἐμπείρως) δὲ χώνευε καὶ ἔσται σπουδαῖος· πρόσβαλε δὲ ἀργύρου καλοῦ καὶ δοκίμου τοῦ ἅπλοῦ μὴ πλείω L* (すなわち *δραχμῶν)* $\bar{\kappa}$*· ὅ διαφυλάξει τὴν σὴνπασαν* (すなわち *σύμπασαν) μεῖξειν ἀνεξάλειπτον. "Αλλο. Εἰς δὲ Δημόκρ <ι>τον 'Αν<α>ξίλαος ἀναφέρει καὶ τόδε· τοὺς κοινοὺς ἅλας ἅμα στυπτηρίᾳ τῇ σχιστῇ λιήνας εὖ μάλα σὺν ὄξει καὶ ἀναπλάσας κολλούρια ταῦτ' ἐπὶ τρῖς ἡμέρας ἔψυχεν ἐν βαλανίῳ κἄπιτα λεάνας συνεχώνευε τὸν χαλκὸν ἐπὶ τρῖς καὶ ὕδατι θαλαττίῳ κατασβεννύων ἔψυχεν. ἐλέ<γ>ξει τὸ ἀποβησόμενον ἡ πεῖρα. "Αλλο. Κασσίτηρον λευκόν τε καὶ μαλακὸν τετράκι καθήρας κἀκ τοῦδε μὲρη* $\bar{\bar{\gamma}}$ *χαλκοῦ τε κ<αὶ κ> αλλατικοῦ* (すなわち *γαλατικοῦ) λευκοῦ μνᾶ<ν>* $\bar{\alpha}$ *συνχωνεύσας σμῆχε καὶ σκεύαζε, ὅ θέλεις, καὶ γείνεται ἄργυρος ὁ πρῶτος, ὡς καὶ τοὺς τεχνίτας λανθάνειν ὅτι ἐξ οἰ<κο>νομίας τοιᾶσδε συνέστη. Κασσιτέρου κάθαρσις. Ἡ δὲ τοῦ κασσιτέρου κάθαρσις τοῦ χωροῦντος ἐς τὴν τοῦ ἀργύρου κάθαρσιν ἥδε· κασσίτερον καθαρὸν ἕα ψυγῆναι καὶ ἀλείψας ελεω* (すなわち *ἐλαίῳ) τε καὶ ἀσφάλτῳ ἐκ τετάρτου χώνευε καὶ πλύνας ἀπόθου καθαρίως πρόσβαλλε κτλ.*

にくわしい一節との間には、すでにずっと以前から待望されていた真珠と宝石とに関する章がある。

このことから、同一の編集者に遡るこの両抜萃が、金銀、宝石と真珠、紫を四巻としてとりあつかった古いデモクリトス書の内容を、再現していることが推定されるであろう。(46)けれども、後世の錬金術師たちがさまざまな抜萃や改作においてデモクリトス書の古い財宝を変形したように、現存の最古の化学集成よりもすくなくとも一世紀は古いこの両パピルスの場合でさえ、デモクリトスの財宝がいろいろと仲介、分割されているのを見せつけられる。また、この緊密な関連のある両者の表現法も、技術的文献によくあるように、形式的にも内容的にもしばしば食いちがっている。ライデン・パピルスは、主として宝石の模造、偽造に関する処方一〇一をふくんでいる。ストックホルムのほうには、一五二の処方があり、金属に関してはたった九つにすぎないが、宝石と真珠に関しては七三の報告がある。そして最後は七〇の着色術の処方になっているが、そのさい、紫の着色とマタイセイ着色とが目立っている。(47)

金属の合金では、すでに述べたアセムの製造がとくに問題になっ

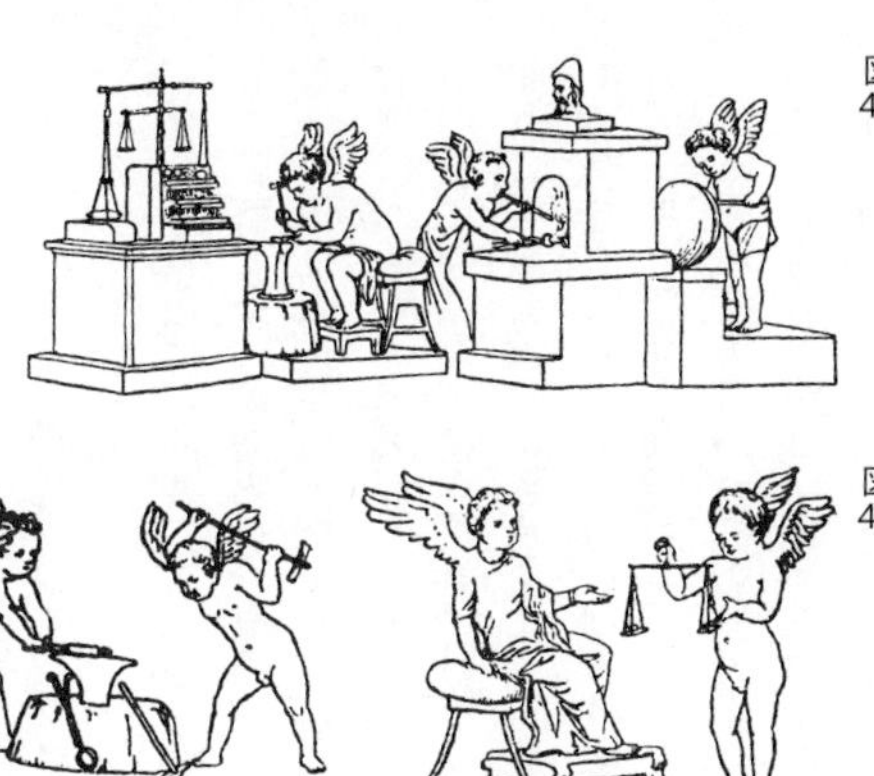

図48・49の説明　金細工師としての愛の神々〔注88も参照〕。

ポムペイのウェッティの家にある、魅力的で印象的に描かれた愛の神々の一場面。本書では二部に分けられたこのなげしを、マウ『ポムペイ』〈Ponpeji[2], 353〉はつぎのように述べている。

「右方では、ヘパイストスの頭部を飾ってある灼熱のかまどのそばで、一人の愛の神が吹管をもって働いている。かまどの背後では、一人の愛の神が、金製またはメッキ製の大はちを磨いている。かれは右手で仕事をし、左手には棒状の器具をもってはちを動かないようにしている。かれの仕事は、努力とおまけに慎重を要する。だから直立不動のそのからだは、もっぱら腕の筋肉をつよくひきしめるための支柱として役立つにすぎない[88]。

さらにその左方では、一人の愛の神が、小さなかなしきの上に槌を打ちつけている。ここでもまた、仕事にたいするすぐれた敏感と慎重との必要さが直感される。

つぎに販売机があって、その上の三個の開かれたひきだしにある小さな家具は、金製の装飾品であることがわかる。一本の棒には、二つの天秤がかけてある。

さらに売手と女の買手とがいる。装飾品が量られている。両人は左手をひろげて何か手真似をしているが、これはつまり、天秤が釣合っているという状態に注意しているしぐさであろう。

最後に、二人の愛の神がかなしきのそばにいる。そのうちの一人で、かなしきの上の金属を押えながらできるだけ遠くに立っているほうの動きは、非常に写実的である。遠くに離れているため、飛散する火花がかれには降りかかってこないのである」。

ている。銅、錫[*32]、水銀[*33]、鉛[*34]、菱(りょう)亜鉛鉱[*35]、真鍮[*36]、砒素鉱石[*37]のほかに、事情によっては、純銀も合金の製造に使用されている。こうして、金光沢または銀光沢のエレクトロンの製造に成功し、その一品種が一等品（πρῶτον ἄσημον, ἄργυρος ὁ πρῶτος）としてもてはやされ、「専門家たちでさえ、こういう加工から生じるとは気づかない」[(48)]のである。

合金の**着色**は、非常に重大視されているが、この古い観念と関連した見解こそ、錬金術の全著作物に滲透しているものである[(49)]。たとえば、銅は白色化（λεύκωσις）によって銀に、黄色化（ξάνθωσις）によって金にされる。銅は砒素化合物と錫化合物と鉛化合物によって白色になるが、金の焼きつけをするか冷間法で表面を金色に着色すれば「金光沢」（χρυσοφανής）になる。

水銀を使う「本格的な」メッキとともに、ワニス[*38]による見せかけのメッキも紹介されている。

これらの処方書のうちの特別な一章として、その後の中世の類似な抜萃の場合と同様、**金書法**すなわち金インクで美しく筆写する技術が設けられている。この章には、安価な代用品（鉛化合物、硫黄

*32 Sn. 天然には錫石 SnO_2 として産出する。

*33 Hg. 天然に遊離状態ではごくまれに産出する。主鉱石は辰砂(しんしゃ)。

*34 Pb. 天然には方鉛鉱、白鉛鉱、硫酸鉛鉱、紅鉛鉱などとして産出する。いろいろな用途がある。

*35 珪亜鉛鉱ともいう。

*36 銅と亜鉛との合金。

*37 As. 多くは酸化物として産し、雄黄、鶏冠石、毒砂などが砒素の鉱物。薬用その他に使用する。

*38 透明または多少不透明な粘稠(ねんちゅう)な液体で、これを物体に塗布して放置すると、平滑な光沢ある薄膜が生じるもの。

化合物、サフラン[*39]、虫こぶ[*40]）とともに、ゴム溶液または卵白溶液を使う真の金粉泥もある。

金属の着色とともに、さらに金属の量的変化、すなわち**増量法**もまたくわしく論じられている。銅と塩類製剤または明礬とを混合して二倍量[50]を、銅と錫とを混合して三倍量[51]を得ている。

これは、単に不正な貨殖をするためだけだと考えるべきではない[52]。むしろ、のちの名錬金術師たちをふくむ古代全般にわたって、ちょうど地中にある一粒の穀粒がそれに一〇〇倍する実を結ぶように、また一つの小さい酵母が全量を醱酵させるように、一片の純金属は正しい方法で処理すれば、無尽蔵に豊富な純金属を生むという観念が滲みわたっていたのである。イシスに帰せられている古い一文書によると、「穀粒は穀粒を、人は人を生む。こうして金は金を得る[53]」とある。その結果、化学書には、酵母によってふくれ上ってその量を増すパン製造用のこね粉（μᾶζα）が、意味を転用して述べられている。古代ローマ人はこれからかたまり〈*massa*〉という語を採用し、そしてこの錬金術語は、ヨーロッパ語の最も日常的な言葉の一つになった[54]。両化学パピルスでは、しばしば「無尽蔵の量[55]」について語

＊39　アヤメ科の植物で、薬用、着色に使う。
＊40　植物や動物が原因で植物にできるこぶ。

られているが、これは、一片の洋銀[*41]からつねに新しい洋銀をつくるために用いられる言葉である。

真珠と宝石とを論じている処方は、その精錬と研磨、ことにこの高価な装身具の模造に関連している。真珠をつくるには、牛乳でトラガント・ゴム[*42]と卵白とを十分にこねたこね粉に、粉末の石膏ガラス[*43]をろうと水銀(?)とともに混ぜあわせ、それを真珠にかたどって、それらが湿っているうちに孔を開ける。これらを乾燥して研磨すると、「本物よりもりっぱになる」[56]。

宝石の着色(*βαφή*)は、大きな役割を演じているが、それは主として、「エジプトから下流へもってこられる」タバシス[57]と呼ぶ多孔性の石が用いられている。このタバシスとは、フォン・リップマン氏が認めたように[58]、珪酸からなるかたまりを指しており、これは東インド産の竹(*Bambusa arundinacea* Willd.)の節のなかに遊離されていて、古くからインドの輸出品になっているものである。インドの商品は紅海を経てエジプトの港にとどき、それからナイル川の下流のデルタ地方へ運送されるから、この文献がアレクサンドリア由来のものであることによって、ここに「エジプトから下流へもってこ

＊41　銅、ニッケル、亜鉛の合金の一種。銀白色で硬くて腐蝕にもよく耐え、銀の代用として用いられる。

＊42　アストラガルス属の植物から得られる樹脂。

＊43　白色透明の石膏に与えられた名称。

られる」という表現が理解されるであろう。ことに、アレクサンドリア人がこの町をエジプト本来の町とみなしていないことを知れば、なおさらである。(59)

宝石中で興味の中心は緑玉石[*44]で、その製造（ποίησις）と着色（βαφή）には、とくに銅化合物が利用されている。それにはあらかじめ、石を明礬または酢[*45]につけて処理しなければならない。さらにルビー[*46]（καρχηδόνιος）、ザクロ石[*47]（σάρδιος）、紫水晶、緑柱石などが述べられている。

新発見のほうの化学パピルス〔ストックホルム・パピルス〕の最も貴重な技術的要素は、**着色剤**と**着色術**とに関する章である。まず、よい着色剤として、マタイセイ[*48]、シリアえんじ〈Scharlach〉、リトマス染料[*49]〈Orseille〉、アカネの根、クサノオウ[*50]、明礬、硫酸塩が挙げられている。最高の着色術は、安価な代用品で本物の紫を模造することである。(60)これに関する処方書の言葉を逐字的にいうとつぎのようになる。

「処方を秘密にせよ。紫は、きわめて美しい色だからである。着色師から手渡されるマタイセイの泡（すなわち、大青インジゴ）と、そ

*44　ふつう長い六方柱として産する。色はエメラルド色、緑色、青色のものが多く、まれに黄色または無色。硬度は七～八で硬く、玻璃または樹脂光沢。エメラルドは少量のクロームをふくむこの種で、宝石になる。

*45　酒類の酢酸醱酵によって製造するもので、酢酸、コハク酸、窒素化合物などをふくむ。

*46　鋼玉　Al_2O_3 の一種で、ダイアモンドにつぐ硬さと美しい紅色をもつため、宝石として用いられる。

*47　等軸晶系に属する結晶として、または粒状集合体として産出する。玻璃光沢をもち、透明または不透明。成

れとおなじほどの舶来アルカンナ(61)*51（その泡は、じつに軽い）とをとれ。アルカンナはマタイセイに溶けて、その効力をあらわす。つぎに、好んで選ばれる雌のエンジチュウ*52（κόκκος 緋色）かまたは粒状の樹脂（χρίμνος）から、レーキ染料(62)*53（ἄνθος τὸ ἀπὸ τῶν βαφέων）をとって、これらの粒をすこし温めて、乳鉢のなかでマタイセイの泡の半分といっしょにせよ。それに羊毛を加え、それを媒染することなく着色せよ。あなたは、その紫が筆紙につくせないほど美しくなることを見るであろう」。

処方には、加熱法による華麗な紫も欠けてはいない(63)。ところで、このストックホルム・パピルスのこれらの処方の由来については、この古文書の編集者はすこしも秘密にしていない。冒頭から（図版九を見よ）、洋銀の製造についての指示がある。第二の指示は例のように、ἄλλο（別法）として添えられている。しかしこの別法のはじめには「アナクシラオスは、以下をデモクリトスに帰す(64)」という記入がある。だから、すべての錬金術書の基礎になっている偽デモクリトスの古い資料は、ここではすくなくともその一部が、上記の**アナクシラオス**によって仲介されているわけである。そしてこのアナク

分のちがいで赤色、緑色、黒色などいろいろある。硬く美しいものは宝石として、その他は研磨剤として使う。

*48 アブラナ科の植物で、ヨーロッパの原産。藍を製して着色剤とする。

*49 アカネはアカネ科の植物で着色剤に使う。

*50 ケシ科の植物で山野に自生する。

*51 南ヨーロッパに栽培される多年生草木で、ムラサキ科の植物。根の皮から紅色の色素アルカンナをとる。

*52 カイガラムシ科に属する昆虫で、サボテンに寄生し、洋紅の原料になる。

*53 有機色素と金属塩との結合によって生じ

シラオスこそ、プリニウスの大『博物誌』〈*Historia Naturalis*〉でしばしば利用されている原著者として知られている人である。プリニウス[65]は、硫黄の燻煙を発生させて饗宴の客人たちの顔色を死者のように青ざめさせるという、俗悪な戯れをアナクシラオスに帰している。同様に、一座の人びとを黒人のようにしてしまうしゃれ芸もプリニウスは述べている[66]。また、ヒッポリュトス教父が一呪術書から抜萃している非常にこっけいな奇術や詐術も、おなじ出所であることを示している[67]。さてこのアナクシラオスは、前二八年、呪術のためにイタリアから追放されたのである。おそらくかれは、ニギディウス・フィグルスの神秘的な研究をつづけていたようである。そしてこのニギディウス・フィグルスというのは、キケロのころに、占星術と巫術のおこなわれていたピュタゴラス派の秘密結社を通じて大評判となった人で、またかれの、広汎だが混乱した文法的、自然科学的、隠秘的著作によってもかなりの人気を集めた人である[68]。

　すべてこれらの研究は、古代では同一の傾向を示している。それらは、明るみをおそれる。つまり**秘説**として、一定の秘密集会のうちで流布されるのである。民衆は、これらの非開化主義者たちを畏

た水に不溶性の有色化合物。

怖の念で、というよりも嫌悪の念で眺めている。帝王はかれらをあやしみ、迫害している。これは、どうしたことであろうか。当時すでに貴重な自然認識や文化を促進させる作業方法さえ所有していた一技術的科学[*54]が、どうして自由に発展することができないで、一〇〇〇年以上もいわばくらやみのなかを潜行したのであろうか。

両化学パピルスは、この点についても解答を与えてくれる。私はすでに、一等品の洋銀の製造のさいに、ストックホルム・パピルスの注意書き(69)を挙げておいた。すなわち「こうして専門家たち（τεχνῖται）でさえ、それがこのような加工（οἰκονομία）から生じるとは気づかぬほどの一等品の銀ができる」といっている。同様に、「専門家たちでさえ気づかぬ(70)」緑柱石の模倣も製造されている。しかも、つまらぬ合金を本物の貴金属だと称して、一般民衆はもちろん専門家さえたぶらかすためのこの意図は、注目すべき一つの術語をつくるようになり、それが“Masse”[*55]と同様、中世と近世へ伝えられているのである。ご存じのように、非金属性または単なる半金属性のある硫黄金属を、今日では坑夫の専門語で「ブレンデ」〈Blende〉[*56]と呼んでいる。この硫黄金属がその鉱石成分をくらませ

*54 錬金術のこと。

*55 本書一四〇ページ参照。

*56 原意は「目をくらます」。

たり〈blenden〉、また欺いたりするのは、そのなかに鉱石がまったく含有されていないか、または単にその他の諸物質との混合鉱石が含有されているにすぎないからである。[71] ところで、あのストックホルム・パピルスの著者もまた、模造銀の製造法のおわりでつぎのようにいっている、「そしてあなたは、るつぼからその金属をとり出せば、ブレンデを（ἀμαύρωσιν, 字義は目をくらませること）得るであろう。これは、秤って集められた諸成分（すなわち銀、銅、水銀）の混合した場合にだけ、天然銀と寸分ちがわぬ外観を示す[72]」。

それでは、これらの処方書はだれのためにつくられているのだろうか。職人たち（τεχνῖται）のためにでないことはたしかである。なぜなら、たとえば、上述（本書一八七ページ）のきわめて美しい紫の処方は、すでに着色師が買いとっている[73]はずの原料を紹介しているからである。だから秘密を保たねばならぬこの処方が、着色師その人のためにつくられるはずはない。まして一般のしろうとのためにでないことは、いうまでもない[74]。そこでけっきょく、その著者とこの化学文庫の持主を求めるほかに手はないことになる。これらの人たちは、以前からエジプトで貴金属工業の特権を行使し、技術と科学とを宗教的な詐欺に奉仕させていた連中(75)、つまり同地の諸神殿の神官たちである。しかもこれらの神殿のために、ヘロンの自動装置の書物や気体力学で述べられた物理的奇術も、たくさん発明されていた。(76)「金の仕事場の秘密」については、デンデラ[*57]の神殿やその他のエジプト諸記録からわかっており、(77)エジプトの神官たちが聖典を吟誦しながら調製するキュピという霊薬については、プルタルコスが物語っている。(78)また古代の化学者たちが、その知識を神官にだけ伝えて保護していたあの深奥な秘密については、ゾシモスが述べている。(79)このようなわけでわれわれは、後三世紀にテーベの墳墓中にまったく幸運にも保存されていたあの両文書[*58]は、もともと、瞞着すること以外になんの目的もない神殿調剤室の管理者たちのためだけに用意されていたと認めてさしつかえないだろう。しかもエジプトでは、(その後ローマで、帝王の作業場と並存していたような)ある個人工業が発達したが、ここにもむろん、その処方書があったにちがいない。さらに、ヘロン、ヒッポリュトス[*59]、ルキアノス[*60](後一〇五―一七一年のアボヌティコスの予言者アレクサンドロスに関するかれの曝露において)によって、われわれは、これらの秘密文書のい

*57 エジプトのテーベ北方、ナイル川の左岸にある。

*58 両化学パピルス。

*59 二三八年ころ死んだローマ在住の初代キリスト教父。

*60 サモサタ(ユーフラテス川岸)生まれの著述家(一二〇―一九〇年ころ)。

くつかが一般のしろうとにも漏れていたことを知っている。プリニウスがアナクシラオスや偽デモクリトスやその他の隠秘的な文献を豊富に利用したのも、まさにこの漏洩があったからである。こうして、銀製（または金製）の台上にアヌビス神[*61]の黒色像が描かれている黒金象眼のつぼの製造に関する注目すべき報告は、プリニウスから得られるのである。[(80)]この技術は、その基礎を硫化物の製造においており、その製造の指定は、中世といういわば一本の地下道に横たわっている多数の指定書と同様、ヘレニズム時代の処方書から（プリニウスによってでなく）保持されてきたものである。[(81)]こうしてこの黒金象眼技術の秘密は、シリア人のゾシモスのなかにも、また『彩色の小さな鍵』〈*Mappae clavicula*〉と名づけられて[(82)]そのギリシア語原文のラテン訳をふくんでいる小冊の着色術書のなかにも見出される。この着色術書の原文はすでにカール大帝以前にガリアにはいり、そこで翻訳された。このラテン語の処方はしばしば化学集成や古代の両化学パピルスと一致しているため、われわれは、技術的な処方の伝統が一〇〇〇年間中断することなく、しかもまったく秘密のうちに完成されたという印象をうける——むろんそのやりかたは、中世

*61　犬頭人身のエジプトの神。

を通じてもっぱら非良心的に終始したが。秘密を守る誓約については、すでにゾシモスが述べているが、ストックホルム・パピルスもライデン・パピルスも『彩色の小さな鍵』もこれを勧めている。しかもここでは、誓約が冒頭にある。[83]帝国時代において、妖術の嫌疑をかけられた化学者や自然研究者が、たえず国家からも、のちには教会からもうけねばならなかった敵視は、名錬金術師たちを極度に警戒させた。たとえば『彩色の小さな鍵』には、アルコールの処方が暗号記法で示されている。[84]それはちょうど、一三世紀にロジャー・ベイコンが火薬の秘密を隠していたのに似ている。[85]しかもこの自然研究者でフランチェスコ会の修道士ベイコンは、嫌われた「秘密学」へ勇敢に身をささげ、そして、ここでは一切が自然的に生じるもので妖術という概念はばかげた幻想だということを指摘した最初の人だったのである。このびっくり博士〈doctor mirabilis〉の異名のあるベイコンは、中世の無知と神官の偏見、そしてそれらと結びついた神官階級の道徳的な放縦にたいして痛烈な攻撃をおこなったため、一〇年間を牢獄のなかで苦悩しなければならなかった。しかし魔力は破られた。かれは、当時なお時代のうちにその若芽としてひそんでいたものを見破った。その結果、やがて神官階級の内外にわたって、自然を人間の敵としてでなく友として救い手として指示した有識者たちが、いたるところにあらわれた。一三、一四世紀の転換期には、古代のものらしい処方(86)によって、アルコールが大規模に生産され、それが人間にたいして善悪両面の役目をはたした。長い間知られていた火薬の爆発力は、今や攻防にたいしひろく利用されるようになった。今や人類は、偏狭な監視のきずなからの解放を感じ、善悪の判定を自分たちの手中におさめた。長いこと束縛されていた道徳の自立性は、かつてのヘレニズムの青春時代のように、ふたたびさらに自由に活動することができた。従来はただ詐欺か戯れにしか役立たなかった技術的知識は、今やますます全人類の文化を実らせた。そして一八世紀のおわり、(87)化学がラヴォアジエ*62によって科学の地位にまで高められたのち、ちかごろでは、それは自然科学の指導権を担い、そして現代の特徴である技術と科学との結合を、最初に誘致するようになった。

*62　フランス革命によって殺されたフランスの有名な化学者（一七四三―一七九四年）で、近代化学の創始者とみられる。

第七講* 古代の時計

グノモン／時間／影時計／日時計／スカペ／カンシュタットとペルガモンのスカペ時計／ベルリンのアラクネ／ベロッソス方式／アレクサンドリアの時計／農民月暦板／アンドロニコスとパイドロスの時計／パレトラ時計／コンアラクネ／ポムペイとヘラクレイアの円錐形時計／アンティボレイオン／水平時計／デロス、ポムペイのペレキノン／ヴィースバーデンとアクィレアの水平時計／旅行時計／世界時計／クレー＝シャトラールの旅行時計／ポルティチのブタの燻肉／クレプシュドラ／フィギグ・オアシスの水時計／プラトンの夜時計／ペリパトス派の物理学／クテシビオスの水時計／調整器／ウィトルウィウスの時針時計／ザルツブルクの天文時計／ガザのヘラクレス時計

時計製作術は、古くから技術における最高の精華とみなされている。古代においても、この方面の技術者の独創力は十分に認められ

＊ 本講は、一九一七年七月一九日、プロシア科学アカデミにおける講演による。

ていたため、この分野では最近まで、様式の変遷と改良とを除けば、一般に新しい着想がおこっていないと主張するのは理由のないことではなかった。[1] ここでは、手仕事が科学と緊密に関連している。そればかりか、人間を動物から高めている科学的思惟のはじまりは、じつに、時刻の測定からだともいえる。昼夜の交替が直接注意され、動物と人間の活動がおのずから規定される。けれども、いっそう大きな時間を正確に区画できるように、原始人は夜空を眺めたにちがいない。夜空の太陰は、新月の最初のきらめきや満月の輝き、さらに新月[*1]における光の消滅によって時刻の目盛りを暗示した。[2] だから、われわれインドゲルマン人の祖先は、太陰を「測定器」〈Messer〉と呼んでいた。こうしてギリシア古代では、一二の月によって定められた太陰暦年が一般におこなわれていた。しかしながらまた、季節の交替によって最初はただ大ざっぱに認められていただけの太陽暦年も、次第に考慮されるようになった。耕作労働や宗教上の祭典日は、しばしば一定の季節と結びつけられているもので、それらが季節はずれになるような不正確なものであってはならなかった。そこで見た目には、日光と太陰の運行との交替のように明瞭でない太

＊1　朔のこと。

陽暦年の経過を、天文観測によって確立しなければならなかったのである。このような太陽観測は、エジプト人、バビロニア人、中国人によって、前二〇〇〇年以上も以前にはじめられている。(3) ギリシア人の若い文化では、この天文観測は比較的おそく、東洋の学問に刺激されて発達した。前五世紀には、それより一〇〇年たらず以前にアナクシマンドロスがバビロンから、この観測に使った主要な器具として「グノモン」つまり「示影針」を輸入したことが知られている。(4) このアナクシマンドロスは——というよりも、じつはタレスなのだが——古代ギリシア天文学の真の創設者とみなすべき人物である。(5) さて今や、この一本の垂直棒または尖軸をなす示影針によって、子午線*2がいっそう精密に確定されることになった。というのも、子午線は、肉眼では天頂における太陽の最高の位置によってわかるが、幾何学的には、日影の始点と終点の間の線の二等分によってさらに精密にたしかめられるからである。さらにこの示影針によって二至と二分、したがってまた、季節（ὧραι）と一年（ἐνιαυτός 本書三四八ページ、注1を見よ）とが確定されることになった。そして最後に、その結果生じる黄道*3の傾斜が確定されることになったのであ

*2 地平の南点と北点をとおる鉛直圏。すなわち天頂、天底、南点、北点をとおる天球上の大円。

*3 天球上で太陽が一年間に完全に一周して画く見かけの大円。

る。これはアナクシマンドロスが、その著『自然について』〈Περὶ φύσεως〉のなかではじめて触れている。[6] ところでまたグノモンは、ヘロドトスによると、太陽の一日の光の行程を一二の部分に分割し、それによって昼間を午前の六時間と午後の六時間とに区分する機会をも与えたといわれている。そのさい、この日時計の影によって、日の出から正午までと正午から夕方までの太陽の日周軌道の一二分割が読まれたが、その長さは季節によってちがっていた。古代の日常生活では、今日の不変な「昼夜平分時」[*4]（ὧραι ἰσημεριναί）とは反対に、季節によって変化する「不定」時法（ὧραι καιρικαί）が知られていたのである。科学的な星観測は、むろんこの昼間の一二分割にならって、これを夜間にも応用したにちがいない。そこで一「昼夜」（νυχθήμερον）は二回の一二時間となるわけで、これはちょうど、今日の時計が一般に一二時間を二回示すのと同様であるが、ただその開始がちがっているだけであった（今日では、朝ではなくて夜半からはじまる）。古い古典時代の専門的天文学者たちが、この時間区分法をどれほど広範囲に使用したか、また、かれらが日時計から得たこの昼間時の計算を、当時の裁判制度で慣用のクレプシュドラ

*4 定時法。

の水量測定によってどのくらい補修したかは(7)、われわれにはわからない。

このエジプト式の昼間の時間区分法が[*5]、前五世紀になっても、国民のうちに浸透していなかったことはたしかである。人びとはむしろ昼間の時刻を、午前、午後、夕方、開市時、閉市時(8)と大ざっぱに示し、それでことたりていた。その他の時刻を示そうと思えば(たとえば、昼食の招待)、自分の身体をグノモンの代用にし、太陽によって地上にうつるその影を一歩一歩歩測していくという素朴な方法が用いられた。たとえば、アリストパネスは、共産国家の長所を叙述している『婦人議会』〈Ἐκκλησιάζουσαι〉のなかで、野良仕事は奴隷にまかし、午後、影が一〇歩の長さになると身体に香油を塗って食事にいくことを、亭主に望んでいる。(9)なおまた、メナンドロス[*6]の新喜劇中にも、食事に招くさいの一二歩の影の長さについての話がある。アテナイの緯度で夏至の時に一〇歩の影の長さといえば、今日の時計時刻では四時三〇分ころにあたる。昼夜平分時にはこの時刻が、三時一八分まで繰り上げられる。冬至では、あの地方で一〇歩の長さはもはや全然できない。メナンドロスの一二歩の時刻は、

*5　エジプト人は昼間を一二時間ずつ、バビロニア人は昼夜を六時間ずつに分割した。

*6　アテナイ出身の喜劇作家（前三四二―二九一年）。

一年を通じると、今日の一時―五時を上下することになる。[10] また、喜劇作家エウプロス[*7]によって示されている二〇歩の影の長さは、二時五〇分（冬至）と五時四九分（夏至）の間を上下する。一日働いたのちの午後の時刻は、人びとの休息のために設けられていたが、このことを、ギリシア詞華集のなかの古代日時計の標題が、優雅なしゃれで表現している。

労働に六時間を与えよ。
それにつづく時間の数字は
言葉になって戒めている、
おお人間よ、おまえの生活を楽しめ、と。[11]

自分の影の長さを歩測しておよその時刻を定めるという素朴な方法は、農民の間では、中世になるまでの全古代を通じて持続したにちがいない。今日なお、後四世紀ころの農業書の著者パッラディウス[12]がこの目的で作った時間表、その他が保存されている。

ところでこの農民時計にたいして、グノモンをとりつけた**日時計**が、前五、四世紀に科学者仲間では採用されていたにちがいない。オイノピデス[*8]やメトンのようなペリクレス時代の天文学者たちは、

＊7　前三七〇年ころのギリシアの喜劇作家。

＊8　アナクサゴラス（前約五〇〇―四二八年ころ）より若いキオス出身の天文学者。

このような器具なしには観測できなかったであろう。メトンの太陽観測所（ἡλιοτρόπιον）は、ちょうど、前四世紀のはじめに僭主ディオニュシオス一世がシュラクサイで建設を命じた太陽観測所のように[13]、単なる大グノモンにすぎなかったかもしれない。また、日時計の仕上げを技術的に改新したことは、有名な天文学者だったクニドスのエウドクソスによって確証されている[14]。エウドクソス（前約四〇八―三五五年）は、前四世紀の六〇年代に、かなり長い間アテナイに滞在し、老年のプラトンのもとに集まったアリストテレスやその他の学識ある門人たちと、アカデメイアで交わった。したがって、あの有名なトッレ・アンヌンツィアタの哲学者群像（図版一〇）、すなわち、プラトンが中央に坐して幾何学図形を砂に描き、そのまわりに門人たちが集まっているあの象眼細工（そしてアカデメイアの樹々のはるか後方にアクロポリスが見え、その背後に太陽が昇っている）において、園内の中央にある高柱に日時計――上部にはグノモンの尖軸が、その下には一二時間の区切りのある、この器具としては

図版一〇　プラトンのアカデメイア　トッレ・アンヌンツィアタの象眼細工（*Archäolog. Anzeiger* 1898, 2 による）。（訳注）なおこの図は、古代ギリシアの七賢人を描いた図だという別説がある。

ふつうの様式のものであり、その正面は真南をむいている——がとりつけられてあることは、おどろくにはあたらぬであろう。なぜなら、数学と天文学の意義とひろがりとがますます増していく科学的な学派では、この時刻の測定は欠くことができなかったからである。しかものちにお話しするように、プラトン自身もまた、仲間たちへ起床と朝の仕事を合図するために、夜時計をつくったのである（本書二四三ページ参照）。

ここで私は、古代の天文学者たちが日時計の製作にあたって利用した数学的基礎についてくわしく研究することはできないし、また、受影面上の影線の投影に関してウィトルウィウスとプトレマイオス[*9]が与えた幾何学的設計図の手引きをこまかに述べることもできない[15]。古代の日時計と現代の日時計の主な差異は、時間区分がちがっているという点である。古代人は、自然の変化に順応して、夏の昼間時間と冬の昼間時間の長短のままにしたがっていた。われわれは、不変な昼夜平分時によって自然を支配しているが、じつはこれもまた弊害はある（夏季）。さてそこで、古代の時計は、太陽の種々さまざまな高度に応じなければならなかったし、見かけの太陽軌道を反

*9　一五〇年ころアレクサンドリアで活躍した天文学者で、プトレマイオスの宇宙体系（天動説）を構成する。

映するグノモンが基面に描く影曲線は、日々変化しなければならなかった。毎日、ちがった個所で時間が読みとられた。影が描く日々の弧は、たえずちがった一二の部分に区分された。もちろんこのことは、もともと、ただ経験的に吟味されていたにすぎなかった。そして人びとは、一平面上に一年の四つの要点としての二至と二分の影線を記入し、古代人の裁判実務でおなじみのクレプシュドラの水量測定を、日時計に応用していたのである。夏の長い昼間とか冬の短い昼間の量は、一二等分され、曲線上にはそれぞれこの一二分の一ごとに線が引かれた。こうして一年の四つの主要曲線は、それぞれ一二の時間点をもつことになり、それらの時間点が互いに結びつけられて網目状の主台を形づくっている。そしてこの網目状の主台は、古代の日時計では多種多様に仕上げられている。ここに、この網目の最もふつうな型の一つをお目にかけておくが（図50）、これについては、あとでくわしく説明する。太陽は、巨蟹宮（♋）における夏至から赤道にあと戻りし、同様に冬は磨羯宮（♑）の回帰線[*10]から赤道にあと戻りするから、一般に、一二本の垂直時間線とともに、ただ三本だけの水平曲線が適用されている。その他は、ごくお

*10　地球表面上において、南緯二三・五度または北緯二三・五度の地点をつらねる線。それぞれ南回帰線、北回帰線という。

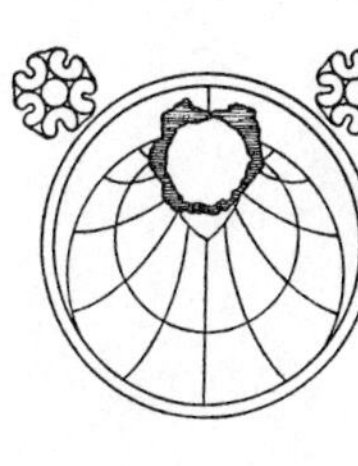
図50

よそになされていた。ただ科学的な器具には、いっそう精密な度盛りをしたにちがいない。

日時計を製作するにあたって、まもなく判明したにちがいない点は、天空と一致する半球状にくりぬかれたいわゆるスカペ（はち）といわれた受影面を選べば、太陽軌道の影像が最も正確に写されるということであった。太陽軌道の写影にはこの半球の一半だけが必要だったので、このはちは切りとられた。そのためまた、線の網目が上方からだけでなく眺められるという利点が得られた。そこで、ふつうの日時計をつくるには、一般に四角形の石が用いられ、それに、上縁が天頂の方をむいている半球か、または、技術的にさらにたやすくつくれた半円錐が彫られた。そしてその中央に出ているグノモンの尖端（ポロス）の大きさとすえつけとは、諸所の緯度に応じてさまざまに固定された。

アレクサンドリア゠ローマ時代には、すぐれた官吏たちは万事を学者たちと張り合い、小さな町々にさえ公共用の日時計を建設し、神殿や楕円形競馬場や浴場には好んでこの実用的な測時器を備えたし、さらにまた富豪連は、その邸宅や別荘にある日時計をますます豪華にしたために、発掘によってこういう器具は非常にたくさん出土している。それらは大型から小型のものまであり、また図がらと方式とは豊富であって、技術者のゆたかな洞察力には驚歎のほかはない。[16] しかしもちろん、この時計の大部分は手細工であって、必要な精度にはしばしば欠けている。網目は、多くは単に経験的に吟味されただけで、科学的には算出されなかった。その仕上げは、一般に建築技師たちの手中にあった。そしてこれらの建築技師たちは、ウィトルウィウスが示し現代の同業者たちが是認しているほどには、[17] この課題をかならずしも必要なだけの理解力で処理していなかった。

それにもかかわらずわれわれは、アウグストゥス帝時代[*11]のこのいわゆる棟梁[*12]が、ギリシア人の史料から借用した日時計の記述については、多大の感謝をささげる義務がある。われわれは、ウィトルウィウスの第九巻八に列挙されているさまざまな方式の一部が、古代から残存する品と同一であることを認めることができる。

ウィトルウィウスは、かれが**スカペ**または**半球器**と呼んでいる上述の日時計のうち、最も簡単な型の発明を、有名な天文学者だったサモスのアリスタルコス[*13]に帰している。アリスタルコスは、前二八

*11 前三一—後一四年治世のローマ皇帝。

*12 ウィトルウィウスのこと。

*13 前二八〇年ころのサモス出身の天文学者で、最初の地動説の提唱者。

八―二七七年にアレクサンドリアで天文観測をおこない、太陽中心説を紹介してコペルニクスの先駆者となった人である。ところでスカペの発明は、当時はじめてなされたのではない。[18] アリスタルコスの名がここで挙げられているのは、むしろ、かれがこの構造の基礎となっている科学的理論をはじめて精密に証明したからであろう。このスカペ方式のものと思われるものに、たった一つの小さな断片の標本、**カンシュタットの日時計***14が保存されている。[19] そのはちには、上方にふくれた曲線が上下に二本刻まれ（両回帰線）、その中央は子午線によって切られている。左側には六本、右側には五本の垂直方向の曲線が伸びている。これは、日時計にはつねに記入されている一一本の時間線である。最終時間は、右縁になっている。この時計は、ローマの緯度にあわせてつくられ、その地からドイツに移されたものと推定されていた。けれども、このこともこの時計の構成も、まったく確実ではない。

この種類のうち、比較的よく保存され科学的にもいっそうおもしろいのは、いわゆる**ペルガモンの双子時計**[20]で、これは一九〇七年、ドイツ人の発掘によって出土したものである。はちの凹所では、二

＊14　カンシュタットは、シュツトガルトの北方にある町。

本のグノモンの尖軸をもった二方式が複合している。スカペAの中央に向かって、一方のグノモンLは北から、他方のグノモンKは南から突きでている。この時計は、下方に仕つけられたほぞからわかることだが（図版一一）、水槽のように壁にはめこまれていて、上から観測するようになっていた。はちの中心に孔があるのは、雨水の排水策であった。図51は夏、春、秋、冬の最初の正午時における光線の進行を示している。両グノモンは矢印で、影端の位置は半円

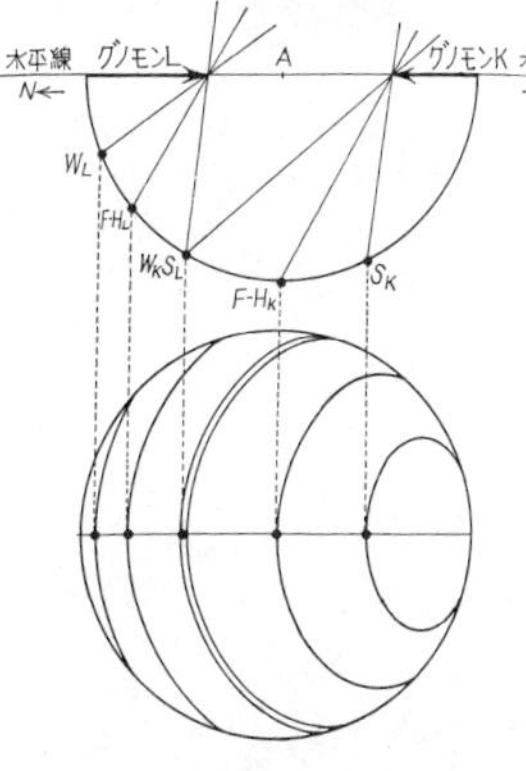

図版一一（上）ペルガモンの双子時計（Rehmによる）。
図51（下）ペルガモンの双子時計の平面図。

上の点であらわしている。夏のはじめにおけるグノモンLの影端の位置は、時計師の目論見どおり、冬のはじめの時刻におけるKからの影端の位置と一致している。両日の正午にあたる点は、他の点より太くあらわしている。はちにおいては（図版一一）、水孔の左方の東から西へ延びている二重輪がこの位置に相当する。文字W、S、F、Hは冬、夏、春、秋を、LとKの見出しは両グノモンをあらわす。点線は、両図の対応点を結んでいる。観察者は、南に立つものと考えられる。

そこでまず観察者は、はちの内部において、夏至時にグノモンKの影端が描くほとんど完全とみえる楕円を、左から右へ見るであろう。そのつぎの弧は、春・秋分時におけるKの影端路を描いている。二重弧は、前述のように、冬至におけるKの影端路であると同時に、夏至時における一方のグノモンLの影端路でもある。そのつぎの弧は、春・秋分時におけるLの影端路を描いている。最後に、左方の北縁近くにある最外部の弧は、冬至時におけるLの影端路を示している。

ベルリン古物館にある二つの日時計のうちの一つは、はち型を巧妙に改良したものである。ご存じのように、グノモンの投じる影の精度というものは、本影のまわりに半影があるため不明瞭になるものである。この欠陥は、日光を細孔から通過させると避けられる。たとえば、学校教育で紹介されている最も簡単なグノモンは、カードをV型に折って、その折目の上方に孔を開けてつくられるが[22]、つまり、そのようにすればよいのである。

古代では、これを利用することはすでに知られていた。ベルリンの時計（図版一二）の名匠は石の上面に一枚の金属板をはめ、それに一つの細孔をつくった。するとこの細孔は、太陽光線を鮮明な小円板状にして、下部の半球口内の網目に投じるはずである。この網目そのものは、クモの巣と非常によく似ている。そこで私は、ヘルマ

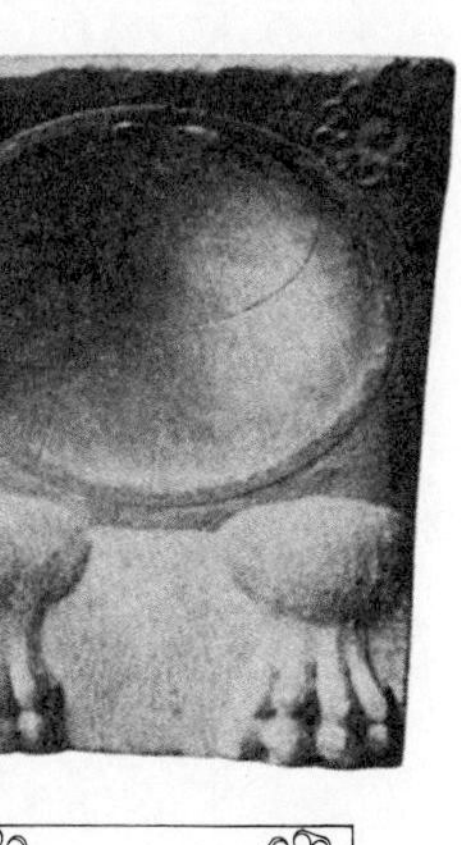

図版一二
（上）ベルリンのスカペ時計 1049.
（下）上の時計の網目。

ン・デゲリング（ベルリン）が私に報告した推定、すなわち、この時計構造の原型がエウドクソスの**アラクネ**（クモ）にまで遡るという推定にしたがうものである。[(23)] このクモの巣では、6＋3時間線と、二至（上下）、二分（中央）における太陽の位置を示している三つの同心円とは、すぐに見分けられる。

大理石に半球状のスカペを精確につくることは、技術的にはなかなか容易でない。それに、このような凹所を観測することはやっかいであるし、離れたところから読みとることはできなかった。だからおそらく、すでに早くから、半球の一部分だけが切りとられ、それを垂直に立てるように変えられたらしい。この型は、古代の日時計のうちで最も好評をうけたもので、ウィトルウィウスはこの発明を、カルデア人ベロッソス*15に帰している。[(24)] ベロッソスは前三世紀のはじめ、すでに述べた天文学者サモスのアリスタルコスと同時代に、年代学的、天文学的な一書を著した人である。ここでもまたわれわれは、つぎのように解すべきであろう。すなわち、この発明は非常に古いもので、ローマの建築技師*16の報告は、単にベロッソスという名のもとに、**くりぬき半球**〈hemicyclium excavatum〉と名づけられた

＊15　前二六〇年ころのカルデアの神官。

＊16　ウィトルウィウス。

方式に触れて記述しているにすぎない。

この種類の一例としては、ローマのエスクィリアエの**オルティ・パロムバラ**で発見された日時計（帝国時代）がある。ギリシア語の銘文は子午線から左右に、一月から六月まで（左方）と七月から一二月まで（右方）との六か月を列記し、子午線の上端に水平に突きでていたグノモンは除去されている。それとともに、巨蟹宮――双児宮（下方）から人馬宮――磨羯宮（上方）までにほぼ相応する一二宮[*17]がある。[25] 円はこの全帯（いわゆる月圏、ギリシア語の μηνιαῖος で、古代のアナレムマ[*18]では一役演じている[26]）を包括し、三角形は、光の満ちかたが夏至（下方）から毎月ますます減少して、年末には最小になることを示している。時間線は、子午線から六本あって（稜線も加算して）、六つの月圏を直角に切っている。方位だけがちがっていておなじような区分になっているものとしては、さらによく保存されたポムペイの平面日時計（*Inscr. Gr.* XIV 705）がある。そこでは一二宮は周辺にあり、月の曲線は上下に夏至と冬至の名称（τροπὴ θερινή と χειμερινή）が書かれ、昼夜平分時は ἰσημερία, 子午線は μεσημβρία と記されている。板そのものは、いわゆる燕尾方式（本

*17　白羊宮、金牛宮、双子宮、巨蟹宮、獅子宮、処女宮、天秤宮、天蝎宮、人馬宮、磨羯宮、宝瓶宮、双魚宮。

*18　ある場所の経緯度を示す台座をもつ日時計のこと。

書二二四ページを見よ）に属している。

ベロッソス方式と類似の日時計が、前三世紀にアレクサンドリア付近に設けられていたように思われる。惜しいことに、それについては単に説明だけが、それも同地で発見された大理石塊の上にほんの一部分だけが保存されているにすぎない。[27]それによると「東から西へ走る円が順次相つぎ、影端がその一円から他円に移るには三〇日かかる。影端が冬至（♑）から夏至（♋）へ転じるときは、子午線の前方へむかい、太陽のある宮がどの宮であるかを告示する。もしも影端が細線上を[28]動くなら、それは西風の吹くことを告示する。しかしながら影端が夏至から冬至へ転じるときは、影端は子午線の後方へむかい、太陽のある宮がどの宮であるかを告示する。もしも影端が細線上にあれば、「それはプレアデス[*19]の没入を告示する」とある。こうしてこの日時計は、前例の場合のように、暦の役目もした。それは、冬のはじまりと航海の閉鎖とを、つまり、一一月におけるプレアデスの早い

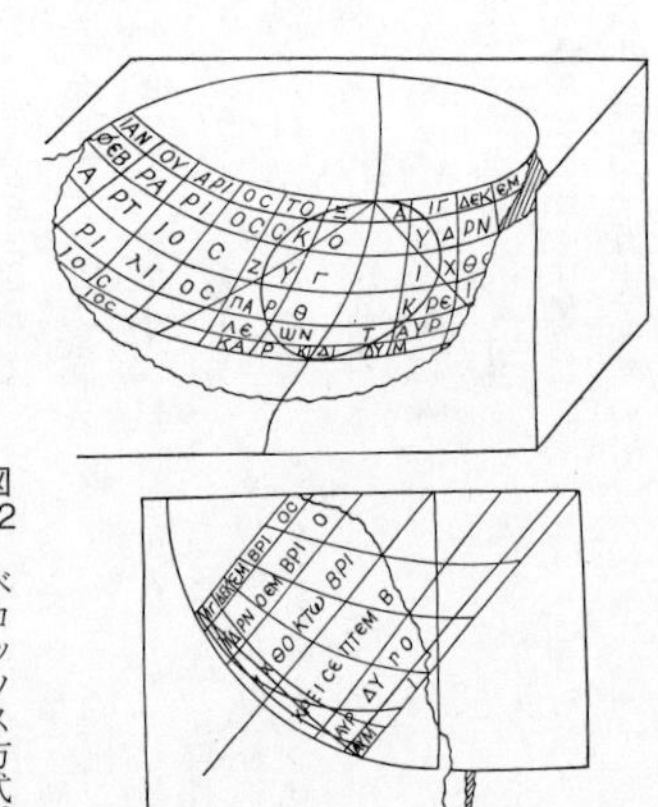

図52　ベロッソス方式。オルティ・パロムバラ（ローマ）の日時計 *Inscr. Gr.* XIV 1307.

＊19　すばる。雄牛座中にある肉眼で見える星団。

没入から西風が告げる初春（三月の航海開け）までを、太陽によって知ることができるからである。

この記述に基づいて、この日時計そのものを再現してみようという気がおこるであろう。そこでここに（図53）、私の設計図をお目にかけよう。もちろんこの図は、私の先輩たちの見解とは非常にちがっているし、また、線の天文学的正確さは要求していない。

もはや残存はしていないが、ルネッサンス期の設計図のうちヴァリスの農民月暦板[29]〈Menologium rusticum Vallense〉の名で知られている巨大な構造も、同じ種類の日時計のように思われる。四角形の三辺（四か月あて）を占める農民暦の正面（五月―八月）には、三重の日時計が載せられている。そしてそのさい、上部構造の中間面は半球形（または円錐形?）に切りこまれ、一方、正面の斜めに切られた角辺には、小さい部分時計が設けられている。水平曲線は、見たところ、三本の主線（二至と二分）だけを表わしているようである。

かつて、テノス[*20]（一名ティノス）の有名なポセイドン神殿で、キュッロスの天文学者アンドロニコスが建立した記念物は、この創立

*20　キュクラデス群島にある島。

図53

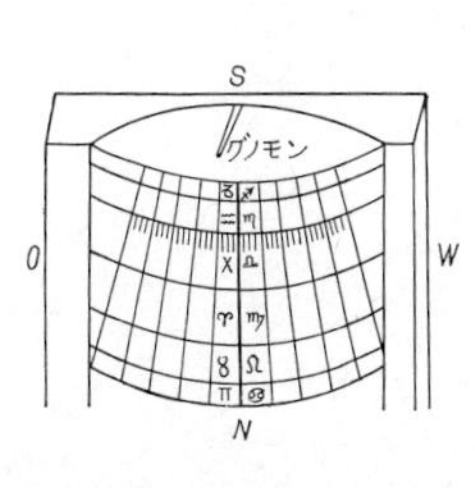

者の人がらのためだけでもいっそう重要である。(30)かれは、この記念物の北側に刻ませた詩句のうちに、みずからを永遠に伝えている。(31)この記念物は、その創立者につぎのような言葉で話しかけている。

おお、アンドロニコスよ、
あなたの故郷、われらの世界キュッロスは、
あなたのうちに天文学者エウドクソスを、
新しく喚びおこさせた。
あなたは、天の光環を区分し、
アラトス*21の天文術の原理を説くことができた。
またあなたは、太陽と月とから、
蝕をはっきりと告知することができた。
さて今あなたは、勝利の栄冠を獲得した、
天の季節の巡路を図示したから——。
あなたがしばしば立ちよったこの地の、
あなたの労苦は、この作品によって知られた。
しかも、あなたをヘルミアス*22の子とした祝福の故郷キュッロスも、

*21 前二七〇年ころのギリシア出身の天文詩人。

*22 プラトンの門人で、アタルネウスとアッソスの王。

今、そのために褒賞を得た。

この有名な大金持の学者は、その功名心のため、当時なお古代科学の有力な中心地だったアテナイでも、このような記念物を建設した。事実それは、かれの名を不朽にした。それは有名な「風の塔」である。この塔の屋根の上には風信旗があり、八角形の側辺には部分日時計（たしかに別方式のもの）[32]があり、建物自体には複雑な構造様式の大きな水時計があった（図版一三）。テノスの記念物（図版一四）では、かれは簡単な作品で満足していた。そこでは、時間線とともに、わずかに二至、二分と、天文学上一般に知られている季節の注意すべき日（プレアデスの没入など）が記入されているだけで、これは、それ以前のアレクサンドリアの日時計ですでにわかっていたこととおなじである。ところでまた、東西に面する両側面が、その位置の具合でその影を投じる範囲内で日時計の役目もしている。正面は、それが慣用でもあ

図版一三　アテナイの風の塔。キュッロスのアンドロニコスによる建造物。屋根の頂上には青銅のトリトン（海神）像が回転し、風むきの次第で、かれのもっている棒が、下方の八つの飾り縁に描かれた主風の一つを指すようになっていた。

り自然的なのだが、南面しており、ベロッソス方式の時計になっている。しかしこの時計はただ八本の時間線を示しているだけで、一二本の時間線を示していない。それは、両側の時計が早朝時と夕刻時とを明瞭に示すからである。[33] グノモンは、おそらく尖軸ではなく、ベルリンの「アラクネ」型の細孔のある板だったと思われる。台にあるイルカ[*23]は、キュクラデス島の重要性をあらわす敬意である。そしてそのため海を支配するポセイドン[*24]にも大神殿をささげ、そこへキュッロスのアンドロニコスの作品が設置されたわけである。

学識のあるマエケナス[*25]の慈善事業は、単にローマの同時代人ワッロ[*26](『農業について』〈*De re rustica*〉第三巻一七)やウィトルウィウス(I 6, 4 ff.)に賞賛と追随の念をおこさせただけではなかった。そ

図版一四　テノスにあるキュッロスのアンドロニコスの日時計(*Inscriptiones Graecae* XII 5による)。

*23　哺乳類クジラ目に属する海産動物。ギリシア人はよく船首にもこの動物を彫刻した。

*24　ギリシア神話で、クロノスとレアとの間

れはその後（後三世紀のはじめ）、ゾイロスの子**パイドロス**というアテナイ人までも、おなじような所業をさせた。かれは自分の長官の地位を不朽にするために、簡素な一つの階段をつくったのち（*I. G.* III 239）、日時計建造の計画を決心したのである。現在この日時計は、大英博物館のエルギン・マーブルス[*27]中に加えられている(34)。

パイドロスの時計は、W型に組合わせた四個の板状の部分日時計からなっている。中間の両板は、それらが互いに角をなしている頂点に一個の共通グノモンをもち、外側の左右両板は、辺にもっていた(35)。しかしこれらの板は、ベロッソス方式、すなわち一般的にいえばスカペ方式に属するものではなく、おそらく、(36)ウィトルウィスがペルゲのアポッロニオスの発明品として挙げている**パレトラ**時計に属するものであろう。パレトラという名は、この日時計板がえびらの面に似た細長い長方形であるためにつけられたものらしい。

すでに述べたように、古代の職人たちは、石を球欠にくりぬく代わりに、好んで円錐形のベロッソス式時計をつくって円錐方式を得ていた。そしてこの方式についてウィトルウィウスは、ふたたびさまざまな名称と発明者とを、その概要のなかでつぎのように挙げて

に生まれた海神。
＊25　前一世紀のローマ人で、アウグストゥス帝の友人で相談役。
＊26　レアテ出身のローマの百科事典的著作家（前一一六―二七年）。
＊27　イギリスの外交家トーマス・ブリュースのギリシア彫刻の収集室。

いる。ディオニュソドロスは円錐……その他……コンアラクネ、円錐形にくりぬかれた板状時計を〈Dionysodorus conum... alii... conarachnen, conicum plinthium〉。ここベルリンには、上述のアラクネ（図版一二）以外にも、このような円錐形につくられた簡単な時計が一つある(37)。それには、回帰線以外に、グノモンから放射状に走っているふつうの一一本の時間線が示されているだけである（図版一五の上）。面の傾斜はここに掲げた縦断面にあらわれている（図54）。この正面の凹んだところの真下には、ヘリオス*28の首が輝き、左側面にはアテナの頭、右側面にはディオニュソスの頭がある。

そのほか、アメルングが記述している(38)**ローマの日時計**の一つも、このコンアラクネ方式に属している。この標本は、**ヘルクラネウム**から出たもので、イギリスにもち去られた。そして惜しいことに、

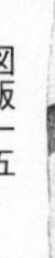

図版一五
（上）ベルリンのコンアラクネ 1048.
（下）ポムペイの円錐形日時計。

図54。

イギリスのある好事家の手になる不十分な偽作の公刊書が知られているだけである。(39)

この円錐形に属する標本で、ほとんど完全なものが、一八五四年、ポムペイで出土した（図版一五の下）。この時計は、スタビアエ温泉の冷浴場の屋根縁におかれていた。この冷浴場にこのような測時器が必要だったのは、すべての浴場と同様、浴場の出入りを規定するためであった。(40) シシの前足の間に刻まれているオスキ語の銘文を翻訳すると、「マラスの息子のマラス・アティニウスは検察官として、協議会の命令で、上納金からこれを建造した」となる。このけなげなポムペイの検察官は、数学的には大して努力をしていない。というのも、時間以外に、このくりぬき円錐形片に刻まれているのは、ただ二至と赤道だけだからである。しかし、すくなくともここでは、舌状のグノモンは本来の場所にある。

さて、最古の円錐形日時計の標本（図55）は、ラトモスの**ヘラクレイア**におけるO・ライエの率いるフランス人の発掘によって得られた。(41) 現在、それはルーヴルにある。この作品の南面に彫りこまれている題寄文によると、建造者はアポッロドトスの子アポッロニオ

＊28　ギリシア神話の太陽神。

ΒΑΣΙΛΕΙΓΤΟΛΕΜΑΙΩΙΑΓΟΛΛ ΝΙΟΣΑΓΟΛΛΟΔΟΤΟΥ
ΘΕΜΙΣΤΑΓ ΡΑΣΜΕΝΙΣΚΟΥΑΛΕΞΑΝΑ ΡΕΥΣΕΓΟΙΕΙ

図55　ヘラクレイアのアポッロニオスの時計。

スで、製作者はメニスコスの子のアレクサンドリアのテミスタゴラスになっている。この時計が小アジアの都市の緯度に調整されていて、アレクサンドリアの緯度に調整されていないということからみて、プトレマイオス王（たぶん、前二八三―二四七年のピラデルポス[*30]であろう）のためにこの時計を設けた建造者は、すぐれたグノモニカー〈Gnomoniker〉（古代の時計師をそう呼ぶ）を使ったと考えるべきであろう。[*29]

当時アレクサンドリアでは、エウクレイデス（ユークリッド）の学派が栄え、またあの偉大なペルゲのアポッロニオス――ウィトルウィウスは、えびら形（前記二一九ページを見よ）の発明のほかに、エウドクソスとともにアラクネの構造もかれに帰している――も、当時アレクサンドリアで数学的研究を振興させていた。だから、アレクサンドリアの一専門家が招待されたことは十分にうなずける。また、この円錐形日時計の標本は、フランスの発見者がウィトルウィウスにしたがって名づけたコンアラクネという名を主張することができるように思われる。

時計の南面（図56）は、垂直線にたいして三八度傾斜している

＊29　ヘラクレイア。

＊30　前二八五―二四七年治世のヘレニズム時代のエジプトのプトレマイオス二世のこと。

（図57）。ヘラクレイアの緯度は、ちょうど三七度三〇分である。グノモンの尖軸はもう残っていない。それは例によって、子午線の延長にとりつけられていた。子午線の左右には、グノモンにむかってひかれた時間線がある。これらの時間線は七本の曲線を切り、日影はそれらの曲線内で、一年間に2×6の宮を通過する。[42]

さてこの時計がさらに、北を指すスカペをもっている（図56の上）ことは、注目すべきである。そしてこのスカペの上縁と下縁との内側には、ただ二本の曲線があるにすぎない。しかし一一本の時間線はやはりある。発見者は、正当にもこれをウィトルウィウスのいう**アンティボレイオン**だとみている。この名は、単に北を指す時計を意味するにすぎない。この位置では、ただ夏期にだけ投影できるのであるから、南面時計にあった下方の四曲線が北面時計ではなぜ脱落しているかが明白である。われわれはすでに、これと同様な二つの時計方式の結合を、ペルガモンの双子時計において確認している（本書二〇八ページ以下）。

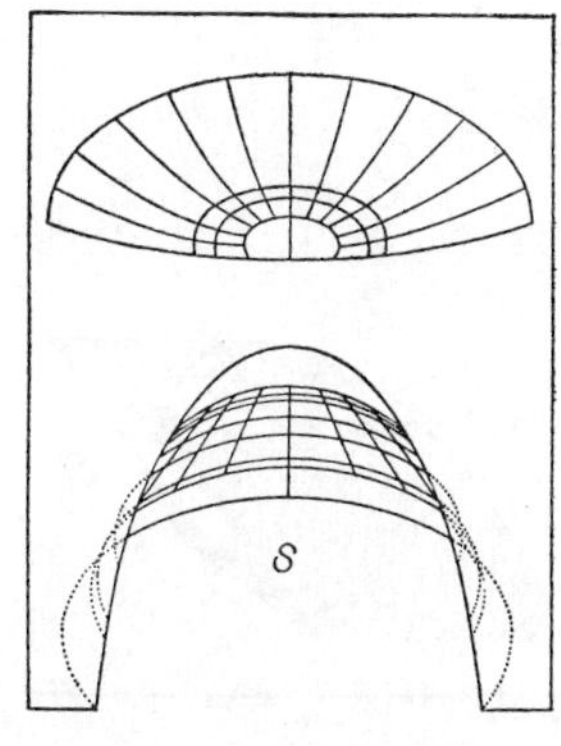

図56　アポッロニオスの時計。背面にはアンティボレイオンをもっている。

古代では、垂直時計と呼べるベロッソス方式の半球時計や円錐形時計とともに、**水平時計**の設備が非常に普及していた。一般にこの方式の諸線は、四角形または円にかこまれ、台脚上の石板に刻まれている。そして人びとは、机にむかうようにこの石板に歩みよる。この種の水平線では、夏至と冬至とが自然に双曲線となり、その頂点は子午線内にある。一方、赤道はこの両境界線の中間にあって、一直線をなさなければならない。一一本の時間線は、つねに東西から南方へ傾走している。こうしてこの線の円形は、燕尾の形、または子午線を柄とする古代の両刃の斧の形をしている。そこで、その造形的な直感力によって手工品にまで愛称をつけることのできたギリシア人は、この燕尾方式を**ペレキノン**〈Pelekinon〔ペリカン〕〉と名づけている。(43)

パトロクレスは、ウィトルウィウスによると、ペレキノン時計の「発明者」ということ以外にくわしいことはわからない人であるから、この時計の他の発明者たちと同様、かれもこの方式の数学的理論は書かなかったのであろう。しかし、このような水平板を経験的に組立てることは、地上で太陽の影を観測する人ならだれでも〈現

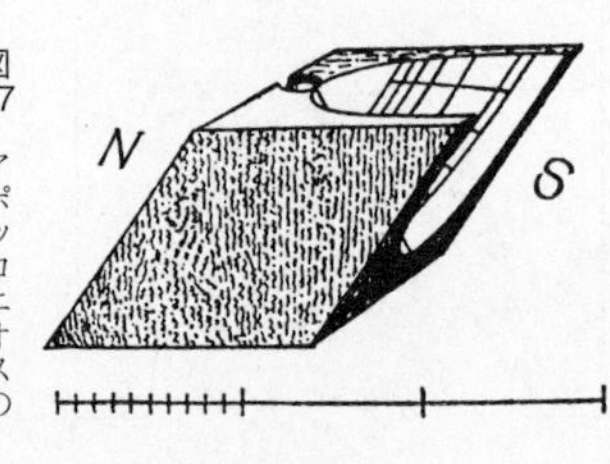

図57 アポッロニオスの時計の側面図。

代の学校教育では、中等学校の小天文学者たちがやっているように[44]、きわめて容易にできることである。日々の曲線を機械的に確定することによって、すでに実用的な日時計は組立てられる。ウィトルウィウスは、全投影の背骨をなす子午線確定の初歩的な指針を与えている[45]。毎月ただ一回だけでも太陽の影路を一時間ごとに記し、それらの見出された諸点を線でつなげば、春・秋分時には直線、夏至と冬至には子午線の方へいちじるしく曲った双曲線をなすことがわかったにちがいない。こうしておのずから自然投影ができあがるわけであるが、その幾何学的な計算と機構とは、専門数学者の仕事である。そこであのパトロクレスは、水平時計については最初に、この幾何学的な「アナレンマ」（ἀνάλημμα）を提示したのであろう。

これらのペレキノンのうち、最古のものが、デロス*31におけるフランス人の発掘によって出土した[46]。これには、（書きこまれている）二至と二分だけが示されている（図58）。これら三本の線は、中央の子午線によって切られ

＊31　エーゲ海のキュクラデス群島中の島で、アポッロン崇拝の中心地。

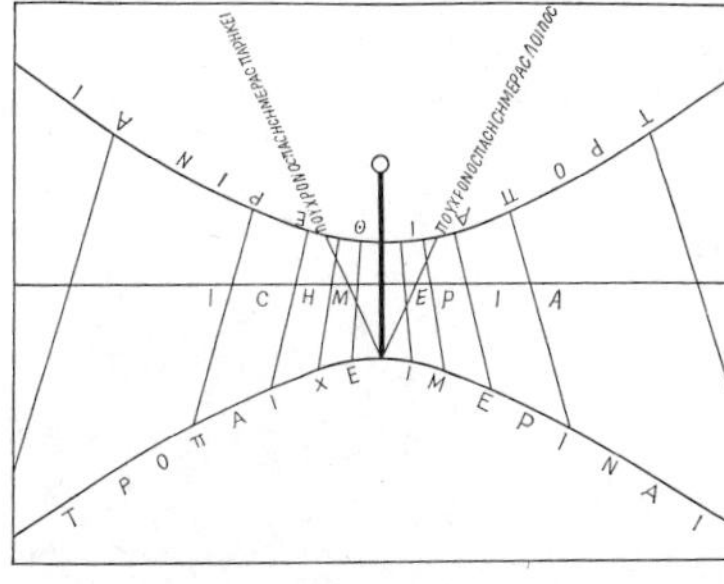

図58　デロスのペレキノン。

ている。そしてこの子午線にたいして、残りの時間線は、例によって左右両側に五本あてがわれている。グノモンは、円孔に突き立てられていた。頂点が冬至曲線に触れ、そこで子午線とも相会している三角形は、前記(47)(二一三ページ)のように、夏までの昼間時の増加を示している。

ビルフィンガーは、ここに掲げたポムペイのペレキノン(49)時計の見取り図(48)(図59)について、理論的に遺漏のない説明をした。それによって、理解をさまたげていた一切が克服された。しかしさらに私は、とくに興味ぶかい水平時計の標本をいくつかお目にかけようと思う。

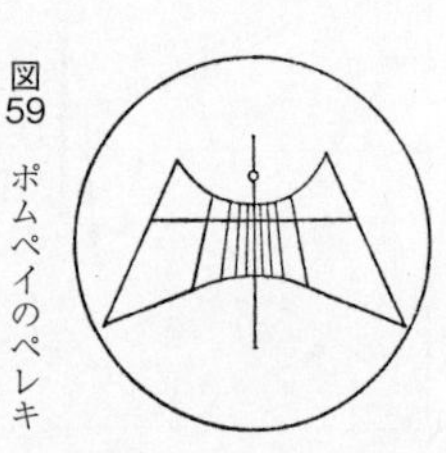
図59　ポムペイのペレキノン。

ヴィースバーデン[*32]、つまりむかしの**マッティアクムの温泉**〈Aquae Mattiacae〉の熱湯の湧出をありがたがったローマ人は、後一世紀に、そこの「ローマ人の山」に城砦を築いた。そしてその西南のふもとにあって今日でも使用されている射的場の温泉に、守備兵用の浴場を設置していた。このローマ人の温泉場の遺跡から、一八六七年、図版一六の上に掲げた日時計が発見されたのである(50)。この時計は、ヴィースバーデンの緯度(五〇度)に調整されている。中

*32　ドイツのヘッセン・ナッサウにある都市。

央部辺の線の投影は、理論的につくられたのであろうが、じっさいに使用してみると、まったく正しくないことがわかった。だから、ご覧のように修正されている。要するにその製作は、曲線の形からもわかるように手工的である。そしてその発見個所からも知られるとおり、このむかしの「ヴィースバーデン」でも、ポムペイの浴場の場合と同様、公衆の来訪は時計で規定されていたのである。

方位の決定をたやすくするために、これらのペレキノン時計には、しばしば羅針儀が投影面の下に別につけられるか(51)、または、一八一四年にローマの**カッシニ**のブドウ園で発見された時計（図版一六の下）のように、線の部面のまわりに環状にとりつけられている(52)。

ペレキノン方式のうちで最も有益な時計が**アクィレア**[*33]の現場で見出された。そしてこれは、この種の発見物のうちとくに実り多いものであることが立証された(53)。この時計は、後三世紀のはじめ、M・アンティステ

*33　北イタリアのヴェネツィアにある古代ローマの町。

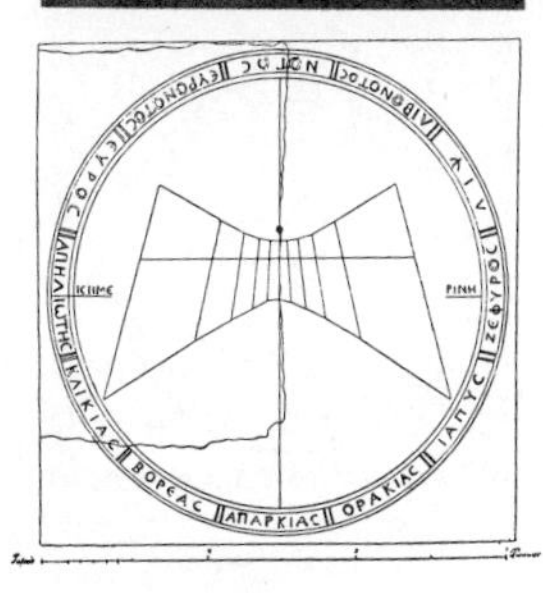

図版一六
（上）ヴィースバーデンのペレキノン時計。
（下）ローマの水平日時計（Fr. Peter による）。

イウス・エウポルスの寄付で同地の楕円形競馬場に建てられたもので、明らかに、そこの勝負ごとと特別な関係があったものである。

位置の選定は自由でなく、現場の建物に付属していなければならなかったから、太陽板のとりつけられた卓上の縦軸は、子午線（図61の南—北）とは一致せず、西北から東南へ走っている。卓子そのものは幅一メートル、長さ二・〇六メートルの枠でかこまれ、二本の円柱で支えられている。鉄製のグノモンは、子午線ｉｆ（図60）の一端から南にある孔ａに差しこまれていた。長方形の北隅Ｏ（図60）には、雨水の排水装置があった。東、南、西の三辺には長椅子（図61のＢ、Ｃ、Ｄ）がならんでいた。時計のまわりにこのような休息用ベンチのあることは、銘文にも述べられている。(54) 北よりの側は、いつでも時計に出入りできるように開放されたままであった。

南よりの長椅子Ｃの背後には、用途不明の台座Ｅが立っていた。そこには風信旗があったとか、または、クレプシュドラがおかれていて、ことに曇天時の時間測定を補助できるようになっていたとか、

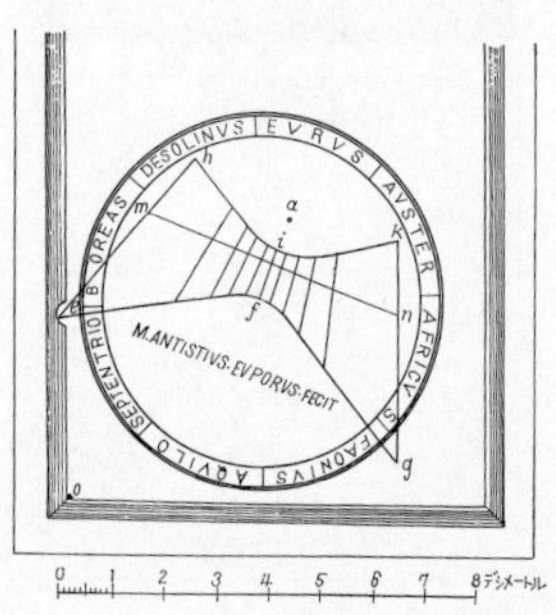

図60　アクィレアにおけるエウポルスのペレキノン（Rehm, *Griech. Windrosen*, S. 68から）。

推定する人がいるかもしれない。しかし私の見るところでは、ここに卵円形〈ovarium〉の足場があって、それが楕円形競馬場の一つの競走路〈*missus*〉を測る計算器に使われていたようである。[55] そのかたわらのイルカも、おなじ目的に利用された。長椅子にはおそらく勝負の監督官が腰をかけ、各番組ごとに開始の合図をしていたのであろう。そしてここへやってくる観客のために、北側が開放されていたわけである。

この燕尾形の投影面は、ふつうのものである。上方の双曲線hik(図60)は、巨蟹宮の回帰線(夏至)に一致し、efgは磨羯宮の回帰線(冬至)に一致している。[56] 直線mnは、春・秋分の同一影路を示している。

この水平面形式は、その後もなお愛好された。カスティリャの天文王アルフォンソ一〇世*34(一二五二―一二八二年統治)は、アラビアの典拠によってこの方式のくわしい記述と挿し図を、かれの百科全書中に入れている。[57]

ウィトルウィウスが列挙している最後のものに、吊る仕組みになった**旅行時計**〈Viatoria pensilia〉がある。この種の標本はいくつか

＊34・一二二六―一二八四年。カスティリャとレオンの王で、天文学者、哲学者。かれには、天文学上で有名な「アルフォンソ表」の作成がある。

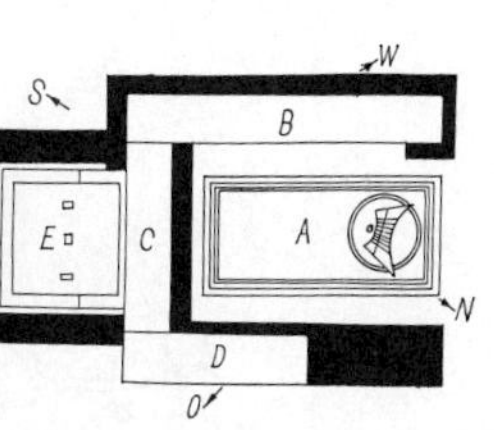

図61　エウポルスの時計の設計図。

残存しているが、それらはむろん精密な工場製品ではなく、またその仕組みも、なお多くの細目について解明されていない。

まず第一に、**フォルバッハ**[*35]**の時計**（図62）がある。これは、直径五二ミリメートルの青銅製の円板からなっている。この円板は、幅五ミリメートルの金属環にはまっており、その環のHのところに孔があって、これに糸をとおして吊るようになっていた。ここから九〇度離れた環のAには、円錐形の口がある。そして、垂直に吊るされた円板の面を太陽光線の方向にまわすとき、光線はこの口から射しこんでくる。

今かりに、われわれが夏至時（♋）の正午ころにいるとすれば、光線はAの小孔をとおって環の内辺Sに射しこむ。角CASは、太陽の高度を示している。巨蟹宮における太陽は、赤緯$+23.5°$（または古代人のように端数を省いて$24°$）であるから、$CAS-24°=90-\varphi$（緯度）。同様に太陽が春・秋分でBにあれば、$\varphi=90-CAB$であり、クリスマスのころ（♑）でWにあれば、$\varphi=90-(CAW+24°)$である。これから緯度約五二度が算出される。だから、この旅行時計はフォルバッハではなく、オランダとドイツとの三度だけ

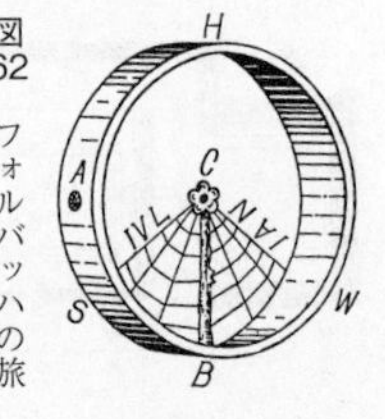

図62　フォルバッハの旅行時計。

＊35　ドイツのロートリンゲンにある町。

北よりの地方について算出されたものである。ハーク、アルンハイム、ビーレフェルト、マグデブルクがこの時計にはいっそう適地となるわけである。しかし古代では、人びとは時刻や測時器をそうやかましくいわなかった。

さて、円板の七本の半径は順次七月（ＣＳ）から一月（ＣＷ）までの太陽の位置に適用され、ふたたび逆行して夏至までに適用されている。そのさい、二至の次の月と二至そのものとが混同されて、厳密さを欠いている。第一月〈IAN〉と第七月〈IVL〉という二つの月名が付記されているから、その間の残る月名は容易に推測される。こうして太陽の小映像は、正午に月順で内辺を往来する。月のこの二重列は、じつに、アクィレアにある旅行時計にも見出され、そこでも二つの月名の頭文字が記され、右から左へ配列されている。[58] この時計は、RO と RA との添え記からわかるように、正面はローマに、他面はラヴェンナに適するように寸法されている。

さてこの二つの時計には、七本の月の境界線のほかに、なおそれらと交叉しながら内辺から次第に狭くなっていく時間線がある。フォルバッハの標本の上端Ｃは、正午から算出された第六番目の時間、したがって太陽の出没を意味している。この標本には今一つ、中心点のまわりを回転する青銅製の定木があった。それは、この定木を関係する月に合わせて、太陽の小映像を、この定木の一ミリメートル半ある側面にうけ止めるためであった。そこで、もしもCが太陽の出没を示し、円板の縁が正午を示すものとすれば、円板にある網目状の時間線と定木とによって時刻を読みとることができたわけである。

アクィレアの標本にも、フォルバッハのものと同様、円板の裏面に第二の条線とそれに固定された定木とがあった。フォルバッハの時計では、両面とも同緯度によっているように思われるが、なぜ一対にしたのかまだ確証されていない。

アクィレアの標本は、四二度と四四度の緯度に調整されていたが、もっと広汎な旅行にも使用できる、さらに複雑な時計があった。それには主に、アレクサンドリア、ロドス、アテナイ、ローマ、マッシリア[*36]、ビュザンティオンという諸「地方」の首都の位置の差異が考慮されなければならなかった。事実またそれらの首都には、このような型の日時計を正しく算出できる学者がいた。そして今日、パ

＊36　今のフランスのマルセイユ。

リとローマの時刻が区別されているように、通例、それらの首都によって地方時が調整されていた。ところで、またこの観点からすると、あらゆる緯度に適用される多面的な時計というものが、問題になり得たであろう。ウィトルウィウスはこれらの時計を πρὸς τὰ ἱστορούμενα（すなわち κλίματα, 諸地方の意味）と名づけている。そこでこれらの時計は、つねに科学的観測のおこなわれていた地方、つまり天文観測台や天文研究所のある地方に備えつけることになっていた。ウィトルウィウスは、これらの世界時計〈Universaluhr〉の発明をパルメニオという人物に帰しているが、私はその人を、アレクサンドリアのセラペウム[59][*37]とアブデラのイアソニウム[60]を建設した人と同一視したい。建築技師の技能は、古代では三つのちがった専門に分れていた。すなわち（一）狭義の建築術、（二）時計製作術、（三）機械学である。[61]そこで、エウドクソスの若い同時代人で、われわれがパルメニオとなすべき人物が、このようなアレクサンドロス王国全土にわたって使用できる多方面に有用な時計の製作を企て、これをなしとげたということは、アレクサンドロス大王時代の天文学と機械学との発達に関するわれわれの概念とは矛盾しないのであ

＊37　エジプトのセラピス（またはサラピス）神を祭った神社。

る。アブデラとアレクサンドリアで活躍した一建築技師[*38]は、その職業上からつい気がむいて、さまざまな緯度における日時計を製作した経験を、その改良に利用したのかもしれない。ことに、かれが両地で建築した神殿には、たしかに日時計が備えられていたのである。

*38 パルメニオのこと。

いる πρὸς τὰ ἱστορούμενα の時計よりも、ウィトルウィウスの述べている πρὸς πᾶν κλίμα（各地にたいして）調整された器具のほうが、なおいっそう使用価値が認められていたようである。この発明は、テオドシオスとアンドリアスとに帰せられている。前者はおそらく、ストラボン(62)がその偉大な同郷人ヒッパルコスのあとに挙げている前一〇〇年ころ活躍していたはずのビテュニアの数学者その人であろう。

このように、関係する緯度に応じてつねに正しい時刻を示す世界時計の小型版のうち、ローマ時代の標本が二つ保存されている。その一つは、ローマで発見されたもので(63)（図63）、一つの円板からなっていて、その裏面には一六州（そのなかには、この製品の出所とみられるアンコナ[*39]の町もはいっている）と、それらの地理学的緯度とが記入されている。もう一つの面の垂直な中央線上には、グノモ

*39 イタリア中部のアドリア海に面した海港。

ンをとりつけていたらしい小さなボタンがある。円の中心にある突きとおし栓には、三角定木が備えられている。

中心点から左右に放射している三つの直線は、付記されている暦の日付けでわかるように、中央が昼夜平分を、他は二至（ante diem VIII. Kal. Ian. と ante diem VIII. Kal. Iul.）をあらわしている。昼夜平分の上下の角は、古代人がよくやるように黄道23°42′の端数を省いて24°になっている（でなければ、なるべきである）。

左側の二重目盛りと装置全体のはたらきとを説明することは、現在までのところ、まだ私には手が出ないように思われる。

おなじ種類のもので、いっそう改良されてはいるが完全に保存されていない標本として、デュランとデ・ラ・ノエとが発表した[64]**クレー＝シアートラール**（ロアール）の旅行時計がある（図64）。これ

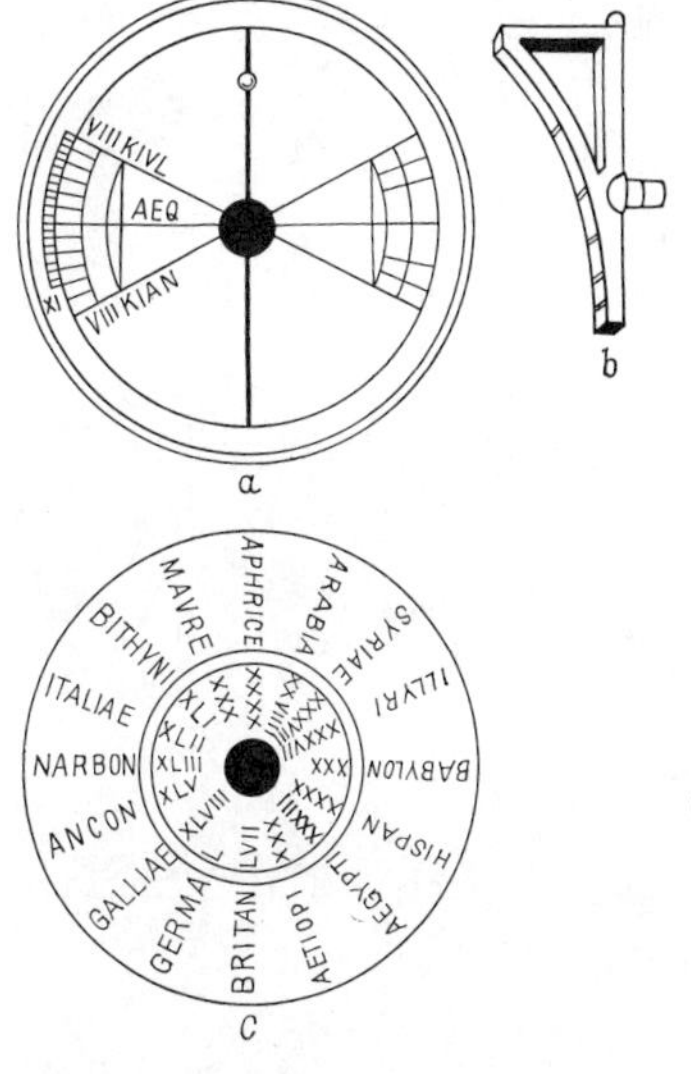

図63　ローマの旅行時計。aは正面、bは定木、cは裏面。

は新しい謎を生んだ。たとい両標本がおなじ原型から出たものであることがわかったとしても、問題の解決は、すこしも明確にはなっていないのである[65]。

最後に私は、同じく**吊り時計**〈Horologia pensilia〉の部類に入れるべき、有名な**ポルティチのブタの燻肉**（一七五五年に発見）について述べておこう[66]（図65）。この青銅片は、こっけいにも、ブタの燻肉の形をしているのである。表面には、七本の垂直線と水平曲線とが交差している。時間を確定するには、このブタの燻肉を上部の環で吊るしてまわし、太陽光線によって、動物の尾でつくったグノモンの先端の影が、下記の該当する月に落ちるようにする。それから午前と午後の時間を、いつものように垂直線のところで読みとる。もちろんこの珍品も、ごくだいたいの時刻しか示さなかった。ところで、ご承知のとおり古代人は、時は金なり〈time is money〉という格言はまだ知っていなかったが、ゆっくり急げ〈σπεῦδε βραδέως〉という格言はよく知っていた。

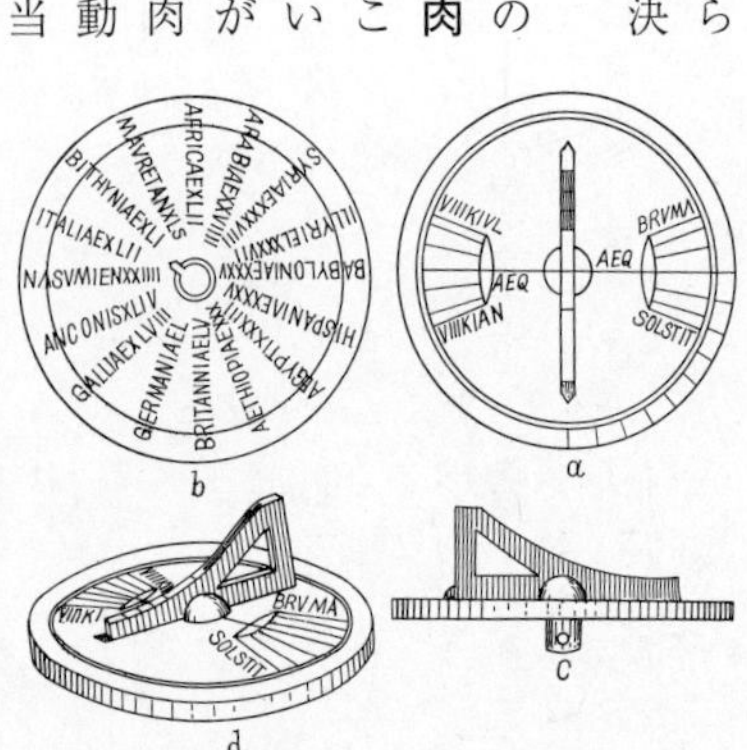

図64　クレー＝シァートラールの旅行時計。aは正面、bは裏面、cは定木、dは全体図。

すでにお話しした（本書五四ページ、一一八ページなど）**クレプシュドラ**も、たしかに古い時代のものである。しかしこの器具は、二種類にはっきり区別しなければならない。第一に、クレプシュドラは、前五世紀にすでにギリシア全土で台所道具として、公私ともに使用されているが、その機構はサイフォン式であった(67)。容器はふくれていて、その上端は、頸状または管状の把手になっており、底部にはふるい状に小孔が開いていた。今、このような容器を井戸槽に沈めると、水は底の口から内部へはいってくる。そこで、親指でその狭い頸状部または管状の把手の上孔をふさぐと、容器中の水をこっそりとり出すことはできない。「クレプシュドラ」〈Wasserdieb〉(68)〔水どろぼう〕というこっけいな表現も、これで理解できよう。エムペドクレスはこの容器を、少女たちの遊ぶおもちゃと比較して述べており、アナクサゴラスはすでにその理論づけをやっていた。

同時にまた、おなじような組立ての水時計が公判にも採用され、その結果、原告と被告の両者にたいして、一定の弁論時刻を一様に割りあてることができたのである。すでにアリストパネス（『黄バチ』〈Σφῆκες〉九二、八五六）は、クレプシュドラが公判に欠かせな

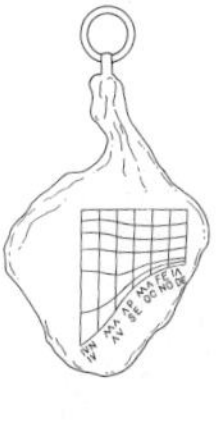

図65　ポルティチのブタの燻肉。

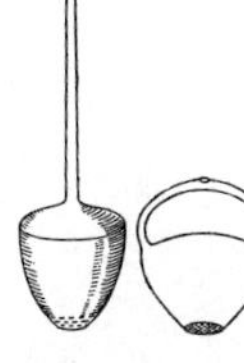

図66　さまざまなクレプシュドラ。

い道具だと述べており、また前四世紀の演奏家たちもこれとは密接な関係をもち、さらにアリストテレスはその『アテナイ人の国制』〈'Αθηναίων πολιτεία〉で、つぎのように詳論している。「弁論のための一定の水が、小さな排水管のあるクレプシュドラ器のなかへ注入される」[69]。水は、有価物件に応じて、原告と被告の両者と判事団（一定の審理時間は、この三つに分れていた）とに割りあてられた。だから、たとえば五〇〇〇ドラクメ以上の訴訟は一〇カンネ（約三二四リットル）をうけ、小訴訟はそれよりすくなくなる。今日でも、村の古風な教会では説教壇に砂時計をおき、その落下する砂で牧師が慣例の時間を測っているのをときどき見かけるが、ギリシアやその後のローマの裁判所にも、同様にこのような真鍮製または粘土製の容器があって、水の漏出によって各弁論の一定時間量が規定されていた。時計のそばには水番人〈ὁ ἐφ' ὕδωρ〉が立っていて、流れる水を止めたり、ふたたび流したりしなければならなかった。そのさい、かれは親指で口をふさぐか、または、長時間止める場合には、釘型の尖軸を小さな排水口に差しこんだ[70]。たとえば、原告がその弁論中で証拠類とか証言を読み上げさせた場合、その間は時間を止めることがゆるされた。かれはクレプシュドラのかたわらの奴隷に、「水を止めよ」〈ἐπίλαβε τὸ ὕδωρ〉と呼びかける。ついで裁判書記が訴訟書類を読みおわったとき、奴隷はふたたび水を流す。一方の一弁論（また数弁論）がおわっても時計がすっかり漏出してしまわないような場合は、時計の水を出してしまい、それと同量の水を、相手方と審議とへ満たす。

　またクレプシュドラは、アリストパネスの、礼儀正しい市民が時刻を守らぬ集会に憤慨したあの国民議会でも利用されていた。銘文の教えるところによると、カリアの港町イアソスには、つぎのような指令がなされている。国民議会〈Ekklesia〉には、だれでも時計が見えるように地上七フィート（約二メートル）の高さにクレプシュドラをおき、これに一アイマー（μετρητής=12χόες, 約三九リットル）の水を満たし、その排水口は豆粒大の孔にせよ、とある。ふつうは日の出に議会がはじまるが、それとともに水は流出され、時計の排水にまにあわなかったものは、いつもの日当が貰えなかったとみなすべきであろう。

　軍事的には、前四世紀に、クレプシュドラは番兵の交代に利用された。夜は三時間あて四ウィギリア[*40]に分けられていた。しかし、すでにご承知のように（本書二〇四ページ）、古代では、季節によって時間がさまざまに測定されていた。アッティカの裁判所の慣例では、最短日に最大限の水を測るという策を立てていた。だから、その他の日はよい加減でまにあわせていたのである。ところで、この融通のきかないしくみを、季節とともに変るウィギリアにはもちろん転用できない。そこで率直に、クレプシュドラの内面にひいたろうの多少によって、変化する夜間時の監視器とした(71)。

この軍人時計よりさらに素朴なものとしては、古代の北アフリカのオアシスで、灌漑用の水を配分するために使用されたクレプシュドラがある。このクレプシュドラは、この地方の耕作状態がほとんど変化しないため、今もこの地方でおこなわれている。老プリニウスはその『博物誌』のなかで(72)、北アフリカの砂漠中にあるタカペという町（今日の小シュルテ湾にあるガベス）が巧妙な灌水の結果、おどろくほどの豊作を示していると報告している。一つの水源は、三ローマ・マイル（約一・五キロメートル）以上の地域全体にわたって灌水するが、その流れが非常につよいので、時間分けに調節して灌

*40　夜番の意味。

図版一七（次ページ）　フィギグ・オアシスの水時計。

水をおこなっても、全耕作地には十分である。このような時間配水は、じつはむかしも今もめずらしいことではない。ただ北アフリカには、ほかではおそらくめったに使われないと思われる原始的なクレプシュドラによる時間測定がなされており、その方式は、いわば古い慣用の機構を模倣したものである。最近、モロッコの国境付近のフィギグのオアシスと南アルジェリアとを訪れた旅行者が、つぎのような報告をしている(図版一七を見よ)。

「ついで〝クサル〟のおそろしい隘路から、シュロの明るい木蔭に歩いて出ると、その付近には繁茂したオオムギ畑が青々としていた。灌水は丹念に規則正しくおこなわれている。一人の見張人は、独得の水時計で時刻を読んでいる。それには、鉄製の容器が水に浮んでいる。その容器の底には孔があって、そこから水が徐々にはいりこみ、ついにそれが容器の内壁にとりつけているある標識にまで達する。すると見張人は大声で、灌水時間がきたことを告げる」。この小旅行のもう一人の同行者であるバーゼルのドクトル・L・リュティマイアー教授は、この報告を

図67　目盛りのある測時器。

私に保証し、つぎのような、「クレプシュドラ」の小さな素描をしている。かれの付言によると、

「徐々にはちの底からはいりこんで、鉢を満たしていく水が、一定の標識――これは地所によって種々に変えられる――に達するやいなや、これが読みとられ、見張人がこれを大声で叫ぶ。これでこの地所の灌水はすぐ中止される。つぎにはちはからっぽにされて、その水源に属する新しい地所にむけられる。それはまさに、ヴァリス[*41]州における水時計の原理である」(76)。

今までお話ししたクレプシュドラの方式は、すべて実生活に役立ち、実地経験から生じたものである。科学がこれを理論的にも実際的にもわがものとするやいなや、この技術はまったく別な発展をとげている。ギリシア人の学問は、知ることの概念から生まれた。ソクラテスはそれを必要なものとして提出し、プラトンの天才は、それを自分の学説と学派において実現しようとした。この哲学者によって前三七八年ころに創設されたアカデメイアは、学的生活の培養地になっている。それはアテナイにおいて、またアレクサンドロス以後はオリエントの大中心地[*42]において発展し、ほとんど一〇〇〇年

＊41　スイスの州名。

＊42　アレクサンドリア。

間、この世ならぬ王国を維持した。

さてアカデメイアでは、あらゆる科学の発端である時刻の測定に、昼間時計として独得の器具グノモンを、たぶんプラトンの存命中すでにアカデモスの園に設けていたと思えるが（かつて天文学者のエウドクソス[77]も、長くはないがそこに滞在していた）、同様にプラトンはまた、**夜時計**についても配慮していた[78]。アリストクレスという前二世紀はじめの一音楽記者は、クテシビオス[79]による水オルガンの発明について報告し、つぎのように述べている。「アリストクセノスは、まだこの発明を知っていない。しかし聞くところによると、プラトンは、オルガン装置に似た非常に大きなクレプシュドラとしてつくった夜時計〈νυκτερινὸν ὡρολόγιον〉の発明によって、アリストクセノスにオルガンを組立てようとする刺激を、わずかながら与えたという。というのも、オルガン装置そのものは、元来がクレプシュドラだからである」。アリストクセノスについての言及から、プラトンの発明に関する注意書きは、このアリストテレスの門人にまで遡ることが推定されるはずである。しかもかれはプラトン学派について、アリストテレスの口から得た重要な報告ももらしている人物だから、この注意書きは十分に信頼するにたるものである。

この力学的な原理は、ふいごのなかの水圧による圧縮空気によって管から音が出る古代の水オルガンを参照すれば、暗示される。だから、夜時計の原理を明らかにするには、化学実験室にあるふつうのガラスびんでつくった模型（図68）があれば十分である。水量が約六時間分の大クレプシュドラ（報告によれば、κλεψύδρα μεγάλη）があるとしよう。水は排水管から、一滴一滴と上部の容器にはいる。この容器には、いわゆるふくろサイフォン（すなわち、円くて上方が閉じている広い管によってかこまれた狭い管）がとりつけられている。クレプシュドラからこの容器にたらしこむ水は、広い管へは下からはいるようになっている。水は容器中で水かさを増していくが、同様にふくろサイフォンの広い管と狭い管との間隙でも次第に高く増していく。そしてついに、水はかこまれた狭い管の上縁にまで達する。そのとたん、水はただちに四方から、しかもたえまなく流れ落ちる。この流れは狭い管をとおり、密閉された最下部の容器に侵入し、そこに

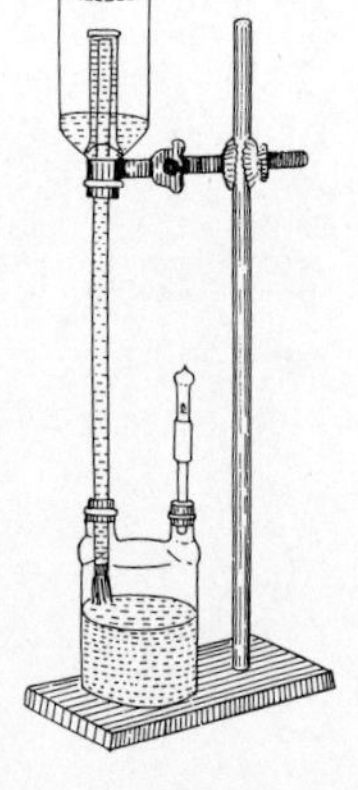

図68　プラトンの夜時計の原理。

ある空気を圧縮する。この空気の出口としては、横にある管をとおるよりほかはない。そしてこの管の端にも管がとりつけられていて、音が出るようになっている。

私がこのプラトンの目覚し時計についての概念をつくりあげたのち、好都合にもこれを確認するものとして、私は、アラビア語で伝えられているアルキメデスの組立てを見出した（図69）。それによると、挿し図と記述とは、問題をまったく明白にしている。[80]

こうしてプラトンの夜時計は、アカデメイアの同僚や門人たちを、早朝第一番の師の講義と実習とに呼びよせるためのものであることが判明した。[81] 挿し図（図70）の説明は、つぎのとおりである。

大クレプシュドラCには、六時間分の水がはいっている。それには蓋Aがかぶさり、また、ふるいのある差しこみBが上部にあって、土壌分をせき止めるようになっている。三脚Dがそれを支えており、その下方には台座がある。排水管Eは台座板をとおり、閉鎖のできる下方の容器内にはいっている。もっとも、この図では、重なりあっている二つの水槽FとKとを示すために、それの開いたところが描かれている。クレプシュドラから滴下する水は、上部の容器Fの

図69　アルキメデスの時計。

底に次第にたまり、水かさを増していくが、同時にまたふくろサイフォンの外管と内管との細長い間隙へものぼっていく。水が内管GHIのGの高さに達した場合、上端に口のある管GHIの縁に溢れ、ついですさまじい連続的な流れとなって、Iのところで下方の弁箱につよく落下していくようになっている。そこで圧縮された空気は、左上の管Lをとおる以外に出口は求められない。Lは笛吹き人[82]Mの身体をとおって、笛Nにまできている。そしてその内側にとりつけられた管が、つよく溢れ出る気流によって音を出す。

私が一九一五年のベルリン・アカデミで図68のような小型装置をもち出し、びんに水を注いでみたところ、この量でも、小さな信号汽笛を数秒間鳴らしつづけるには十分であった。プラトンが大クレプシュドラを使用したといわれる場合、朝の一定時に落とされる水圧は非常に高く、したがってその笛の音は、アカデモスの園に点在している小屋住み[83]の学徒たちを目覚ますことができたにちがいない。それはまるで、おなじ機構のオルガンの笛の音が、その後、楕円形

図70　大クレプシュドラ。

競馬場の大空間を満たしたのに似ている。

この装置は、単に最初に知られた目覚し時計であるというだけでなくて、われわれの知るかぎりでは、水力学において**中継器**の原理を用いた最初のものである。そしてレオナルド・ダ・ヴィンチは一五〇〇年ころ、プラトンの(84)夜時計のことは知らないで、この原理をかれの目覚し装置に利用した。中継器または蓄勢器というのは、小さな力で幾倍もの大きな力を出させる仕掛けをいう。そこでレオナルドは、てこ型に、他のはちと水で連結されている一つのはちのなかの水を滴下させたのである。今もしも一定量が起床時に流れ去ったとすれば、甲のはちは下がり、乙のはちは上ってその水を甲のはちに注ぐ。このつよい力は、寝床に眠っている人の足を上げ、やむなくおき上らせるには十分だったであろう。

プラトンのアカデメイアは、古代全体を通じ、さらにそれ以後現代までの科学の組織を規定した。ついで真の科学精神の萌芽は、アリストテレスの並樹路（ペリパトス）に蒔かれて満開した。そして、このペリパトス学派の博学な政治家であるパレロンのデメトリオス(85)と「物理学者」という名誉ある異名をもつストラトンによって、アカデメイア的な運営が、新しく建設されたアレクサンドリアに移植された。同地では前三世紀に、プトレマイオス一世の異常な援助によって、自然科学も精神科学もその絶頂に達した。当時なお活躍していた技師ピロンによると、(86)造砲術は、当時はじめて科学的に基礎づけられたという。それは、功名と技術を愛する諸王が、アレクサンドリアにおける科学と技術の総合的運営に関して、技師たちに豊富な資財を与えて研究させたからである。さらにわれわれは、この時代の写実主義にふさわしい実験に基づいたストラトンの物理学説が、古代の技師中の王であるアレクサンドリアのクテシビオスに、(87)どのような影響を与えたかを実証することができる。その気圧実験と空気装置、とくに、後世に広範な実用的価値さえ獲得した大オルガンと消化ポンプ(88)との構造は、のちのピロン、ウィトルウィウス、ヘロンによる技術上の著作で重視され、細目はともかくその要点や科学的理論は、訂正されていない。ペリパトス学派に学んだ物理学者クテシビオスは、ちょうどペリパトス学派の影響をうけたカッリマコス*43がその後古代末期までの文学史研究を支配したように、アレクサンドリア＝ローマ時代のあらゆる技術的活動と著作とにわたる

*43 前二六〇年ころアレクサンドリアで活躍した文学者。

すぐれた首領として立っている。

時計製作術でも、クテシビオスの天才的で多面的な工学は、ビュザンティオン時代まで規準になった。かれは、古代の水時計の定型を確立した。すなわち、かれはクレプシュドラから出発し、構造を科学的に完成させることによって、天文観測にも使用できるような精度の高い時計仕掛けをつくったのである。ウィトルウィウス(IX 8, 4 ff.)は、クテシビオス(またはその盗作者)の文書からの、一部は不明瞭で一部は明らかに誤解している時計仕掛けの記述を残している。それによってわれわれは、アレクサンドリア時代の時計師の作品の再現をこころみることができる。

古代の時計にとって大きな困難は、時間の長さの不ぞろいを考慮せねばならないという点である。その点で、古代の日時計が今日のものにくらべて容易でないように、[*44]水時計もまた、すでにアイネイアスの素朴な信号時計で見たとおり、季節の変化に応じる調整を必要としている。水時計では、導管から水がたえず流入することが前提になっているため、水の流入のさいか、または水で動かされる時計のところで調整がおこなわれている。そこでまず、後者の方式を

*44 本書一一七―八ページ参照。

考察してみよう。この両種の時計仕掛けにとっては、水圧が漏出時に減らないということ、つまり漏出する細流の標準量が一旦定められた以上はつねに不変であるということが前提になる。これは、つぎのような方法によれば簡単に解決されるであろう。すなわち、貯水ばちがつねにいっぱいになっていて均一な水圧を保つようにこのはちへ水をいっぱい流しこみ、上から溢れ出させるのである。しかし水の乏しい南方、ことにアレクサンドリアでは、このような水の浪費は不可能であっただろう。そこで別法が講じられねばならなかった。私は、ウィトルウィウス（IX 8, 6）の明らかに不明瞭な指示に基づいて再現した私の**動針時計**に、調節装置としてくさび形閉鎖器をとりつけた。[89] これは、多量の水を浪費しないで水圧を不変にするものである（図71）。水は、活栓Fで仕切られている導管Aから、調節ばちBCDEに

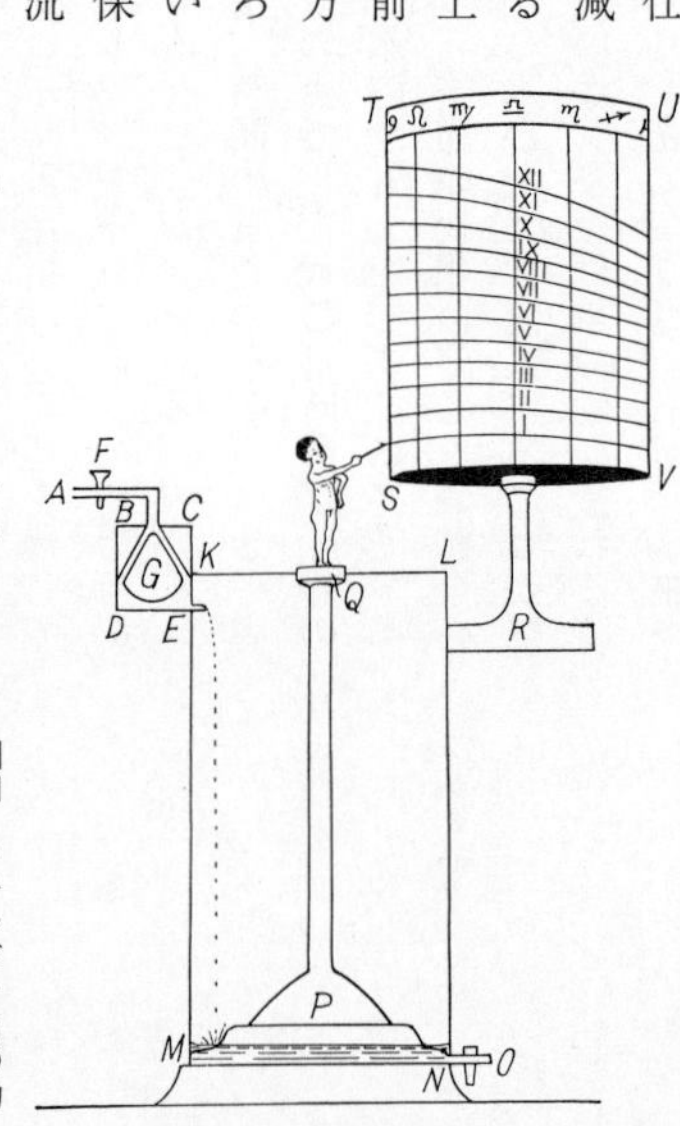

図71　クテシビオスの動針のある水時計。

流出し、Eのところで細管をとおり貯水ばちKLMNにはいる。もしも導管内の圧力が高ければ、小ばち内の水はEのところの出口から規定どおりに流れ去らずに、上端が尖ったくさび形のうきGを高く上げ、上方からの注入がさえぎられる。ついで水が流れ落ちると、水面はふたたび下がり、うきは下降して上方の入口をひろげて、ふたたび規定どおりの高さになる。

また水の清浄装置も、どこかにとりつけられていたと考えてよかろう。それについてはどんな指示もないが、（Eのところの）細い排水管が金または宝石でつくられているというかれの注意（Vitr. IX 8, 4）は、クテシビオスのような技師がそのことにも思いおよんだ証拠である。

こうして水は、細い噴水となって大ばちKLMOにほとばしり出る。そこでは、水はうきPを上げるが、このうきの上部には、一本の棒〈virga〉で一二時間を告示する小像〈sigillum〉がとりつけられている。これらの時間は、回転円筒STUV上に水平曲線でひかれている。これらの曲線を切る（天秤宮 ♎ から下方へ）中央の垂直線は、春・秋分時の時間標識を規定している。この線上に正しい時間点を記入することは、日時計を使えば容易である。また、磨羯宮（♑）時のUV線上の短い冬の時間と夏至時（巨蟹宮♋）のTS線上の長い夏の時間も、同様にして記入できる。さて、それぞれが一二時間ある四垂直線のこれらの固定点を、互いに適当な曲線で結ぶと、円筒上に一二本の円環ができ上る。これらの円環は、冬至点から夏至点までは一様に上昇し、他面では下降している。

円筒に、そのじっさいの大きさに応じて、垂直線で、（それぞれの宮の名をつけた）各月とさらにその各月の三〇等分を表示することはやさしい。または、上縁に三六五日の日盛りをつけ、そこから下がっているおもりが小像の時計と精確に合って日をあらわすというようにもできる。

まずこの水時計は、もっぱら昼間の勤務用にだけ設備されているが、時間表を二四時間〈νυχθήμερον〉に拡張することは、フランス人たちの再現やその後のミュンヘンの模型が示しているように、大しためんどうはいらない。水の調節を監視するのはもちろん、一日の流水をNのところで捨てねばならなかった見張人[90]にとっては、円筒が半回転ですめばなおさら簡単であった。そこでその結果、冬の昼間時間は夏の短い夜間時間に換算され、両半年が適宜に補足しあったのである。

水圧調節の方式が、流入を均一にする機構によって解決したのち、クテシビオスのような発明力のある技術者がすべきことは、変化する時間の差異を調節するために、流れのつよさを利用するという点であった。ウィトルウィウス（IX 8, 11 ff.）の述べている**調節器**は、季節に応じる水圧の変化、それと昼間時間と夜間時間の変化を、すでに注入ばちにおいてはたすようになっており、時針のところではたすのではない。この調節器は、だいたいつぎのようなものであった。

調整鉢ABEF（図72）の正面（図73）には、金属製の回転円板が挿入されている。そしてこの回転円板は、把手Kによって、背後の仕切り板BFMN（図72、73）の溝のなかを回転するようになっている。この仕切り板の固定環には一二宮の符号がつけられ、しかも磨羯宮（冬至）は下に（回転円板Cにある小針Lがそれを指している）、他方、巨蟹宮は最上部に位置している。最外部の環は、一年の日数に相当する三六五本の区分線がひかれている（図では省略し

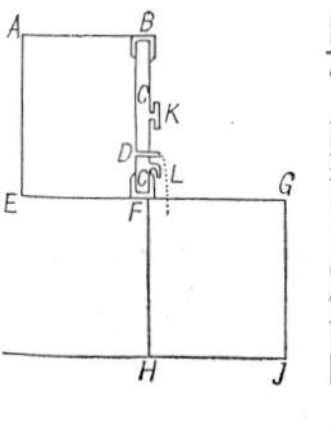

図72　調整ばちの側面図。

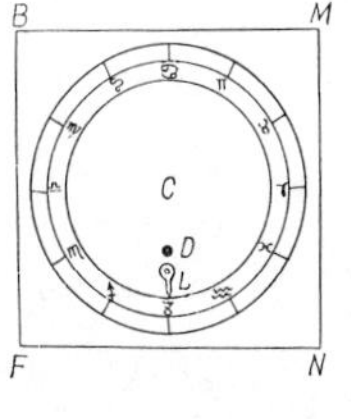

図73　調整ばちの正面図。

てある)。さて指針が図のような位置にあれば、調整ばちの水は、小孔Dをとおって最高の水圧で流出する。それと同時に、大はちFGHIはいっぱいになっていき、短い冬の時間がうきなどによって急速に経過する。今、もしも見張人が円板Cをつぎの日にまわし——かれは、外環に示された目盛りの一つで精確に一日を合わせることができた——指針Lがいくぶん右よりに、すなわち宝瓶宮のほうにくると、それに応じて上部のはちのなかの水圧は減る。また、もしも指針が巨蟹宮(♋)の下にあると(すなわち夏至では)、流出孔Dは上に移り、水圧は最小となり、水が下のはちに流出する時間は最も緩慢になる。

さてこの調整器は、すでに調整された水を導管を通じてはちABEFへうけたのか、それとも、はちのなかで上述の圧力調整がなされていたのか、さらにまたけっきょくは、見張人が注水の不規則性を目測だけで知って円板Cを左右にまわして補正していたのか、それはわれわれにはわからない。ともかく、最も綿密な精巧品によってできるかぎり完全な調整をおこなうには、この手段によれば達成する見込みのあることが知られる。(91)

さて、時間表示器が簡単につくれることから、このような調整器をもったさまざまな方式の時計が組立てられるようになった。たとえばウィトルウィウスには、その文字面から、外観上は今日の調整器を思わせる**時針時計**があらわれている（図74）。大はちABCDは、季節に応じて調整された水を上方からうけ、うきEは、その上の歯竿EFと結合し、小車輪を動かし、小歯車Gを動かす。一時間ごとに竿は一歯だけのぼって、小車輪を動かし、そこに固定された時針Hを一度進める。こうして時針は、日の出（I）から夕刻（XII）まで一周するが、必要とあれば、整備しなおして夜間も使える。

さてまた、この歯竿に別な歯車を嚙みあわすこともできる。たとえば、竿の左側に歯をつけて同様な歯車と嚙みあわせ、竿が両車輪の中間に挟まれてのぼるようにすると、そのため、一様性の作業運動が増加する。ことに、あらゆる小さなおもちゃがそれにとりつけられるであろう。クテシビオスは、これらさまざまなおもちゃの発明に、おどろくべき才能を発揮したにちがいない。

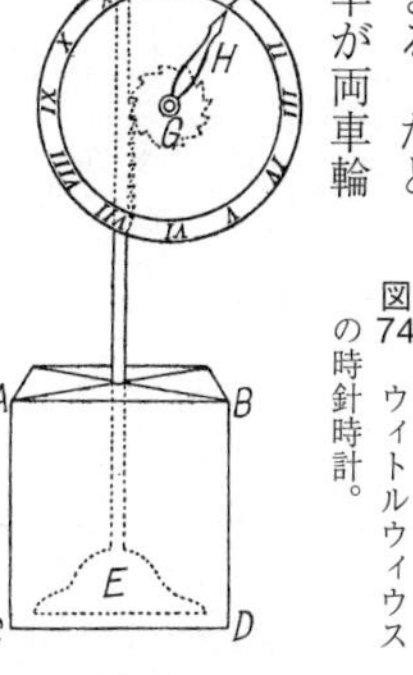

図74　ウィトルウィウスの時針時計。

ウィトルウィウス（IX 8, 5）の報告によると、クテシビオスは水時計に付属的な仕事として、人物を動かしたり、尖柱〈*metae*〉を回転させたりしているほか、小石〈*calculi*〉とか卵を投げる仕掛けや、角笛を吹く仕掛けを思いついたという。このおもちゃ時計の人物は、その後の時計仕掛けから容易に知ることができる。しかし、尖柱の機能はよくわからない。ところで最後の二つの小道具、小石（または卵）と角笛とは重要である。というのも、その原型がギリシアにまで遡るりっぱな時鳴時計のアラビア語による記述があって、この記述がアルキメデスに帰せられているからである。[92] ここでは、調整された注水でうきがのぼり、それによって車輪系統が動いて、一時間ごとに鳥のくちばしから球が一つ飛び出し、それが金属製の音響板に落ちるようになっている。[93] さらにその時計には、眼の色が一時間ごとに変わる人間の顔がとりつけられたり、そのほか時間を読むことのできる二本の柱や、一時間たつごとに囚人を斬首する刑吏、最後に、一時間ごとに戸が開いて馬上に武装騎士を飛び出させる仕掛けがとりつけられている。さらにこの時計では、排水とおもちゃとが結合されている。そこでは一本の木にスズメがとまっていて、二匹のヘビがあらわれると、スズメどもがおそろしそうにさえずりはじめる。

これらの大部分の自動装置の曲芸については、古代の芸術時計のところでさらにお話しすることにしよう。(94) ところで、それがすでにクテシビオスに遡ることは、単に投げられる小石（卵）についての記述からわかるだけではなく、かれの空気利用の技術作品のうちのさえずるツグミ類や飛び出す騎士についての付言によってもわかる。(95)

水時計は、小さな建造物をなしているため、建築技師ウィトルウィウスの書でも顧慮されたのだが、それはクテシビオス以来、ギリシアでもイタリアでも日時計とともに急速にひろまった。上述のキュッロスの**アンドロニコス**の記念物[*45]は、すばらしい芸術作品の一つである。惜しいことに、内部にある水時計のうちで保存されているのは、わずかに土台と排水装置だけである。だがまた幸いなことに、この種のすばらしい二つの時計が、われわれには知られている。それは、ザルツブルク[*46]の天文時計とガザ[*47]のヘラクレス時計とである。しかもこれらの名作品は、再現をこころみることができる。たといそれが古代末期のものであるにしても、それらは連綿とつづいてい

*45　風の塔。

*46　今のオーストリアにある都市。

*47　パレスティナ西南部の海港で、古代貿易の中心地の一つ。

るギリシア伝統の証拠品であり、またいずれにしても、アレクサンドリアの詳細な時計製作専門書に基づいてつくられたものである。しかもこの時計製作術は、ビュザンティオン時代とアラビア時代まで永続し、熟練なアラビア人は聡明な指導のもとに、このような時計の製作を後世にまで可能ならしめたのである。つぎに私は、この二つの見本をお話しして、この時計製作術の講演をおわりたいと思う。

――ザルツブルクの天文時計（図版一八、一九）――

今世紀のはじめ、ザルツブルクつまりむかしのイウウァウムの近くで、一枚の大きな青銅板の断片が発見された。その裏面には、ウオ座、雄ヒツジ座、雄ウシ座、双子座の四つの星座名と、その下にそれらに対応するローマ月の三月、四月、五月、六月とがあり、また表面の下縁には、彫りこまれた一二宮図の双魚宮、白羊宮、金牛宮（例のごとくその前部）、双児宮（一部分）が描かれている。そしてその上には恒星天の一部、すなわち三角、アンドロメダ、首をもつペルセウス、その左肩からヤギが飛び去り、右肩には小ヤギが認

図版一八　（上の二つ）ザルツブルクの天文時計。（*Ost. Institut* 年誌 V, 1902 による）。（上）裏面。（下）天体板の正面。

図版一九　（下方の二つ）ザルツブルクの天文時計の模型。（右）機械室　（左）時間の網とその背後で回転する天体板とをもった正面。

められる長衣の馭者〈auriga〉が描かれている。鎖につながれたアンドロメダの首の上には、一つの大きな星が見られ、その光の間で一つの星がきらめいている。[96] さて、星座と裏面に銘文とがあるこの円板が、どういう目的をもつかは、発見に従事した言語学者、考古学者、天文学者たちには最初は不明であった。しかしついに、めずらしくもこの三学者を一身に備えた研究者が解決の言葉を見出したのである。[97]

すなわちかれは、ウィトルウィウス(IX 8, 8 ff.)にある「冬時計」〈horologium hibernum〉一名「星の出時計」[98]〈h. anaphoricum〉の記述を想起したのである。これによって、あの大円板の目的はなんなく解明された。ウィトルウィウスは、つぎのように、この時計の仕組みを説明している。

「一二時間の符号は、時計表面の中心点から、アナレムマ式[99]に配列された銅線で印されている。この表面の周囲には、月々の時期を区分した諸円がとりつけられている」。だから巨蟹宮の回帰線、赤道、磨羯宮の回帰線を示す同心円がひかれているわけである。さらに、「これらの線のうしろには、一二宮の星座を平面図で記入している[100]

円板が見られるであろう。その平面図は、一二宮からなっているが、一方の宮が大きく他方の宮が小さくて、偏心的な形をしている。円板の裏面の中心には、回転軸がはまっている。この軸には、一本の青銅製の鎖が巻きつけられている。この鎖の一方の側には、水によって上昇するうき〈phellos〉または（中空の）太鼓〈tympanum〉がかかっている。もう一方の側には、うきと釣合う砂ぶくろ〈sacoma suburrale〉が垂れている。だから今、うきが（流入する）水のために上昇すれば、砂ぶくろは沈んで、それだけ軸を回転させる。そしてこれは、軸に固定された円板を回転させることになる。円板のこの回転〈versatio〉変化[101]の結果、その回転に応じて大小のある宮の扇形が、その季節に準じた時間を示すことになる[102]。すなわち、個々の宮にはそれに関係する月の日数だけの孔がつくられ、それらに[103]（差しこまれる）一本の釘〈bulla〉は、この時計では太陽の代わりとなって時間の継続を示す。この釘は、孔から孔へと差しこまれていくことによって、推移する月の経路を進む。だから、太陽が星座を遍歴し、そのため日と時間に長短ができるように、この時計では円板の動きに逆行する釘が、広い場所や狭い場所によって境界された月のなかを日々動いて、時間と日とを写していく」。

この「星の出」時計とザルツブルクのものとは、背後の星座のある円板において一致することが、レームの明察によって認められて以来、この時計仕掛け全体を再現することはたやすくなった（図75）。これによって現存の断片が、今日の塔時計の文字面ほどもある全円板の約四分の一であること、太陽釘のための孔々をふくむ外縁が破損して、ただのこぎり歯状の縁だけが残存していることが知られる。さらに、黄道の中心点Eのところの孔の残片や、全円板の中心点Sのところが円くなっていて、そこへ背後から、円板を回転させる軸が挿入されていたようすが知られる。

この発見がなされたのちは、この時計の模型を製作することは困難ではなかった。[104] 話をはっきりさせるため、その写真版を図版一九に複写しておこう。

まずわれわれは機械室（図版一九の右）を一見しよう。背景にある開口栓をとおって、導管から水が大器に流れる。ここではうきの吊りを示すために、大器はガラス製になっている。うきには細い金属製の鎖がついていて、軸のむこう側に垂れている砂ぶくろと釣合

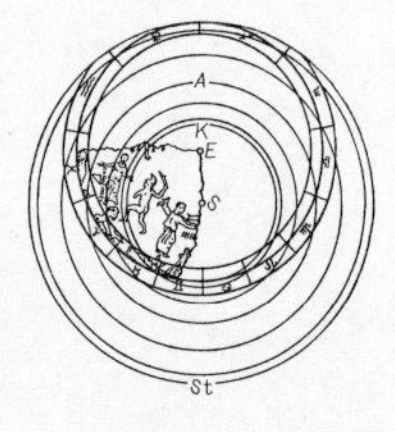

図75　ザルツブルクの時計の天体板。Stは磨羯宮の回帰線、Sは盤の中心、Eは黄道の中心、Kは巨蟹宮の回帰線、Aは赤道。

っている。日の出に水が上昇するとともにうきは上がり、砂ぶくろは沈み、軸はそれに応じて回転する。この動軸の太さは、うきが最上部の標識まで上がるのに――ここで採用された仕組みでは、翌朝までの昼夜 2×12 時間が保証されなければならなかった――軸が一回転し、したがって、この軸に固定された円板が一回転するように定められている。この円板には、五二個の差しこみ孔が明瞭に見られる。[105]これは、理想的な三六五個の孔やザルツブルク時計の一八二個の孔の代わりに、ここでは、その背後の柄が見られる太陽釘の移行を、一週間あてにしたのである。またその裏面には、偏心的な黄道の位置がはっきりと認められる。

さて、上述の一二宮や北方の星座で飾られた回転円板の表面(図版一九の左)には、すでにアレクサンドリア時代に完成していたはずのアストロラーブにならって、クモの巣[106]のような銅線の網が張られており、それが時計仕掛けの前壁に固定されている。背後の可動円板の支点を中心に張られた六つの同心円は、磨羯宮の回帰線から巨蟹宮の最内円までの六つの一対月をあらわしている。[107]それにたいして、放射状に走って同心円を切っている諸線は時間を、しかもザルツブルク（地理学上の緯度で四八度）の地平線をあらわす横断弓形（図版一九の左の円板のふちに記されているXIIから12にいたる）の上半分は昼間時間1―12を、下半分は夜間時間I―XIIをあらわしている。

こうしてこの時計の主要目的は、単に、どんな天気の日にも時間を正確に示して日常生活の要求に応じるということだけではなく、農業上大切な星の出現を容易に認めさせる点にもあった。このような星は、古い時代から便利な暦の目印しとして農民たちにも信頼され、あらゆる暦、たとえばミレトスの挿入暦（本書三一ページ図版一を見よ）のようなものや日時計（本書二一三ページ以下を見よ）にも記入されていた。おそらく市門に備えられたと思われるこの作品は、後二世紀または三世紀のむかしのイウヴァウムの繁栄と教育への関心とを示す重要な証拠品であり、その工事と維持とには大金をかけたにちがいない。

――ガザのヘラクレス時計――

ボエティウスがテオドリック王の依頼で二個の芸術時計をつくったのとだいたいおなじころ、無名の一製作者がガザにおいて、注目すべき時計を建造した。それは、おそらく市場と思われる広場に飾られたもので、当時その町の最も著名な著作家プロコピオスは、好奇心にかられてそれを筆にした。この『時計詳論』[*48]〈Ἔκφρασις ὡρολογίου〉は、一〇〇年前にアンジェロ・マイによって、一部分が読みにくくなったヴァティカノ手写本中で発見され、不十分なまま出版された。[108]作品の再現を基にして、この原文はかなり修復することに成功した。惜しいことにこのソフィスト[*49]は、この詳論において、神話的な像だけに興味をいだいているにすぎない。著者は、この驚異を可能にした技術的設備があまりにも機械的なので、当時の読者はおもしろがるまいと考えているようである。ともかく、技術的設備のことはふくまれていない。

建物自体は、本来の時計堂と前屋とからなっている。建物の正面前方には、東側から西側へ二本あて柱が建てられており、また時計が風雨にさらされないために柱廊に屋根があって、それが本建築の屋根とつづいていたようである。入口は、この作品の不時の破損にそなえるためであった。上端が鉄製になっている大理石の柵は、近所の悪童たちにたいする用心であり、破風からおそろしそうに見下

*48　イタリアの古代学者、言語学者（一七八二―一八五四年）。

*49　プロコピオス。

ろしているゴルゴ[*50]は、無法者を追放するためであった。だから『時計詳論』（§10–16）によると、その見取り図はだいたい図76のような形をしていたわけである。

『時計詳論』は、上方のゴルゴの頭からはじまっている（図77、78を見よ）。その目は、経過時間が鳴らされると、気味わるく回転した。時計堂の破風の下の場所には、時間扉がある。この時間扉については、古代の時計製作術に遡って見取り図をつけ加えたアラビア人アル＝ガッザリ[*51]（一〇五三―一一一一年）の記述から想像することができる[(109)]。それによると、ガザの時計では、その最上列が一二個の夜の扉となっており、それらは左から右へ移動する光によって、順次に照らされる。この扉になんの芸術的装飾もないのは、じつはそういうものがあっても夜は見えなかったからである。ついで筆者は、ただちにその下にある第二の扉の列に筆を転じている。一羽のワシが最初の扉の上で翼をひろげ前方に躍りかかっている。扉が開くとともに、棚のところを大股で歩いているヘリオスが、この扉にとくに注意をうながす。つぎに、その扉からヘラクレスがあらわれ、観客に、かれの仕事の最初の獲物であるシシの皮を示す。ワシは上か

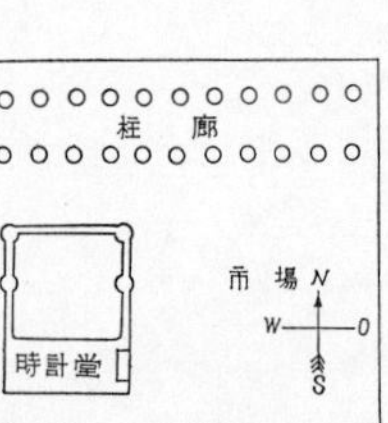

図76 ヘラクレス時計堂のある場所。

*50 ギリシア神話にあらわれる女の怪物で、頭髪はヘビで醜怪な顔つきをし、その目は、人間を石にしてしまう力をもっていた。

*51 すぐれた回教神学者であり、同時に「トレド表」を作成した天文学者でもあった。

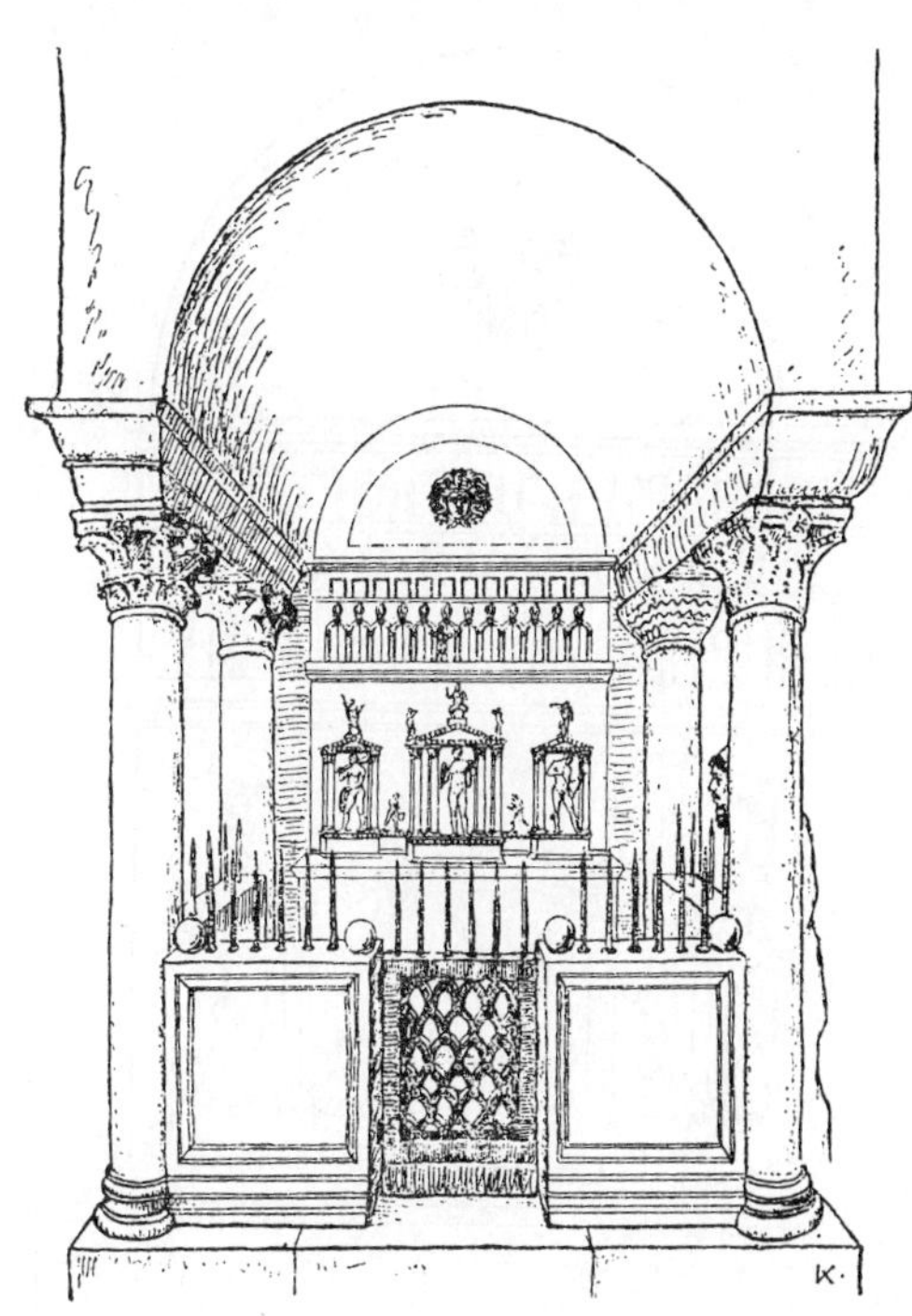

図77　ガザの芸術時計の建物。

図78　ガザの芸術時計の正面図。

ら、この英雄を勝利の月桂冠で飾る。かれは観客にむかってお辞儀をし、首に花環をつけたままその隠れ家に消えてしまい、扉はふたたび閉まる。こうしてヘラクレスは、その一二の仕事をやっていくのである。そしてこの英雄があらわれるたびに、扉の上のワシが飛び出し、扉が開き、勝利の首に花環をかけるのが見られる。だから、古代の伝説とかなり緊密に結びついているこの一二争覇[*52]の勝利の順序を心得ておれば、当然このしくみで時間数は判明するわけである。

ところで製作者は、時間数が広場を越えて遠くまで聞こえるように、鳴鐘装置もつけ加えた。われわれはすでに、クテシビオスが金属製の音響板に球を落して時間の変り目を報じたことを知ったが、これをあのアラビア人[*53]は、かれの時計仕掛けのなかで再説している。しかし、クテシビオスの場合は、落ちる球はいつもただ一つだけだったから、一時間の経過はわかったけれども、幾時を打ったかはわからなかった。それにたいしてガザの芸術時計は、時間数に応じて打つのであるが、注意すべきことは、打数は今日のように一から一二までではなく、一から六までであった点である。だから午後は、打音が繰りかえされるのである。『時計詳論』は、この繰りかえし

＊52　(一)ネメアのシシとの戦い、(二)レルナイオスのヘビ退治、(三)アルカディアの雄ジカの捕獲、(四)エリュマントンのイノシシの駆逐、(五)アウギアスのかわやの掃除、(六)ステュムパロスの鳥殺し、(七)クレタの荒ウシの捕獲、(八)ディオメデス王の雄ウマの捕獲、(九)アマゾンの女王ヒッポリュテの帯の奪取、(一〇)ゲリュオネスの雄ウシの捕獲、(一一)西方のヘスペリデスの黄金のリンゴ探し、(一二)下界の番犬ゲルベルスの連れ出し。

＊53　アル＝ガッザリのこと。

の理由として、多くの打音で麻痺した耳には数が区別できないから、それを避けようとしたのだと述べている。これは一考に価する。なぜなら、今日の塔時計でも、全打音を精確に数えることはやさしくないからである。古代の時間計算は日の出とともにはじまるから、午前と午後の打音をとりちがえるようなことは、まったくなかった。水時計を組立てるさいに、いろいろとそのしくみを手本にした日時計が、子午線圏を強調することによって、その前後の数字の記されてない（本書三〇一ページ、注39を見よ）時刻もわけなく読めたのであるから、正午の鳴鐘によって区切ることは、なおさら当然のことであった。

鳴鐘装置の正体は、大きいほうの小堂内で、右手にもった棍棒で左手に吊り下げた音響板（銅鑼）を打ち鳴らしているヘラクレス像である。ソフィストのプロコピオスによると、製作者はこの金属板を茶化してシシと呼んでいたといわれる。すでにもう一人のはだかの若者が、殺したシシからはぎとったシシ皮を肩にしていると見立てると、製作者のこのしゃれは生きてくる。

パン神[*54]は小堂の付近に、おそらくは頂像として、とりつけられて

＊54　ギリシア神話で畜群と牧者の神。

いた。かれは愛するエコ[*55]の声が聞けるものと信じ、銅鑼の響きに耳を傾けている。かれは、不幸な恋人をしかめつらであざけっているサテュロス[*56]たちにかこまれている。

中央の小堂の左右には、ヘラクレスがさらに別な二つの姿であらわされている。中央下の像は英雄の最初の戦いを再現しているが、その右側では、かれは、ヘスペリデス[*57]のリンゴを射る射手としてあらわされている。これは夕刻を示すと同時に西方への最後の冒険[*58]であって、像はこの建物の方位からいって西方をむいている。左端の像は、東方での決戦として、かれが分捕品にヒッポリュテ[*59]の帯を得たアマゾンとの冒険をあらわしていたと思われる。しかし、ちょうどここで筆稿が切れている。

中央の小堂の屋根に数個の副像が飾られていたように、右方の射手へラクレスの上にも、ラッパ手ディオメデス[*60]がいる。かれは、昼間時がおわって一二争覇[*61]が完了すると、帰営譜を吹く。プロコピオスは、このテュデウスの息子の役割が、アキッレウス[*62]伝説に由来していることを想起している。この伝説では、英雄オデュッセウスが、リュコメデスの娘たちのもとで隠れていたアキッレウスの戦闘心を、

＊55　ギリシア神話で山の妖精。

＊56　ギリシア神話の半神で、ディオニュソスの伴侶。

＊57　ギリシア神話中の人物で、両親については異説がある。黄金のリンゴを守る。

＊58　一一番目の冒険。

＊59　ギリシア伝説中の人物でアマゾンの女王。

＊60　ギリシア神話で、アレスとキュレネの息子。

＊61　ディオメデス。

＊62　トロイア戦争でギリシア軍に参加した武将。

戦闘合図で呼び覚ます任務をもっていた。スタティウスと小ピロス[*63]トラトス[*64]とは、スキュロス島の場面ではオデュッセウスの側にディオメデスだけを認めているが、[110]かれらは、この同伴者にはラッパ吹きの浮浪人が適役だとしている。なぜなら、日時計や水時計の時間を呼び上げる役目は、ローマでは早くから奴隷に与えられていたからである。トリマルキオ[111][*65]は、かれの食事用寝台に時計〈horologium〉を装置し、今日の村の夜番のように、時を告げる吹奏者〈bucinator〉[112]をそこにおいた。しかしプロコピオスはその他の個所でも、リバニオス[*66]の先例にならって、[113]ラッパ手ディオメデスを採用した。だから、もしもボエティウスがおなじころグンディバルト[*67]のために組立てた芸術時計（本書二九四ページ、注94を見よ）において、他の諸像とともにラッパ手ディオメデスもあらわしていなかったとすれば、プロコピオスが、この考えを時計師に示唆していたのだということが考えられるはずである。こうして、これは古代の時計製作術の相続品であった。

ギリシア人は、一日の労苦や生活の労苦のあとは、好んで、休息し生活を楽しんでいる大英雄に思いをよせている。今やこのヘラク

*63 ローマの詩人（四五―九六年ころ）。

*64 二六四年に没したアテナイ在住の美術評論家。

*65 ペトロニウスの著作『トリマルキオの饗宴』の登場人物。

*66 三一四年アンティオコス（シリア）生まれの修辞学者。

*67 五一六年に死んだブルグント（ブーロニュ）の王。

レスの休息〈Anapauomenos〉の観念が、下僕を勤めている一対の副像と関係づけられている。一人の下僕は、ディオメデスの合図を聞いて、主人の食前の慣例の入浴を準備するため、入浴品を運んでいる。かれは湯を入れたはちまたはやかんをもち、また浴用はけと香油びんのおそらく二つをもって近づいているのであろう。もう一人の下僕は、朝早く市場で買っておいた食物を運んできている。夕仕事をする一方の奴隷は西側（すなわち鳴鐘装置の右側）に、朝買いをする他方の奴隷は東側、すなわちヘラクレスの左側にすえられなければならない。しかし、われわれの見取り図が示しているところによると、下僕の大きさと位置とは、単なる付属品とみなしてさしつかえなかろう。

つぎに述べられている牧人の位置については、建築技師がヘラクレス堂の主破風の両側に許可した二つの副破風のうちの一つ以外にはないことになる。右側（すなわち西側）は、夕刻を告知するディオメデスが正当にも占めており、しかも牧人は、ディオメデスと対立してあらわされているのであるから、牧人に残された破風は、東側になる。かれの位置が東端にあるのは、よろこびのおもちで右手をかかげながら愛する太陽の出現を迎えようとするかれには、まったく絶好である。

われわれの設計図を画いた建築技師は、建物全体の広さを、長さ六メートル、幅二・七〇メートルと計算している。古代の記述者[*68]は、もしもその篇のおわりの欠けている部分で述べていなかったとすれば、技術について詳論したようには思えない。しかし、このような芸術品の組立てについては、ヘロンの著書や、後世のすべての時計製作術の根本史料であるクテシビオスからウィトルウィウスが引用したもののほうが、皮相なこのソフィストの言葉よりも、教えられるところは多い。またそれに由来するアラビア史料も、再三述べているように、細目については、とくによく説明している。だから、もしも今日のような非常時局においても、このようなおもちゃに歴史的興味以上のものをはらっておれば、こういう芸術時計は、容易に再建できたであろう。

不十分な記述にもかかわらず、われわれはプロコピオスの『時計詳論』には感謝しなければならない。それは、この『時計詳論』が古代からビュザンティオン期への過渡期に書かれたものであって、

＊68 プロコピオス。

一方では、古代の技術的文献と技術的手腕の名残りによって論証をおこない、他方これによって、オリエントと西洋で当時愛好されたこの芸術品が、どのようにギリシアの科学と技術の遺物を中世のアラビアとフランク帝国とを通じて黎明期にまで保護することができたかが、わかるからである。すでに述べたカッシオドルス*69とボエティウスの時計によって、六世紀のはじめにイタリアでも、このような時計製作が知られていたことはわかるが、それ以外にわれわれは、教皇パウルス一世*70が小ピピン*71に贈った時計のことを聞いているし(114)、また、八〇七年にハルン・アル＝ラシッド*72の命令でアラビアの一公使がカール大帝*73に真鍮製の芸術時計――アインハルト*74によるとそのくわしい記述は、ガザの時計や、さらにアル＝ガッザリの時計がいきいきと想起される――を持参したことを聞いている(115)。この時計は、クレプシュドラによって運転され、一二個の青銅製の小球が時間のおわり目にはち〈cimbalum〉に落ちて時間を報じた。この時間合図と同時に、一二の窓が順次に開いていき、そこから騎士が飛び出し、騎士がひっこむと、窓が自動的に閉じる仕掛けになっていた(116)。この時計はアーヘン*75の王宮にひき渡され、その後長い間そこにあった。

*69　後約四八〇―五七八年ころ。東ゴート王テオドリックの執政者、学者。

*70　七五七―七六七年在位の教皇。

*71　フランク国王（七五一―七六八年在位）で、カロリング王家の初代の王。

*72　七七六―八〇八年在位のアッバス朝第五代の回教君主。

*73　フランク王ピピンの子。八〇〇年、西ローマ皇帝になる。

*74　カール大帝の伝記作者（七七〇―八四〇年）。

*75　オランダとの国境近くにあるドイツの町。

それ以後の諸世紀では、われわれは芸術時計についてほんのわずか知っているにすぎない。九世紀前半にヴェロナ*76で助祭イレナエウス・パキフィクスのつくった装置(117)や、一〇七〇年ころにヒルサウの修道院長ヴィルヘルム(118)がつくった装置がどんな種類のものであったか、また一三世紀にはどんな時計があらわれたか、それらは短い付言的な記述からは正しく推察できない。ただ、パリの大司教ギレルムス・アルウェルヌス（一二四八年死）が述べている(119)**水で運転するものとおもり**〈qui per aquam fiunt et pondera〉時計だけはわかっている。これはけっして今日の意味での歯車時計ではなく、水で運転するいわゆる星の出時計であった。そして対重のあるうきによって軸を動かし、それによって、天文学的に方位の定められた文字板を回転させ、その板上で、昼夜の時間と主星の出現とを読みとった。(120)

若いティテュレル*77の詩人は、明らかに自分の直観から、そのグラル聖堂の描写中に、一つのおどろくべき芸術時計〈orolei〉の記述を挿入している。そしてこの記述によって、この種の東洋の時計では、どのようにして太陽と太陰とが秘密の連動装置によってその円軌道を画いたかがわかる(121)。おなじころ、カスティリャのアルフォン

＊76　イタリア北部の都市。

＊77　一二世紀末から一三世紀のはじめにかけて生きていた中高ドイツの宮廷詩人ヴォルフラム・フォン・エッシェンバッハのこと。

ソ一〇世もまたその『天文知識の書』〈*Libro del saber*〔*de astronomia*〕〉（一二五六年）において、さまざまなアラビア史料から、古代の水時計を再現している。(122) それから一世紀ののち、パドヴァ人ヤコモ・デ・ドンディスは、フベルティノ・ディ・カッララの王宮に太陽の軌道、惑星、太陰の満ち欠け、月、日、時を示す天文時計を作成した。このおどろくべき作品は、かれの子がくわしく記述し、ドンディスに時計屋さん〈Horologius〉という別名を与えた。(123)

パリにおける最初の時計は、一三〇〇年ころにピエール・ピペラールが、(124) ついで一三七〇年にドイツの技術者ハインリヒ・フォン・ヴィークが、シャルル五世*78のためにつくった。(125) そして一四世紀——それはドイツ人のもとで、近代の諸天才が多方面にわたって活躍した世紀である——には、この技術ではドイツ人が優勢になったように思われる。これを好意的に認めているフランスの大百科全書は、この卓越性の基礎も、われわれの多面的で厳密な科学的、技術的研究のためだとしている。(126)

この科学的洞察と技術的熟練との結合は、一四世紀におけるシュトラスブルク*79の芸術時計の建設に最も偉大な勝利を博している。こ

*78 一三六四—一三八〇年在位のフランスの王。

*79 アルザス・ロレーヌにある都市。

の時計は一三五二―一三五四年、今日の時計のむこう側の大聖堂に建てられた。この時計をさらに精巧に科学的に改良したのは、シュトラスブルクのコンラット・ラウヒフース（ダシュポディウス）[*80]とブレスラウのダヴィット・フォルケンシュタインという二人の数学者である。一五七〇―一五七四年には、機械師だったシャッフハウゼンのハプレヒト兄弟がその機構をさらに大きくりっぱに組み立てた(127)。そしてついに、一八三八―一八四二年にシュトラスブルクのJ・B・シュヴィルゲ(128)が三回目に最も完全に再建し、今日の時計になったのである。ユリウス・カエサル・スカリガー[*81]は、シュトラスブルクの時計に関して、この芸術時計の再建こそ世界がドイツ人に感謝すべき三大発明の一つだと過大に賞賛している(129)。ところで本日の正午ころ、史眼のあるかたがシュトラスブルクの時計を訪ね、その監守人の信心ぶかい説明を盗聴されれば、二重の感情におそわれるであろう。かれは、人類がギリシアの科学と技術とに負っている遺産に感謝の念をいだくであろう。そして、その相続品をさらに美しくゆたかに発展させることを心得ていたドイツ民族の技量を誇らしく感じるであろう。もしもわれわれが、無限に複雑な時計の組

＊80　一六世紀のフラウエンフェルト生まれの聖職者で学者。

＊81　リヴァ（オーストリア）出身の言語学者、評論家（一四八四―一五五八年）。

立てが、一切の天文現象や礼拝祝祭日の告知を二万五八〇四年ものの長い間、まちがいなくなし得るということを知るならば、おそらく、そして現在はとくに、スカリガーのおどろくべきつぎの言葉が思い出されるはずである。「われわれは、永遠なものをつくり、永遠の創作者を与えた。不屈な精神がこれ以上になすべきものがあろうか」〈aeternas res fecimus, aeternitatis auctorem dedimus; quid amplius restat invicto animo Germanorum faciundum?〉。運命の神秘な決断によって、かつて不名誉にも奪取されたシュトラスブルクの町が、たとい再度フランスの手中に陥っても、シュトラスブルクの大聖堂、シュトラスブルクの芸術時計、シュトラスブルクの大学は、同地の学芸がエルヴィン市長（一二七七年）このかた今日までドイツ天才の賜物でなければならぬことを、将来もまた証明するであろう。

解説　古代ギリシア科学技術史の始まり

三村太郎

科学の生まれた場所

　科学は古代ギリシアで生まれたと考えて間違いない。超自然的な要素を排除して自然現象を自然存在のみで合理的に説明しようという科学的精神は、紀元前六世紀頃のミレトスという一地方の自然学者たちに起源を持つ。その先駆者タレスが万物は水からできていると主張して以降、いかなる元素から事物が構成されているのかが議論の的となり、最終的には四元素（および第五元素＝エーテル）による元素論が生み出された。この元素論を基盤とした自然学こそが科学の出発点だった。

　ミレトスで生まれたギリシア科学が古代ギリシアからさまざまな地域に広まってゆき、最終的にヨーロッパにおいて近代科学が成立した。ルネサンス期にヨーロッパの人々がギリシア科学のすばらしさを再発見したことで近代科学が成立したといっても過言ではない。

それくらいギリシア科学は他に類のないものだった。それゆえ紀元前六世紀頃のミレトスにおいてなぜ自然学者たちの活動が生じたのかは、実のところ科学史の最初を飾るべき大問題のはずである。もちろんこの問題に取り組むには、自然学者たちがどのような見解を持っていたのかを知る必要がある。

一般的に、ある時代の人々の見解を知るには、彼らの残した作品を読むことから始まるだろう。しかし、紀元前六世紀頃に活躍した自然学者たちは、タレスを含めてだれひとり著作を残さなかった。古代ギリシアで大々的に著作を書き残し始めたのは、自らの師ソクラテスを主人公とした対話編を数多く書いたプラトン（前三四七没）からだといってもいいかもしれない。プラトン以前の人々は、著作を残すことを意図せず、弁論をすることで生きていた。その弁論内容が何らかの形で書き留められ、伝来したのだった。

実は、冒頭で述べたミレトスでの自然学に関する展開も、プラトンの教えを受けたアリストテレス（前三二二没）の書いた『形而上学』にそのほとんどを依拠している。アリストテレスはさまざまな議論の前提を模索する過程で先人たちの見解を数多く収集し記録した結果、彼の著作はある種の学説史に関する資料となった。もちろんアリストテレスは自らの求める議論に応じて先人の学説を大きく書き換えている可能性もあり、その使用には注意を要する。

ディールスの仕事

このように、科学の曙である紀元前六世紀頃を知るには資料面で大きな障害に阻まれていることに気づく。そこで近代に入り、プラトン以前＝ソクラテス以前の哲学者たちの証言を、残されている資料群から抜き出して収集することで、著作が残らなかった学者たちの学説を再構成しようとしたのが、本書『古代技術』の著者ヘルマン・ディールス（一八四八〜一九二二）だった。彼は資料集『ソクラテス以前哲学者断片集』を編むことで、残存資料の見通しを一気に改善し、ソクラテス以前の学問的展開がようやく分析できるようになった。（ただし本資料集はディールスだけでは完成されず、弟子のクランツによって仕上げられた。それゆえ本資料集はディールス・クランツと呼ばれる。なお本資料集は日本語に翻訳されている。内山勝利編『ソクラテス以前哲学者断片集』岩波書店、一九九六〜一九九八年）

ディールス・クランツの資料集は長年にわたって使い続けられ、学界のスタンダードとなった。しかしその後の学術的なアップデートをふまえて、新たな資料集が二〇一六年にラクスとモストによって出版されたのは特筆すべきだろう。（その詳細は、リヴィオ・ロセッティ「ディールス・クランツ（DK）からラクス・モスト（LM）へ」を参照。https://clsoc.jp/agora/newbooks/2017/170808_01.html）いやむしろディールス・クランツの資料の取り扱い方が正しかったからこそ、ディールス・クランツの資料集の枠組みを残してアップデートが行われたともいえる。やはり古典期を扱うには、いかなる資料が残っているのかを把握し、残されている資料をできる限り収集し、各資料の確からしさを判断し、元の主張を再現するという、文献学的な作業がどうしても必要となってくる。資料がそれほど残されていない時代の証言を扱うディールス・クランツの姿勢は今でも参考になるのは明らかだ。(古代ギリシア哲学に関する資料の概要は、納富信留『ギリシア哲学史』筑摩書房、二〇二一年を参照)

ディールス・クランツが資料集で扱ったのは「哲学者」だったが、前近代において哲学と科学は同じ人々によって担われていた。それゆえ、ディールス・クランツの資料集は科学の曙である紀元前六世紀頃のミレトスの自然学者たちを知るには必携のものだった。逆にいえば、ディールスが古代ギリシア科学に関心を持つのは必然であり、古代ギリシア科学への関心の延長上で彼が編んだのが本書『古代技術』だった。

『古代技術』の射程

『古代技術』はディールスが各地で行った講演を集めてひとつにしたものである。第1講「ギリシア人の科学と技術」を読んでみると、そこで活躍するのは紀元前六世紀のミレトスの自然学者たちであるのは興味深い。哲学者と科学者は同じだったということはすでに述べたが、ディールスは本講で自然学者=科学者たちが技術者でもあったことを明らかにする。実際、ヘロドトスの証言などを豊富に引用しながら、彼らと技術とのかかわりを鮮やかに記述する。やはり技術とは理論を伴うべきものであり、数多くの自然学者たちが技術にかかわったことがわかる。もちろん学者はある種の貴族階級で、実際の製作を担った職人たちはそれに従属し、彼ら職人たちは文献にほとんど登場してこないことは注意すべきかもしれない。むしろ学者たちは、製作現場の「棟梁」としてプランを設計していたさまがよくわかる。

このような「棟梁」としての学者たちの側面に注目するディールスの視点から明らかなように、本書を通じてディールスは、豊富な資料を縦横無尽に駆使しながら主要人物たちの活動をつなげて語る。たしかに科学・哲学者たちはその学説において重要かもしれないが、いうまでもなく彼らは自らの時代を生きていた。例えば天文学者は天文観測器具を通じて技術とかかわり、観測し予測することで一般社会とかかわっていた。技術こそが一般社会とのコネクションだったともいえる。

それゆえ学者たちの提出した概念の歴史をたどってばかりいても、彼らの生きた歴史は見えてこない。えてして科学史や哲学史は概念史になってしまうが、概念史は空虚かもしれない。概念を担う者たちは、ある種の技術を使って現実社会で生活の糧を得ているはずである。生きている人々のふるまいを見なければ、歴史など見えてこないのではないか。ディールスはその活動を描き出そうとした。

しかし前近代における科学・哲学の担い手たちの生きざまを追うのは資料の制約上困難

であるのは確かである。ディールスは古代ギリシアの哲学者たちに関するあらゆる証言を収集し、それに熟知していたからこそ、生きた歴史を記述することができたのかもしれない。

一方、本書において、数多くの関係する証言を収集したディールスの視点は古代ギリシアを飛び出しヘレニズム期にまで及ぶ。実際、古代ギリシアの科学は、アレクサンドロス大王によるギリシア語圏拡大によりエジプトからインドまでを包括する地域に広がった。その結果、この広範な地域がローマ帝国によって支配され公用語がラテン語になってからも、ギリシア語で科学研究活動が継続して行われた。だからこそ二世紀頃ローマ帝国で活躍した天動説モデルの立役者プトレマイオスや医学理論を集大成したガレノスはギリシア語で著作を残したのだった。

このような展開を踏まえると、ローマ帝国において科学技術が衰退したわけではなく、ただ科学の担い手たちがラテン語で著述しなかっただけだったことがわかるだろう。それゆえラテン語で『建築について』を残したウィトルウィウス（前一五頃没）の時代、すなわちローマ帝国期をディールスが「科学的精神がすでに消滅しようとしている時代」と評価するのは、端的に間違っていることに注意いただきたい。

やはりあくまで古代ギリシアの文化こそがディールスにとって研究すべき対象だったのかもしれない。その古代ギリシアが生み出した科学を受け入れ発展させた近代ヨーロッパが勝利した時代に生きたディールスにとって、科学と技術は人類の誇るべき成果だったのだ。

ギリシア科学の伝播と資料

しかし本書の記述が示すように、ディールスは古代ギリシアの科学技術とは何かを見極めるために、入手可能なあらゆる資料を精査する。その資料には、東ローマ帝国（いわゆるビザンツ）で書かれたギリシア語資料はもちろんのこと、ヨーロッパに残された非文字資料も含まれる。さらにディールスは関連するアラビア語資料にも手を伸ばしているのは注目すべきだろう。

紀元前六世紀に誕生したギリシア科学は直接ヨーロッパに伝わったわけではなかった。実際はイスラーム帝国の基盤を作ったアッバース朝（七五〇〜一二五八）で九世紀頃に大量のギリシア語科学文献のアラビア語訳が生み出されギリシア科学研究が盛んになった結果、科学研究の拠点がギリシア語圏からイスラーム文化圏へと移転した。一方、ヨーロッパへのギリシア科学の伝播は、一二世紀頃のいわゆる「一二世紀ルネサンス」においてアラビア語によるギリシア科学関連文献が大量にラテン語に翻訳されることで本格的に始まった。（とりあえず現段階でのギリシア科学のイスラーム文化圏での展開に関する見解は三村太郎「イスラーム科学とギリシア文明」『岩波講座　世界歴史　第8巻　西アジアとヨーロッパの形成

八〜一〇世紀』岩波書店、二〇〇二年、二六七〜二八五頁で提示した）

アッバース朝での翻訳活動が大規模で網羅的だったため、アポロニオス『円錐曲線論』第五〜七巻やガレノス『ヒッポクラテス『流行病』注釈』第二巻といった現在ギリシア語原典では失われてしまった作品のいくつかがアラビア語訳で残っている。ディールスが引用するアルキメデスの機械時計の書も、アラビア語でしか残っていない。

いやギリシア語文献自体に目を向けても、それらを伝えるギリシア語写本に関して現存する最初期のものが九世紀であるという事実は指摘すべきだろう。実は、アッバース朝で活躍していたアラビア語訳者たちが持っていたギリシア語写本の方が現存するギリシア語写本よりも古いのは確実である。それゆえ、古代ギリシアの科学や哲学を再構築する際に、アラビア語訳を無視するわけにはいかないことが理解いただけるのではないだろうか。

ディールスが活躍した頃、ようやくアラビア語での古代ギリシア科学研究への関心が高まりつつあった。当時の最新の研究成果を踏まえつつ、古代ギリシアとは何かを探索しようとしたディールスの真摯な学問的姿勢は見習うべきだろう。

このように、ディールス『古代技術』は、古代ギリシア文化を学術的に解明しようという近代ヨーロッパの歩みの始まりの頃に書かれたものだった。しかし彼の歩みはすでに正確で、古代ギリシアの科学技術を知るにはディールスが歩んだ歩みを受け継いで、ギリシア科学がたどった各文明圏で残された成果を丹念に拾いながら、古代ギリシアとは何かを考える必要がある。本書を通じて古代ギリシアの文化を知る難しさと面白さをぜひ味わってほしい。

（みむら・たろう　東京大学大学院准教授　イスラーム科学史）

VIII 177ff. 参照。

28）Schwilgué（シュトラスブルクの人たちは当時の習慣によって、このように書く）もまた、Dasypodius, Strassb. 1578 und 1580 と同様、時計に関する記述をなした（Strassb. 1862, 1863）。2つの時計の複写は、たとえば Ungerer, *Die astronomische Uhr im Strassburger Münster*, Strassb. 1911 にある。

29）J. Caes. Scaligeri Epistolae et orationes. Plautin. 1600, S. 387. かれは時計とともに、印刷術（*aeternitatem illa describendi arte imitati sumus*）の発明と、イゥピテルの雷鳴を真似ているというよりもそれ以上の火器の発明とを賞賛している。B. A. Müller, *Berl. philol. Wochenschr.* 1915, Sp. 1310ff. を見よ。そこでは、このスカリガーの葬儀演説を1542年としている。注目すべきことは、すでにスカリガーやフリシュリン以前にイタリアの古典学者バルトルス・ルカヌスが教皇インノケンティウス八世（1484―1492年）にささげた詩（1486年ころ、ローマ）――そのなかでかれは、難破船の財宝を救いあげる潜水装置などを述べている――のなかで、発明史を述べ、時鳴時計、カノン砲、印刷術の3つの発明を、直接つらねている点である。かれは、なかながと賞賛している最後の2つの発明を、はっきりとドイツ人に帰している。

＊1　かれは、日影を10度退かせようとした。
＊2　前742―728年在位のユダヤの王。
＊3　インドのラジュプタナにある町。
＊4　イタリアのトスカナ地方にある古都、通称フローレンス。
＊5　数学者のアポッロニオス。
＊6　図版一六の上。
＊7　東ゴート王国の創立者（454―526年）。
＊8　懸垂時計。
＊9　ひき上げ時計。
＊10　第一次世界大戦。

hist. KI. n. V (1876), Str. 47, 48. すなわち、*Die*（すなわち *die goltvar sunne und darzuo der silbergebede mâne*）*zugen âbent und morgen oroléi v kunst der richen mit listen so verborgen, daz oug nie kund erkiësen ir umbestîch*

Boisserée が *Abh. d. bayer. Ak., philos.-philol. Abt.*, I Bd. (1834), S. 350ff. で短い本質的な解釈を与えている。

(122) Ed. Rico y Sinobas (Madrid 1866), IV 24ff.

(123) Falconet, *Mém. d. Littér. de l'Ac. d. Inscr.* XX (1753), S. 440ff.

(124) Fremont, *Origine de l'horloge à poids* (Paris 1915). 私は、この報告 Journal du Trésor de Philippe le Bel (s. XIII med.) にあることを、*Com rend. de l'Ac. des Inscr. et B. L.*, 1916, S. 240 から知っている。

(125) Falconet 前掲書 453.

(126) XX 268「中世において、ドイツはこの部門にすぐれていたように われるが、その多面性と厳密性とは、つねに粗野な天分にふさわしいも である」〈*an moyen âge, l'Allemagne semble avoir obtenu la superiorité dans genre, dont la multiplicité et la précision des détails ont toujours convenu au gén tudesque.*〉賞賛に悪意をこめるということは、フランスの読者をなだめ にはぜひ必要な添加物である。——14 世紀以来ドイツの町々に備えられ その大部分が今日もなお運転している多数の芸術時計については、Fel haus, *Technik* (Lpz. 1914), Sp. 1203ff., Abbild. 763–767 にうまく概観さ ている。

(127) たまたまその完成によって、1574—1575 年当時シュトラスブル に滞在していた詩人の言語学者フリシュリンは、ドイツの町シュトラス ルクのために「祖国の盾とも装飾ともなるであろうドイツのこの町全体 まったくすばらしい」〈*pulcherrima hacc totius urbs Germaniae quae el prae dio et ornamento sit patriae*〉と、その著名な作品 *Julius redivivus* V. 137–1 の第一齣にその描写を挿入した。この作品は同地で印刷され、1575 年 公刊された。さらに同年同地でかれはまた、特殊な作品 *Carmen de astr nomico horologio* を出版した。この時計の人物像の技術とヘロンの自動装 篇との密接な関係は、ダシュポディウス自身が論じたところであって、 れ自身の叙述の標題『ヘロンの機械学とシュトラスブルク時計の記述 〈*Heron mechanicus et horologii Argentorati descriptio*〉, Strassb. 1580 がすで それを示している。W. Schmidt の有益な論文 *Abhandl. z. Cesch. d. Mat*

108) Diels, *Über die von Prokop beschriebene Kunstuhr von Gaza* (*Abh. d. Pr. Ak. d. W.*, 1917, phil.-h. Kl. n. 7.). 考古学的な援助は、Noack 教授と建築官 Krischen 博士のご厚意によってなされた。私は、少数のものをこの論文からそのまま転用している。

109) Wiedemann-Hauser, *Über die Uhren im Ber. d. islam. Kultur* (*Nova Acta der k. Leop. Carol. D. Ak. d. Naturf.* Band 100 n. 5, S. 63).

110) Stat. Ach., II 27; Philostr. II 392, 29 Kays. 1871.

111) Petron., 26, 9.

112) ἔκφρασις εἰκόνος, S. 170, 24 (Choric. ed. Boissonade) において。

113) VIII 409, 14 Förster.

114) Jaffe, *Monum. Carol.* (Cod. Car. ep. 24), S. 101f.

115) Abel-Simson, *Jahrb. des fränk. Reiches* II 365ff. (L. 1883) を見よ。

116) Einhardi Ann. (Mon. Germ. Scr. I 194, 14; ann. 807)「一定の時間になると、12 の窓から騎士が飛びだし、それがひっこむ力によって、開かれていた窓が閉じられた」〈*equitibus, qui per XII fenestras completis horis exiebant et impulsu egressionis* (*regressionis* と読む) *suae totidem fenestras quae prius erant apertae claudebant.*〉

117) *Mem. d. Pontificia Accad. rom. d. nuovi Lincei* XXIII (Rom 1905) S. 70ff. における Bertelli. ヴェロナのものとは同一視することができない。horologium nocturnum は、1621 年に O・パンヴィニオが読んだ古い墓銘を私が正しく理解しているとすれば、旧約、新約聖書の解義〈*glossam*〉(人物はこれから得られたか) と天体の調和〈*carmen sphaerae coeli optimum*〉とを時計に組み合わせていたようである。

118) Mon. Germ. script. XII 211 (Vita B. Willihelmi abbatis) *nam naturale horologium ad exemplum coelestis hemisphaerii excogitavit, naturalia s lstitia sive aequinoctia et statum mundi certis experimentis invenire monstravit, quae omnia etiam litteris mandare curavit.* これは日時計だったろうか、それとも水時計だったろうか。

119) De anima ed. Rothomagi, 1674 c. 1 p. 7. 72 (Bilfinger, *Mittelalt. Horen*, Stuttg. 1892, S. 150).

120) 本書 260 ページ以下のザルツブルクの horologium anaphoricum 参照。

121) Ausg. v. Hahn, Str. 354–356. Zarncke, *Abh. d. s. Ges. d. W.* VII phil.-

りきったことだが、それを最初に説明したのは F. Boll であった。

(99)　本書 304 ページ注 15 を見よ。

(100)　「記入されて描かれている」〈*Descriptus et depictus*〉は、ギリシアの ἀνείληπται（だから ἀνάλημμα）καὶ γέγραπται と一致する。つぎのひく破損した原文には、以下の意味が挿入されるであろう。「この記入は空の一二星座の像でなされており、その中心に描かれている宮は、一方大きく、他方が小さい」〈*descriptioque ex XII caelestium signorum fit figu cuius eccentros deformatio «efficit» unum maius, alterum minus.*〉

(101)　すなわち、黄道板の離心率。本書 262 ページの図 75 を見よ。

(102)　*Suas temporibus designet horarum proprietates.* すなわち、こうして夏長く、冬は短い昼間時間。

(103)　Rehm 前掲書 S. 46 では、*cuius bulla* の代わりに *quibus bulla* と読でいる。

(104)　戦争中*10 は、機械師にたのんで精巧な模型をつくってもらうこはできなかったので、私自身が簡単に準備した材料でつくってみた。1917 年、当地のアカデミにおけるこの講演のさい、機械の運転を示すめにこれを使用した。そしてまた、同所の戸棚に保管することになった。ところが、1918 年 11 月 10 日、暴兵が、表面上は同所に隠れている士を訪ねるためだが、じつは掠奪するために、この建物に侵入し、一切のや戸棚や容器を破壊したが、貧しいこの模型は、この暴行の難をまぬがた。すくなくともその写真が保存されていたことは、それで複写もできのだから幸いである。

(105)　だから時計見張人は、一日おきに針を差しこんでいけばよかった。もしも毎日差しこんでいくように仕組まれていたとすれば、孔は多くてさくなければならないであろう。要するにこの時計は、十分正確にはつられていない。これは、いくぶん技術的な理由からでもある。

(106)　本書 212 ページを見よ。

(107)　星暦に十分なじんでいない勤務見張人が、太陽釘を正しく差しこるために、星座の順列とそれに一致する月（図版一八の上を見よ）とが、裏面の縁に明瞭に彫られている。すなわち見張人は、釘〈*bulla*〉を内から差しこまなければならなかったが、それは、表面に綱があるためにきなかったからである。

ジ）で球が落ちるのとおなじような方法でなされる。

94)　たとえばカッシオドルスは、507年にテオドリック王[*7]の依頼でブルグントの王グンディバルトのために、2個の芸術時計（日時計と水時計）を、著名な学者ボエティウスにつくらせた。このことはカッシオドルス自身がその日記に書いている。Variarum ep. 45, 6 ed. Mommsen（Mon. Germ. Auct. ant. XII 39, 27）*metalla mugiunt*（そのなかに球が落ちる音響板）、*Diomedes in aere gravius bucinat, aëneus anguis insibilat, aves simulatae fritinniunt, et quae vocem propriam nesciunt habere, dulcedinem probantur emittere cantilenae.*

95)　X 7, 4「水の動きによるウズラの鳴声、またはアナバタエとか、水飲み人形、それとおなじような自動人形、そのほか眼の快楽や聴覚のはたらきに気持ちよいもの」〈*merularum aquae motu «effectae» voces atque anabatae*〔そこで私はつぎのように記す *angabatae* G: *angubatae* H〕*bibentiaque et eadem moventia*〔*vomentia* Vollmer〕*sigilla celeraque quae delectationibus oculorum et aurium usu sensus eblandiantur.*〉

96)　この最後の図は、今日まで明確に説明されていない。最初この発見を *Jahresh. d. Öst. Inst.* V 196（T. 5の美しい挿し図）で語ったE. Maassは、これを9個の星の天頂と考えているが、E. Weiss（同書VI 36）は、これに反論した。私は奇妙にも、その中心星座（ここでは、カシオペイアであろう）が、古い挿し図に遡るアルフォンソ10世のアストロラーブ描写法であらわされている種類のものを思いついた。本書301ページ注39。

97)　Albert Rehm, *Jahrb. d. Öst. Inst.* VI 41ff.

98)　anaphoricaという名称は、M. Schmidtによる „Gefängeuhren[*8]“ とか、Bilfingerによる „Aufzuguhren[*9]“（かれはこの個所を、*Zeitmesser d. ant. Völker*, Festschr. D. Eberh. Ludw. G. Stuttgart, 1886, S. 43で正しく説明している）といっしょに翻訳すべきではない。’Ἀναφορά というのは、ギリシアの天文学者にとっては、ἀνατολή（星が日の出と同時に出現すること）や ἐπιτολή（星が日の出直前に出現すること）にたいし、星の出現の一般的な表現なのである。Achill. Is. 39 (74, 27, Maass) を見よ。いわゆるヒュプシクレスの ’Ἀναφορικός (ed. Manitius Dresd. 1888 Progr. 504) からもわかるように、この語から ἀναφορικός（星の出現を指示するもの）が出たのである。この説明は、天文学や占星術に通じた人なら、だれでもわか

105, Fig. 24に与えた提議を、感謝をもって利用させていただく。その提議は、要点においてたしかにまちがっていない。それに反して、ミュンヘンのドイツ博物館の陳列にある、ニュルンベルクの宮廷時計師シュペクハルトのつくった見かけはりっぱだが内部的には完全に誤っている修復は警戒すべきである。その著 *Gesch. der Zeitmesskunst* (Bautzen 1903) 160は、この名匠が、フランスの先行者たちの空想の犠牲になっているようすを証明している。Feldhaus, *Geschichtsbl. f. Technik* II (1915), 23を見よ。そこにも、ニュルンベルクの模型図が与えられている。流入ばちBCDE内の調整機構は種々雑多に推測されているが、私は、「アルキメデス」(のちを見よ!)によってつくられアラビア人がRub'と称した装置の原理によってその機構を処理した。というのも、この機構は、ともかく古くもあり、最も簡単でもあり、さらにウィトルウィウスの指示に最も近いからである。アラビア人のRiḍwânとアル゠ガッザリによって拡大され改良されたRubの形は、Wiedemann und Hauser, *Über die Uhren im Ber. der isl. Kultur* (*Nova Acta der Kais. Leop. d. Ak. d. Naturf.* C. n. 5, S. 21. 60ff.) と *Uhr des Archimedes* (*N. Act.* CIII n. 2, 166ff., Abb., S. 167) にくわしく述べられている。もう一つの調整法は、調整ばちの水に浮いているうきによって、サイフォンの短脚を導く方法であるが、これは、Heron, *Pneum.* I 4 (I 45 Schmidt; その現代の図と古代の図とは、序論 S. XXIX, Frg. 5[a] u. 5[b] を見よ)に述べられている。

(90) このような時計見張人は、古代の時計の建造に関する(図形を付して)、Dessau, *Inscr. lat. sel.* II 1, 5624 (Annecy, Savoyen) *horologium cum suo aedificio et signis omnibus et clatris* (周囲の柵) *C. Blaesius C. fil. Voltin. Gratus ex HS n. X et eo amplius ad id horologium administrandum seruum HS IIII d. s. p. d.* に述べられている。

(91) 円板Cのはめこみにさいして防水すること、さらにまた、排水口の高さを季節に応じて吟味すること、これらは技術者に重大な要求をしている。

(92) E. WiedemannとP. Hauserとは、*Nova Acta der K. Leop. Carol. d. Aka*[illegible] CIII n. 2 (Halle, 1918) と *Uhr des Archimedes und zwei andere Vorrichtungen* の標題のところで翻訳し、しかも挿し図によってみごとに説明している。

(93) 球が飛びだすのは、ウィトルウィウスの路程計(本書95—96ペー

Uhr des Archimedes, Nova Acta der K. Leop. Car. d. Akad. d. Naturf. CIII 2, S. 194 (Halle, 1918). この「アルキメデス」の時計がプラトンの原型にまで遡ることは明らかである。なぜなら、アラビア語原文は「ビュザンティオンの」笛〈ṣaffâra〉について述べており (S. 195) そこで推論されたギリシア語原文書は、アルキメデスには帰せられないで、私がポリオルケテス配下のアレクサンドリアの技師と同一視したギリシアの技術家アポッロニオスに遡るからである。*Berl. Sitz.-Ber.*, 1915, 827[2].

31) Plato, *Legg.*, VII 808 D 参照。

32) *Mon. d. Instit.* V 10 = Baumeister, *Denkm.* I 553, Abb. 590 のつぼ絵による。

33) Rose, *Fragm. Arist.* (L. 1886), S. 428, 1 による Vita Aristot. Marc. Diog. L. IV 19. Philod. Index acad., 14, 35.

34) Feldhaus, *Leonardo* (1913), S. 97; *Technik* (Lpz. 1914), S. 866; *Geshichtsbl. f. Technik* II (1915) を見よ。なお、Horwitz 同所 III 368.

35) ストラトンとアレクサンドリアの技術との関係については、Diels, *Über das phys. System des Straton, Berl. Sitz.-Ber.*, 1893, 101ff. 参照。

36) *Mech. Synt.* IV 3 p. 50, 37 (Belopoiika gr. u. deutsch von H. Diels u. E. Schramm, *Abhandl. d. Berl. Ak.* 1918, phil.-h. Kl. n. 16 S. 9).

37) 前2世紀末のクテシビオス・クレウスと混同してはならない。本書297ページ注79を見よ。

38) Philo 前掲書 c. 61 (P. 77, 46. S. 66 D.-Schr.); Heron ed. Schmidt I 458ff. における *de ingeniis spiritualibus* (ピロンの空気仕掛けのアラビア語＝ラテン語訳)、ヘロン自身の *Pneumat.* I Vorr. (I 5ff. Schm.). ウィトルウィウスの諸所。Diels, *Über die von Prokop beschrieb. Kunstuhr, Abh. d. Berl. Ak.* 1917, phil.-hist. Kl. n. 7, S. 3 参照。クテシビオスの技術的研究に、どんなにつよく哲学的理論が浸潤していたかは、つぎのことがらによって知られる。Vitruv. I 1, 7「クテビシオスとかアルキメデス、または同種のテキストを書いたその他の人びとの本の読者は、もしもこれらのことを哲学者から教わっていなかったならば、理解できないであろう」〈*qui Ctesibii aut Archimedis et ceterorum qui eiusdem generis praecepta conscripserunt leget, sentire non poterit, nisi his rebus a philosophis erit institutus.*〉

39) ここに私は、Max C. P. Schmidt が *Kulturh. Beitr.* II (L. 1912), S. 47.

加しなければならない。とり換えること〈συμμεταβάλλειν〉については Plut. *Luc.*, 39「鳥は、季節によってすみかを変えないであろうか」〈ταῖ ὥραις μὴ συμμετα-βάλλειν τὰς διαίτας〉参照。

(72) *Nat. hist.* 18, 188.

(73) Marquardt, *Röm. Privataltert.* II (1867) 373 n. 3344.

(74) Gmür, *Schweiz. Bauernmarken und Holzurkunden*, Bern 1917 (77. Hef von Gmürs *Abh. z. schweiz. Rechit*); Rauchenstein, *Die Bewässerungskanäle in Kanton Wallis, Z. f. schweiz. Statistik*, 1908, 53 参照。このヴァリス州では、山の氷が解けて運河(水運び、フランス語の bisses)に導かれた水を、谷間の住民のために、組合の監督官が 'Tesseln'(木札、ラテン語の tesserae)によって時間配分している。

(75) *Vierteljahrsschr. der naturf. Ges. in Zürich* 57 (1912) における M. Rikl und C. Schröter, *Vom Mittelmeer zum Nordrand der Sahara*, 128, Bild 10. 図版一七に複写した写真については、口頭でも詳細を知らせてくださった、あの小旅行のさいの当地の同行者に感謝する。

(76) 測時器として、水中に沈んでいく銅はちを利用することは、おそらくギリシアの原型によって、アラビアの技術者(Wiedemann-Hauser, *Isl Uhren*, S. 165 による舟時計)もインドの天文学者も、ともに知っていた(Bergholz 前掲書 S. 25).

(77) 本書 340 ページ注 71、203 ページ、212 ページ、216 ページ、222 ページを見よ。

(78) 私が見出したプラトンの夜時計の構造を、私は *Berl. Sitz.-Ber.* 1915 824ff. で述べた。

(79) Athen. IV 174cff. ここでは、プトレマイオス・ピラデルポスの治世に生きていて、水オルガンやその他の多くの空気装置の発明者である古いクテシビオスと、プトレマイオス・ピュスコン(前 145—116 年)の治世にいたとされている新しい「理髪師で外科医」〈Κουρεύς〉のクテシビオスとを混同している。オルガンについては、私は H. Degering, *Die Orge* (Münster, 1905); Pauly-Wiss., *R.-E.* IX 60ff. における *Hydranlis* の標題のところを参照した。

(80) Eilh. Wiedemann, *Beiträge z. Gesch. d. Naturwiss.* 36 (Phys.-med. Soz. in Erl., Sitzungsber. 46, 1914), S. 18ff. と(Dr. phil. techn. F. Hauser と共著の)

水時計があって、これに水を注入し、その水に応じて裁判の弁論をすることになっている」〈εἰσὶ δὲ κλεφύδ［ραι］ αὐλ［ώδεις］ ἔχουσαι ἐ［κ］ κρους, εἰς ἃς τὸ ὕδ［ω］ ρ ἐγχέ［ουσι, πρὸ］ς ὃ δεῖ［λ］έγειν κατὰ (Wilcken による。パピルスは κ̇ となっている) τὰς δίκας.〉と判じている。大量の水を注入するには、おそらくかなり大きくて蓋ができるほどの口があったにちがいない（最初にそう考えたのは、まさしく Photiadis である）。だが私は、水圧のために両柄びんの形をしていたにちがいないこの容器（M.Schmidt はそう考えている）では、不純物を除くためにふるいがはめられていた、と考えている。「管状の排水口」を強調しているアリストテレスの定義は、裁判所用クレプシュドラと家庭用クレプシュドラとの区別を考えれば、最もよく理解される。裁判所用クレプシュドラは、その底がふるいになっておれば、少量の水を規則正しく流出するには不適当であって、ここでは、底の横側に一本の細管をとりつけると適当であった。なぜなら、もしも容器の下部の中央に一つの孔だけをあけると、水番人にはそのとりあつかいがたしかに不便であり、監視がむずかしかっただろうからである。

(70) Pollux X 61「小さな栓を水時計に差しこむ」〈ἠλίσκος ἐπικρούειν τὴν κλεφύδραν.〉

(71) *Aeneas Tact.* 22, 24, S. 55, 977 Schoene. 私は、いくぶん破損した個所をつぎのように判読する：ὃν δ'ἂν τρόπον ἴσως καὶ κοινῶς μακροτέρων ἢ βραχυτέρων νυκτῶν γιγνομένων καὶ πᾶσιν αἱ φυλακαὶ γίγνοιντο, πρὸς κλεφύδραν. χρὴ φυλάσσειν˙ ταύτην δὲ συμ «μετα» βάλλειν διὰ δεχημερίδος, μᾶλλον δὲ καὶ «ἧττον» κηροῦσθαι τὰ ἔσωθεν, καὶ μακροτέρων μὲν γιγνομένων ἀφαιρεῖσθαι τοῦ κηροῦ, ἵνα πλέον ὕδωρ χωρῇ, βραχυτέρων δὲ προσπλάσσεσθαι, ἵνα ἔλασσον δέχηται. すなわち、これ（クレプシュドラ）は一〇日たてば（ἐφημερίς が ἐφήμερος にたいするように、δεχημερίς と δεχήμερος とは同種のものである。同様なものに ὀκταετηρίς, ἐννιακαιδεκαετηρίς がある。すでに Hercher は、手写本の διαδοχῇ μερίδος の代わりに διὰ δέχ' ἡμερῶν としている）とり換えなければならない（最初のほうで述べられているように、夜が長くなるか短くなるかによって）。しかし（クレプシュドラの）内部は、多少ともろうでふさがなければならない。（夜が）長くなるときは、多くの水がはいるようにろうを除き、夜が短くなるときは、すこしの水がはいるようにろうを添

（56） 風の名については、Rehm, *Windrosen*, S. 67 参照。

（57） *Libro del Saber*, S. 19f.（Madr. 1866）. 本書 301 ページ注 39 参照。

（58） Kenner 前掲書 VI N. F.（1880）, S. 80 に発表。

（59） Iul. Valer. I 32.

（60） Strabo XI 12 p. 531.

（61） Vitr. I 3, 1「建築術には三つの部分がある。建物をつくること、日時計をつくること、器械をつくることである」〈*partes ipsius architecturae sun tres: aedificatio, gnomonice, machinatio.*〉

（62） XII q p. 566「テオドシウスとかれの息子たちである数学者たち」〈Θεοδόσιος καὶ οἱ παῖδες αὐτοῦ μαθηματικοί.〉

（63） Baldini, *Saggi*, Roma 1741. さらにくわしくは、Woepcke 前掲書 S. 14 Durand et De la Noé, *Mém. de la Soc. des Antiqu. de France* t. LVII（VIe Sér. VII）p. 1ff. Pl. III.

（64） *Bull. et Mém. de la Soc. nat. des Antiquaires de France* VIIIme Sér. VI（Mém. 1896）, Paris 1898, S. 1–38 Pl. I. II. 図 64 は、同書による。

（65） Woepcke の博学な実験も、De la Noé による組立ても、最後には、Drecker の書の S. 155[2] に述べられている Programm, S. 17 における訂正も私には納得しかねる。

（66） *Pitture antiche d'Ercolano* t. III prefaz. Woepcke 前掲書 S. 21.

（67） 最近の文献にはつぎのものがある。Photiadis' Zeitschr. *Athena* 16（1904）54; H. Schoene i.d. *Festschr. z. Phil.-Vers. Basel*（1907）, 453. Sandy *Cambridge Univ. Reporter* 5 March, 1912; M. Schmidt, *Kulturh. Beitr.* II 11ff. Wolters *Jahrb. d. bild. Kunst*, 1913, 215; Jüthner, *Aus der Werkst. d. Hörsaal*（Innsbr. 1914）, S. 51; Pauly-Wiss., *R.-E.* X. Abbild. における Thalheim Κλεφύδρα; Zahn, *Ath. Mitt*, 1899, 330; Potter, *Revue Archéol.*, 1899, 8.

（68） 私は、本書 305 ページ注 4 で、おなじような器具の名称について述べた。クレプシュドラ（水どろぼう）という名称を正しく評価するためには、当時のギリシア人が今日と同様、本国における少量の良質の飲料水をどれほど大切がったか（「水は最上である」〈ἄριστον μὲν ὕδωρ〉）、また、すでにミュケナイ時代もその後も、よい泉と水道とを得るためにどれほど苦心したかを想起すべきである。

（69） 私は、R. p. Ath., 67, 2（p. 78, 17 ak. Ausg.）を「小さな排水管のある

on I 370, 3ff. Schmidt 参照)、この名は、両刃の斧〈πέλεκυς〉から得たものである。Scyl. peript., 106 (S. 81 C. Müller) は、これをエジプト型と比較している。

44) Höfler, *Didaktik* S. 140 を見よ。

45) I 6, 6. 12. 本書 304 ページ注 15 を見よ。

46) Daremberg und Saglio, *Dict. d. Antiqu.* III 260, Fig. 3888 の Ardaillon.

47) この三角形の、上方の曲線に触れている左脚には、つぎのように書きそえられている、「毎昼間時の長さが達するところ」〈ποῦ χρόνος πάσης ἡμέρας παρήκει〉。同様に右脚には、「毎昼間時の長さがおわるところ」〈ποῦ χρόνος πάσης ἡμέρας λοιπός〉。だから、最も短い冬日を、この場合のようにゼロとおけば、昼間の長さは、最も長い夏至の日までおなじ割合で増加する。

48) Avellino, *Descriz. d. una casa Pompeiana* (Nap. 1837), Taf. III, Fig. 5 において発表。

49) *Zcitmesser* (Stuttg. 1886) S. 36.

50) この石は、ヴィースバーデンの古代博物館の第 386 番にある。*Annalen d. Ver. f. nass. Altertumsk.* IX (1868) 358 にある挿し図は倒立している。Schlieben は、同書 XX (1888) 316 で、この時計の精密な計算をしている。ここに再録した写真は*6、当時博物館長だった教授 Ritterling 博士のご厚意によるものである。

51) *Notizie d. Scavi* Jan., 1883 S. 48 に描かれている、アウグストゥスのマウソレウムの柱脚で発見された断片がそうである。

52) この図は、Fr. Peter, *Di un antico Orologio Solare*. Roma, 1815. *Atti del' Accad. rom. d. arch.* I 2 (1823) による。Rehm, *Windrosen* S. 51; Pauly-Wiss. *R.-E.* VIII 2426, 48 参照。

53) 図 60 と図 61 は、Kenner, *Mitt. d. k. k. Central-Comm. z. Erforsch. d. Kunst* VI N. F. (1880), 7ff. Dessau, *Inscr. lat. sel.* II 2 n 8643 による。

54) Dessau 前掲書 5622 *Pagus Laebastium* (Castel Lavazzo bei Belluno) における *horologium cum sedibus*.

55) Varro, *De re rust.* I 2, 11. Dio, 49, 43. Afric. Inschr. *C. I. L.* VIII 9065 (Dessau, *Inscr. lat. sel.* II 1, 566). アウツィア（アウマーレ）の楕円形競馬場における建設：*perfectis metis et ovaris itemque tribunali iudicum.*

(37)　もとは第1048番（*Beschreib. d. ant. Sculpt. d. Berl. Mus.*, 1891）. 現在は倉庫にはいっている。この時計はアテナイから出たものである。

(38)　*Sculpt. des Vatic. Mus.* II Taf. 10.

(39)　*Inscr. Gr.* XIV 713. 時間数は、天文学的にも金石文的（Fの形！）にも不可能である。私の知るかぎりでは、古代の日時計では、今日のように時間を数字で示したものは一般に存在しない。ふつう、太線で示す正午線によって、おのずから計算できるようになっている。夢判断のために日時計の意義を記述している Artemidor Oneirocr., III 66は、つぎのようにいっている、**ἀεὶ δὲ ἄμεινον τὰς πρὸ τῆς ἕκτης ὥρας ἀριθμεῖν ἢ τὰς μετὰ τὴν ἕκτην.** また、Diels, *Procops v. Gaza Kunstuhr*（Berl. Ak. Abh. 1917［Ph. h. Kl. n. 7］, S. 14f.）も参照。最初の時間数はビュザンティオンの日時計に見出される（Strzygowski, *Byz. Zeitschr.* III［1894］Taf. 3; Gedeon, **Ἔγγραφοι λίθοι καὶ κεοάμια. πιν. ά**［Konstantinop. 1892］, S. 46）. ついでカスティリャの王アルフォンソ10世がその著作 *Libro del Saber de Astronomia* のなかに入れている挿し図にもあらわれている（Rico y Sinobas, Madr. 1866 fol. による豪華本の Abb. T. IV, S. 15–20を見よ）。 かれは、再度ギリシアに由来したアラビアの典拠から得ている。1852年に J. Scott Tucker がヘリオポリスのオベリスクの礎石付近で発見し、今日では大英博物館に保護されている時間数のある小さい日時計（Löschner, *Über Sonnenuhren*, Graz, 1906）については、私はよくは知らない。

(40)　本書の図版一五の2は、B. Quaranta, *L'orologio a sole di Beroso*（Nap. 1854）による。オスキ語の原本は、*Mr. Atiniis, Mr. kwaisstur. eitiuvad moltasikad. kombennieis tangi[n(ud)] amanaffed.* なお、つぎを参照、Dessau *Inscr. lat. sel.* II 2, 842 n. 7870（Rom）: *T.T. Coccii Gaa et Patiens quaestores ter io...horologium...columellam sub horologio Tiburtino...de decurionum sententia posuerunt.*

(41)　本書の図55–57は、G. und O. Rayet, *Annales de Chimie et Physique* Sér. V, t. II, p. 61ff. Taf. I による。

(42)　O. Rayet によれば、曲線の間隔は数学的には十分理想的とはいえない。

(43)　Vitruv. 前掲書 *Patrocles pelecinum*（*invenit*）. ギリシア人は、木材からありほぞをつくることも **πελεκῖνος** と称しているが（本書図36、37と Her

原文は三欄に配列されていて、残存している部分は、その中間の石塊であったらしい。

28) ギリシア語では、「イオタの上に」〈ἐπὶ τῶν ἰῶτα〉となっている。これは、同等〈ἰσημερία〉の略語でもあり、また線にも用いられる文字だからである。

29) この銘文は、*Corp. Inscr. Lat.*, I^2 282. VI n. 2306 にある。この日時計は、Ashby, *Pap. of the Brit. School at Rome*, II S. 33, n. 48, Taf. 48 によって、また一二宮の浮彫りと銘文とは Symeoni, *Illustrationi degli epitaffi*, Lione 1558 によって、最もよく模写されている。

30) かれの故郷キュッロスは、まさかマケドニアのキュッロスではなかろう。むしろそれと同名のシリアの軍事植民地であろう（Beloch, *Gr. Gesch.*, III 1, 265 を見よ）。この町は、それ以前から貨幣を鋳造し、当時の学問的にすぐれた地方に位置していた。ファブリキウスもこの地方にいた。Pauly-W. I. 2167.

31) *Musée Belge* X (1906), 353; *Inscr. Gr.* XII 5, 891. 詩句の発端、2、5、7、9 の補修は、私の手になったものである。ここにある印刷では、2、Εὔδο]ξον であることを十分に確証しているが、δο については、なお不確実な痕跡がある。私は、5 において διελεῖν] Ἀράτου, 7、καὶ νῦ]ν, 9、γνω] τὸς, 10、ἀφῖξο˙] σὰ と補修する。

32) 天文学的な計算は、Delambre, *Hist. de l'astronomie ancienne*, II 489 にある。

33) このことは、すくなくとも私の推定である。図では、確定するのに不十分である。

34) I. G. III 427. 銘文の ἐποίει は、テノスの記念物の類似からわかるように、天文学的な構造に関係あるもので、Dittenberger が考えるように、大理石細工に関係あるものではない。

35) 寸法の計算は、Delambre 前掲書 II 504. 同書図 130 参照。

36) したがって、O. Rayet, *Ann. de chim. et de phys.* V. Sér. (1875) t. VI 60 のように、Vitruv. IX 8 *Apollonius pharetram* の個所を、単に *Andronicus* と変更して不用に帰すべきではなかった。この種の時計の計算は、Delambre の示すように、偉大なベルゲ人*5 の関心をそそったと思われるほど重要な数学的問題である。

Weltall, 1906, 219 ff.; Kauffmann, Pauly-Wiss., *Realenc*. I 2053 f; Rehm da VIII 2420 ff., *Münchn. Sitz.-Ber*.（phil.）1916 n. 3 S. 12 参照。

（16） ポムペイとミレトスでは各3個の、さらに、アクィレアでは六個の日時計が発見されている。

（17） Höfler, *Didaktik de Himmelskunde*（Lpz. 1913）, S. 144, 1 参照。

（18） Rehm, *Athen. Mitt*. 36（1911）, 253.

（19） Schlieben, *Ann. d. Ver. f. Nass. Altert*. XX（1887）, 327, Taf. 13 Fig. VIII[a].

（20） Rehm, *Ath. Mitt*., 1911, 251; *Naturw. Wochenschr*. N.F. XIV n. 43, S. 67 説明用の平面図（図51）は、私の同僚 Guthnick 教授（ノイバベルスベルク天文台）の好意によってよせられたものである。

（21） *Beschreib. d. Berl. Skulpt*（B. 1891）, n. 1049. しかし Woepcke, *Disquisitiones archaeologico-mathematicae circa solaria veterum*, Diss. Berl., 1847 Fig VII A. VIII B の模写は、その位置がまちがっている。本書の挿し図（図版一一）は、私が勝手に方向を変えた写真によってつくったものである。

（22） Höfler, *Didaktik*, S. 139. イタリアの教会その他では、はちのなかにあけた孔が教会の床に正午の影をどのように投じるかが、しばしば見られる。たとえば、ボローニャのサン・ペトロニオでは正午の時刻が1/4秒まで精確に決定できる。おなじような設備はフィレンツェ*4の大聖堂やそのほか多くの教会にもある。

（23） 本書304ページ注14を見よ。

（24） Vitruv. IX 8, 1「カルデア人ベロッソスは、四角形からくりぬかれ、極の傾きにあわせて切りとられた半円形を発見したといわれている」〈*hemicyclium excavatum ex quadrato ad enclimaque succisum Berosus Chaldaeus dicitur invenisse*〉理論的には、この「極の高度に応じて、四角形から斜めに下方へくりぬかれた半球」は、真に半球面をあらわすことが必要である。しかし、すでに述べたように技術的な理由から、たいていは円錐の切片で満足されていた。

（25） しかし、この両欄は逆になっていた。磨羯宮—双児宮の列は子午線から左方に、巨蟹宮—人馬宮の列は同様に右方にこなければならない。

（26） Bilfinger, *Zeitmesser*, S. 28 を見よ。

（27） *Bull. de la société archéol. d'Alexandrie* IV（Alex. 1902）, S. 83; Wilamowitz, *Berl. Sitz-Ber*., 1902, 1906; Rehm, Pauly-W., *R.-E*., VIII 2425. たぶん、

ἀγορὴν λυθῆναι.

9) Eccl., 651:「あなたがすることは、日時計の影が10フィートの長さにでもなれば、身体に油を塗って、食膳にむかうことである」〈σοὶ δὲ μελήσει, ὅταν ᾖ δεκάπουν τὸ στοιχεῖον, λιπαρὸν χωρεῖν ἐπὶ δεῖπνον.〉στοιχεῖον(この語は、影の段階を意味し、影の層全体を意味するστοῖχοςと対立している)についてはDiels, *Elementum*, S. 67を参照。こうして、ἰαμβεῖον(短長格の句)とἴαμβος(短長格の詩)、ἐλεγεῖονとἔλεγος, σημεῖονとσῆμαも対比している。その他については、Lagercrantz, *Elementum* (Upsala 1911) S. 98 ff.

10) Bilfinger 前掲書 S. 14.

11) Anth. Pal. X 43: ἓξ ὧραι μόχθοις ἱκανώτατοι, αἱ δὲ μετ' αὐτάς γράμμασι δεικνύμεναι ΖΗΘΙ λέγουσι βροτοῖς. ζηθιの符号は、数字として7、8、9、10を意味するから、午後1時—4時となるわけである。

12) テオピロスという人のビュザンティオン時代の抜萃には、以前に印した自分の影の頂点まで「一歩一歩前進して」〈ἐν τῷ μετατιθέναι ἕνα παρ' ἕνα πόδα〉時間を測定する方法についての指令がなされている。

13) Plut., *Dion*. 29:「高くて目立つ日時計」〈ἡλιοτρόπιον καταφανὲς καὶ ὑφηλόν.〉Rehm, *Pauly-Wiss., Realenc*. VIII 2419.

14) Vitruv. IX 8, 1は、時計の発明者たちのうちに、*arachnen Endoxus astrologus*と挙げている。たしかにこれは、あの有名なクニドス人エウドクソスのことで、他の人物でないと考えられる(Boeckh, *Sonnenkreise* 11 ff.). そしてちがった季節の時間を見出すために、針金かまたは彫りこみ線でクモの巣状の網目をなしている日時計のしくみには、「クモ」が関連していることはかなり確実である。この網目は、同様な外観を示して同様にἀράχνηと呼ばれているアストロラーブの円板(Ioann. Alex. d. astrolab. *Rhein. Mus*. 6, 1839, 135)とは、P. Tannery, *Mém. scientifiques* (Toul-Paris 1912) I 320と*Recherch. sur l'hist. de l'astr.*, S. 2ff.の主張するように、かならずしも同一ではない。なお、本書258ページ以下のザルツブルクの時計参照。

15) Vitruv. IX 7, 2–6. Ptol. *De analemmate* (Ptolem. Opp. II 189 ff. ed. Heiberg). ことにアナレムマ〈Analemma〉(字義は、とり上げること)において、水平面上の投影が理解される。Bilfinger 前掲書 28; Manitius, Ztschr.

方の正方形の上に、影が毎時約4メートル進む。だから、太陽の軌道目でたどっていくことができる。「天文台は巨大な日時計である。午前時ころは、影は西の正方形の端まで約15メートルまでさす。太陽がのるにつれて、正方形内の影の長さは減ってくる。そして正午には影は消する。このとき、太陽は正確に南中しており、グノモンの平面内にあるしかし、これはほんの一瞬にすぎない。正午がすぎるにつれて、影は東正方形において伸びはじめていく。そして夕方の6時ころには、全正形が影になってしまう」。Bergholz, *Das Jaypur-Observatorium* (Berl. 190 Nr. 19 der *Vorträge u. Abhhandl.* von Archenhold), S. 38, Abb. Tafel II.

(4) Herodot. II 109: *Polos und Gnomon und die 12 Tagesstunden haben die Hellenen von den Babyloniern gelehrnt.* ともに日時計を意味するグノモンとポスとがどのようにちがうかは明らかでない。**πόλος**（字義は動いているの〈**πέλεσθαι**〉の枢軸）には、4種の意味がある。（一）地極、（二）天（三）天極のまわりを回転する天、（四）日時計（または、そのまわりを陽が回転するように見えるこの日時計の針）。その時計はまた、通俗に捕影器〈**σκιόθηρον**〉と呼ばれているが、これは、天の星を探す器具を星器〈**ἀστρολάβος**〉と呼んでいるのとおなじやりかたである。また同に揚水器や、それからさらに構成された水時計は「水どろぼう」〈**κλεφύδρα**と呼ばれている。**κλεφύδρα** すなわち「水どろぼう」または「水強盗（**ὑδράρπαξ** Simpl. d. cael. 524, 20)，または略して単に「強盗」（**ἅρπα** Simpl. phys. 647, 27）については、本書118ページと244ページ以下をよ。

(5) Diels, *Vorsokratiker* I[3] 14, 7 Anm.; Rehm, *Münchn. Sitz.-Ber.*, 1916, phil hist. Kl. III 15[2].

(6) *Vorsokr.* I[3] 19, 35.

(7) これにたいする指示を、Procl. hypot astr. に保存されているヘロンの片（Heron I 456 Schmidt）が与えている。その検量法が古く、しかもジプト人から借用したことは、ポセイドニオスによってクレオメデス（138, 4 Ziegler）が報告している。

(8) ヒッポクラテス派の流行病論にある治療日誌でさえ、表現は一定しいない。すなわち VII 25 (V 396 Littré): **ἕκτη** [n **ἡμέρη**] **πάλιν τὴν αὐτὴ ὥρην** [時間でなくて時刻] **περὶ πλήθουσαν ἀγορήν**—VII 31: **ἀπέθανε πρ**

七講の注

1) Dr. E. Bassermann-Jordan, *Geschichte der Räderuhr* (Frankf. 1905), S. 5. 古代の時計については、最近無数の著書がある。その先駆は、Bilfinger, *Zeitmesser der ant. Völker.*, Progr., Stuttg., 1886. 概観的なものは、Daremberg-Saglio, *Dictionnaire des Antiqu.* III 257 における Ardaillon と Pauly-Wissowa, *Realencyclop.* VIII 2416 ff. における Rehm, *Horologium* の項。日時計については、Schlieben, *Annalen d. Ver. f. Nass. Altertumsk.* XX (1888), 317 ff.; XXIII (1891), 115 ff.; Drecker, *Gnomon und Sonnenuhren.* Progr. Aachen, 1909. 水時計については、Max C. P. Schmidt, *Kulturhist. Beitr.* II (Leipz. 1912), 1 ff.

2) サンスクリット語では mā́s、ギリシア語では μήν、ラテン語では mensis、ゴート語では mena, menoths といわれている。

3) エジプト人は、太陽の軌道を観測するために注目すべき器具を使用していたが、この器具を、Clemens Strom. VI 4, 35 では、ὡρολόγιον καὶ φοίνικα ἀστρολογίας と呼んでいる。太陽と星を観測するために用いられた定木で、ヤシの木の枝を切ってつくられたものが発見されている。Borchardt, *Z. f. äg. Spr.* 37 (1899), 10 参照。また同書 49 (1911), 66 でかれは、昼夜の時間決定に用いられた別の定木のことを述べている。ところがまた、これらの定木と関連して、小型の階段状の受影面が見出されているが、これらも同様にグノモンとして用いられたものである。かれは、これに関する一大研究を準備している。これらの階段は、『列王紀』下第 20 章 9—11 と『イザヤ書』第 38 章 7、8 におけるヒゼキヤ*1 の奇蹟を思い出させるが、これについては、古代から数かぎりなく臆測されている。非常に可能性のある二つの解釈のうちで最も明確な説明を、私は Schiaparelli, *Astron. im Alt. Test.* (v. Lüdtke のドイツ語訳), S. 88 に見出す。私は、報告されている奇蹟の基礎をなす設備品は、建立者アハズ*2 がアッシリア人から採用することができた（『列王記』第 16 章 10 以下参照）大きな階段のある真の日時計であると考えた。私たちは、ヤイ・シンク二世（1718—1734 年）がインドのヤイプル*3 その他の地に建立させた大天文台〈Samraj〉を参照できるであろう。ヤイプルには、高さ 27 メートル、底辺 45 メートルの三角形のグノモン〈sanku〉があり、それに付随した 15 メートル平

(87) *Beitr. zur Gesch. d. Chemie, dem Gedächtnis von Kahlbaum gew.* (Leipzig Wien 1909), S. 98 における Kahlbaum-Hoffmann, *Die Anfänge der Chemie*.

(88) 〔図 48・49 について。〕この説明は、F. M. Feldhaus, *Geschichtsbl.* *Techn.* II 35 によって報告された。むしろこの少年はかまどのもう一方の側に見えている鍛冶場の火のふくろ状の送風器を圧しているのであろう。そうすれば、左手にある「棒」も、それが古代のふいごでは必備品であるところから説明がつく。Feldhaus 前掲書 I 204 と *Technik der Vorzeit* Sp. 36 のつぎの言葉を見よ。「原始的な送風器は、動物の皮からつくられる。その三脚は閉じられてしまい、残る第四の脚が管に結びつけられる」。

＊1　ギリシアのボイオティアにある町。

＊2　クニドス出身のアリストテレス学徒で、『エリュトラ海について』を書いた。

＊3　一つの卵は、卵殻、卵膜、卵白、卵黄の四部からなっているから

＊4　2 世紀ころのローマの著作家。

＊5　2 世紀ころのギリシアの旅行家・地理学者。

＊6　2 世紀ころのマダウラ（北アフリカ）出身のローマの修辞学者。

＊7　240 年ころの『ギリシア哲学者列伝』の著者。

＊8　後 3 世紀のはじめのエムマウス（パレスティナ）在住のキリスト教徒の著作者。

立調剤室の管理人については、ギリシア語のゾシモスがつぎのように述べている（Bethelot, *Alchim.* 240, 5），εἶχον δὲ καὶ ἰδίους ἄρχοντας ἐπικειμένους καὶ πολλὴ τυραννὶς ἦν τῆς ἐφήσεως οὐ μόνον αὐτῆς, ἀλλὰ καὶ τῶν χρυσωρύχων· εἰ γάρ τις εὑρίσκεται ὀρύσσων, νόμος ἦν Αἰγυπτίοις μὴ «ἂν» εγγράφως αὐτὰ ἐπιδιδόναι. 金細工品〈χρυσοχοϊκή〉の専売権については、Mtteis-Wilcken, *Grundz. u. Chrestom. der Papyruskunde* I 1, 256; 2, 375 n. 318 参照。このエジプトの神殿工業については、Reil, *Beitr. z. Kenntnis des Gewerbes im hellenist. Ägypten*（Lpz. 1913）と v. Lippmann 前掲書 261 ff. にくわしく記述されている。ローマ時代における工業、ことに金細工工業の発展については、Gummerus, *Klio* 14（1917), 129 ff.15（1918), 256 ff. 参照。

80） Plin. 33, 131.

81） Berthelot, *Ch. au m. â.* II 206 n. 13.

82） *Archaeologia* t. 32, p. 201 f. アルコールに関する拙文 S. 28.

83） 前掲書 p. 189: *coniuro autem per magnum deum qui invenerit, nulli tradere nisi filio.* p. 196: *absconde sanctum et nulli tradendum secretum neque alicui dederis, propheta.* 参照。なお Pap. Holm. ις 28（本書 180 ページを見よ）と Pap. Leid. I 10, 9 ἐν ἀποκρύφῳ ἔχε ὡς μεγαλομυστήριον, μηδένα δίδαδκε.（II S. 187, 9; 194, 4 参照)。さらに、Dieterich-Wünsch, *Rel. Versuche u. Vorarb.* IV 2, 139 の部分には、著作物や呪術パピルスからの史料が与えられている。

84） アルコールに関する拙文 S. 17 を見よ。

85） 本書 149 ページを見よ。

86） 本書 145 ページ。それにアルコールに関する拙文（*Abh. d. Berl. Ak.* 1913 ph.-h. Kl. 3）参照。この拙文と H. Degering 教授の報文 *Ein Alkoholrezept aus dem 8. Jahrh.*（*Sitz.-Ber. d. Berl. Ak.* 1917, 503）とにたいして、v. Lippmann 教授が Chemiker-Zeitung 1913 n. 129. 132. 133. 138. 139 および 1917, n. 143. 144. 148. 154 において提出した諸要求は、非常に注目すべきであるが、処方の史料関係に基礎をおく私の根本見解は、これによって動揺するものではない。アルコールの最古の宣伝者フィレンツェのタッダエウスについては、v. Lippmann, *Archiv f. Gesch. d. Med.* VII（1914）379 参照。

tura involutae videntur.

(69) Holm. α 25 = Leid. S. 6, 40.

(70) Holm. θ 13.

(71) だからわれわれは、雑種〈Mischling〉もまた„Blendling"と称している。英語の *blend* は単に「混合する」という意味をもつにすぎない。

(72) Holm. β 33.

(73) 「秘事を守れ、紫の着色はすぐれているからである」〈τήρει ἀπόκρυφον «τὸ» πρᾶγμα· ἔστιν γὰρ καὶ εὐανθὴς〔すなわち ἡ πορφύρα は〕ὑπερβολῇ.〉

(74) Hammer-Jensen 夫人（*Ber. d. Dän. Ak. d. Wiss.*, 1916, 285）は、そのように考えている。しかし彼女は、この処方をたぶん「農業書から出た家事の処方」〈*recette de ménage, venant peut-être de quelque écrit agricole*〉として職人たちのために用意されている残る多数の処方から分離しなければならなかった。

(75) 呪術的な内容の広範囲の一書籍が、化学古文書といっしょに見出されたらしいということ、また、ストックホルム・パピルスにも、筆蹟はおなじではないが、たぶん調剤室でじっさいに使用されたと思われる一枚の呪術的教義が差しこまれていたのが見出されたということは、十分顧慮すべきである。なぜなら、われわれはエジプトの神官たちが神聖な連禱を吟誦しながら化学的な仕事をおこなったことを知っている（以下の注 78 を見よ）からである。またこの連禱の文句のなかには、ヘリオス神への呼びかけとともに、以前から魔法に付随していた不明瞭なかずかずの異国の名前も見出される。Wünsch, *Arch. f. Relig.*, 16 (1913) 633 参照。

(76) アルコールに関する拙文（既出）S. 26 ff. を見よ。

(77) 前掲書 S. 27[1] 参照。

(78) *De Is. et Osir.* 80 p. 383 E.

(79) Berthelot, *Chimie au m. â.* II 229（シリア語原文から）: *Je pense que les anciens, par suite de leur esprit de jalousie, n'écrivirent pas ces choses, mais ils les firent connaître en secret aux prêtres seuls.* 同書 245 : *ceux qui préparent le mercure doré sont les fabricants de lames d'or pour les temples et les statues de rois; mais ils cachent, eux surtout, leur art et ne livrent à personne. Les fabricants de l'or et ceux qui travaillent finement le mercure, agissent comme s'il n'était pas naturel.* この国

56)　Holm. δ 51 : ἔσται χειρισθεὶς ὡς δεῖ ὑπὲρ τῶν φυσικῶν.

57)　Holm. η 7 : ὁ λεγόμενος τάβασις ἐκ τῆς Αἰγύπτου καταφερόμενος.

58)　前掲書 15.

59)　Cumont, *Prol z. s. Ausg. von Philo de aeternitate mundi* (Berl., 1891), p. IX[4].

60)　ι̅ζ̅ 29 (S. 28).

61)　ἀγχούσης ἐξωτικῆς.

62)　赤色の着色術には、種々のエンジ虫（雌のエンジ虫）が利用されるか、またはイチジクにいるエンジ虫を突きさして、レーキ染料〈lack-dye〉のようなラックがつくられた。レーキ染料の長所は、透明な光沢である。このことは、ギリシア語の ἄνθος〈光沢〉という用語が説明している。

63)　τ̅ς̅ 39 ff.

64)　α 13（本書 181 ページ、図版九を見よ）。

65)　35, 175.

66)　32, 141. また Sext. Pyrrh. Hypot. I. 46 と、（Wellmann の観察によれば）Westermann, *Paradoxogr.* 146. 21 における Psellus, Περὶ παραδόξων ἀναγνωσ μάτων にもある。この後者には、このような戯れ〈παίγνια〉がたくさんあるが、これらはたしかに前の抜萃と同様、アナクシラオスからイゥリウス・アフリカヌス*8 の著作 *Kistoi*（144, 1; 146, 13）を仲介にして抜萃したものである。さらにこの *Kistoi* は、このようなものを、Pap. Holm. と Pap. Londin. 121（後 3 世紀）における抜萃 Δημοκρίτου παίγνια とが表示しているように、ボーロス＝デモクリトスから汲みだしているのである。さしあたり私には、ボーロスの抜萃とともにアナクシラオスの Παίγνια という標題の一文書を採用する機会がない。

(67)　Hippolytos, *Ref.* IV 28 (S. 54, 6 ff. ed. Wendland); Ganschinietz, *Hippolytos' Capp. g. d. Magier* (Harnack-Schmidt, Texte u. Unters. XXXIX 2, 12 ff). なお拙文 *Die Entdeckung des Alkohols* (*Abh. d. Berl. Ak.* 1913, ph.-h. Kl. 3. 1913), S. 24 ff. 参照。これらの戯れ〈παίγνια〉は、中世のその他の呪術的な処方書とともに伝播している。Berthelot, *Chimie au m. â.* I 114 によるマルクス・グラエクスを見よ。

(68)　ニギディウスに厄介になったキケロは、*Tim.* I, 1 において、かれをつぎのように賞讃している、*acer investigator et diligens earum rerum quae a na-*

う確定的な出所が予想できるはずである。

(43) Lippmann 前掲書 290 には、ディオクレティアヌス帝の錬金術師に
いする干渉と貨幣改正との関係が述べられている。

(44) *Papyri graeci Musei Lugduni-Batavi*, ed. C. Leemanns, t. II, Leid., 188
Berthelot. *Alchim. gr.* (*introd.*), p. 19 ff. にはフランス語訳がある。

(45) ウプサラの Otto Lagercrantz の編集した *Papyrus Holmiensis, Rezepte f*
Silber, Steine und Purpur (大学刊行書), 1913. それをいくらか引用してい
拙文 *Deutsch. Literaturz.*, 1913 Sp. 901 ff. 参照。今日では v. Lippmann 前
書 1 ff. が、この出版書の貴重な注釈を提供している。このパピルスの
部の写しは、本書の図版九を見よ。

(46) すでにテオプラストスが、真珠を宝石のうちに入れている。Fr. *De l*
pid., 36.

(47) ストックホルム・パピルスは、ライデン・パピルスにあるエジプ
語の ἄσημος の代わりにつくられた ἄργυρος を述べている。

(48) Pap. Holm. α 25 (S. 4 Lagerer.) καὶ γίνεται ἄργυρος ὁ πρῶτος, ὡς κ
τοὺς τεχνίτας λανθάνειν, ὅτι ἐξ οἰκονομίας τοιᾶσδε συνέστη.

(49) アリストテレスの考えとの関連については、v. Lippmann, *Abh. u. Vo*
tr. II 146. *Entstehung d. Alch.*, 139 ff. を見よ。近代的な化学反応をとりあ
かわなかった古代の化学が、貴金属を吟味するさいには(太古の試金石
なわちリュディア石〈βάσανος, *lapis Lydius*〉による試金を除けば)、合
の色のちがいにたよっていたことが理解される。

(50) Holm. α 36.

(51) Holm. β 15.

(52) もちろん、この貨殖ということにも、Pap. Leid. 12, 1 の著者が金の
倍量につぎのような言葉をつけ加えているように、関係はしている。す
わち、「黄金を偽造して増量する」〈δολοῦται χρυσὸς εἰς αὔξησιν〉。

(53) Berthelot, *Alchim.* 30, 24: ὁ σῖτος σῖτον γεννᾷ, καὶ ἄνθρωπος ἄνθρ
πον σπείρει, οὕτως καὶ ὁ χρυσὸς χρυσὸν θερίζει, τὸ ὅμοιον τὸ ὅμοιο
ἐφανερώθη νῦν δὴ τὸ μυστήριον. 同様にまた古代においては、穴のなか
石は次第に成長するものと信じられていた。Plin. XXXVI 125.

(54) v. Lippmann, *Vortr. u. Abh.* II 146. 117. 135.

(55) μᾶζα ἀνέκλειπτος Leid. 7, 59. Holm. β 17.

Gr. Texte aus Aeg. S. 131 n. 10, 3）に変化でき、また、下エジプトの方言のために Πι が Φι となったにしても（サイス）、エーター〔η〕がなお同等視できないからである。だからむしろ、パムメネスとはおそらく、Tacitus, Ann., 16, 14 と Aelian, *Nat. hist.* 16, 42 において命名されているエジプトの占星術師と同一人であろう。かれもまた、博物学的な驚異に関心をよせていた人である。

31）　*Nat. hist.* 30, 8.

32）　この部は、簡単な家庭薬〈εὐπόριστα〉とは反対に、Χειρόκμητα すなわち巧妙に調合された薬剤という名がつけられていたようである。S. Oder, *Rh. Mus.* 45, 72. *Vorsokr.* II^3 125. 私はもはや、Χειρόκμητα が将軍の称号に属するという説を固執しない。

33）　*Sitz. d. Berl. Ak.* 1891, 393.

34）　*Sitz. d. Berl. Ak.* 1908 S. 776, 15.

35）　たとえば、ゲッリウス*4、パウサニアス*5、アプレイウス*6、ディオゲネス・ラエルティオス*7 がいる。

36）　c. 96. *Berl. S. Ber.* 1908, 720.

37）　Plin. *Nat. hist.* 28, 5 において、かれは「人間の法の破壊者、そして奇怪なことをおこなう人」〈*eversor iuris humani monstrorumque artifex*〉といわれている。

38）　16, 8「われわれの指導者ウァレンス」〈*praeceptoris nostri Valentis*〉.

39）　9, 31 *ego ipse diu vexatus auris taedio ete.*

40）　本書 314 ページ注 22 を見よ。

41）　スイダスは、Βῶλος の項でその著書を Περὶ σηείων τῶν ἐξ ἡλίου καὶ σελήνης καὶ ἄρκτου καὶ λύχνου καὶ ἴριδος と呼んでいる。Pauly-Wiss. *Realenc.*, II 1815, 7 における Riess 参照。その上ネケプソもまた、かれの占星術文書の第 14 巻で魔法の石をとりあつかっている（Galen. XII 207）。

42）　この両パピルスがかつて一対であったということは、それらがアナスタシというただ一人の手にはいったということからだけではなく、この両文書の特徴とこの両文書のきわめて良好な保存状態とからわかるのであって、この非常に良好な保存状態は、もっぱら墳墓のなかで特別注意して保管されていたためであろう。そこでまた、アナスタシのストックホルム・パピルスによって、ライデン・パピルスがテーベの墳墓から出たとい術とそれらのいわゆる始祖たちが互いにつらなりあっている。

(23) *Vors.* 55 B 300, 17 (II³ 131, 6) ἡ φύσις τῇ φύσει τέρπεται καὶ ἡ φύσ τὴν φύσιν κρατεῖ καὶ ἡ φύσις τὴν φύσιν νικᾷ.

(24) Prantl, *Deutsche Vierteljahresschrift* (Stuttg. 1856) 135 ff.; v. Lippman *Abh. u. Vortr.* I 107; II 55. 140; *Entst. d. Alch.* 134 ff.

(25) 化学についてのヘロンの呼称で、ゾシモス(本書 317 ページ注 3 を見よ)がこの説を提出した。

(26) Paris. 2327 f. 196ʳ (Berthelot, *Alchim.* 21, 21).「このふしぎなものは、尾を咬んでいるドラコンである」〈τοῦτο γάρ ἐστιν τὸ μυστήριον οὐροβόρος δράκων.〉

(27) これについては、たとえば、Weinstein, *Die Grundgesetze der Nat* (Leipzig 1911), S. 44 参照。

(28) この言葉は、θεῖον〈硫黄〉と同音であるため、一種の液状硫化物と同一視されている。

(29) *S.-Ber. d. Dän. Ak. d. W.*, 1916, 279 ff. における Ingeborg Hammer-Jensen, *Deux papyrus à contenu d'ordre chimique.*

(30) *Syncell.* I 471 Dind. ἀλλ' οὗτοι μὲν Δημόκριτος καὶ Μαρία ἐπηνέθησα παρὰ 'Οστάνου(のちの妖術的化学者たちの師と見做されている人物)ὡ πολλοῖς καὶ σοφοῖς αἰνίγμασι κρύφαντες τὴν τέχνην, Παμμένους δ κατέγνωσαν ἀφθόνως γράφαντος. Φυσικὰ καὶ μυστικά の著者は、デモクリトスとみなされているが、これは、すでに古いボーロス=デモクリトスをこの一面的な方法で改作したものである。ユダヤの婦人マリアは、ゾシモスによってモーゼの姉〔妹〕だとされているが、彼女は銅と鉛から、金属の四物合一〈Viereinigkeit〉, すなわち万物をつくる「賢者の卵*3」を調合している。彼女は、さまざまな化学的装置を記述しているが、しかし、彼女に帰せられている器具「温浸なべ」〈Marienbade〉は彼女には関係ない。Lippmann 前掲書 46 ff. 最後に、パムメネス(Παμμένης, *Pa-men* „Men" すなわち Menes の「それ〔パ〕」は、Möller 博士の教示しているように、Leidner Papyrus col. 11, 15 が原典と呼んでいる《Leemans, *Pap. gr.* II 23³》ところのサイスのピメナス(Φιμήνας = Φιμηνις これは *Hpi*-mên すなわち「聖牛(アピス)がいる」のギリシア語化したものである)とは同一視できない。なぜなら、たとい Πα-μένης が Πι-μένης のような名称(P. M. Meye

S. 227 ff. における Riess を見よ。私は、この不正文献についての吟味を、*Vorsokr.* II[3] 150 ff. においてなした。

14) Berthelot, *Collect.* I 44, 21.

15) Berthelot, *Coll*, I 9, 18 における錬金術辞典、Lippmann 前掲書 44. 45. 217 参照。

16) 42, 14 Berth. ガラティアの虫と λακχά と呼ばれるアカイアの花〈ἔστι δὲ ὁ τῆς Γαλατίας σκώληξ καί τι τῆς, Ἀχαΐας ἄνθος, ὃ καλοῦσιν λακχάν (*anchusa tinctoria*, Alkanna).〉それにたいして Pap. Holm. 3, 37 ではギリシア語の ἄγχουσα となっている。本書 310 ページ注 61 参照。（ペルシアの仲介なしに）直接インドに由来する外来語、すなわちインド語〈Prakrit〉の lakkhā と一致する外来語が、すでに 8 世紀のルッカ手写本のいわゆる *Compositiones* には、lacca という形で存在している。中世の *Mappae clavicula* やその他の双書に利用されているこのラテン語文の処方集は、初期ビュザンティオンのギリシア語の原書を基にしている。したがって、インド語からの継承がすくなくとも 7 世紀であることは、たしかである。それともまた、それはもっと非常に古いことかもしれない。

17) Senec. ep. 90, 33.

18) Seneca 前掲書。煮ることによって、小石がどのようにして緑玉に変えられるかということ、そして、今日でさえ、この煮る方法によって、これに効果があるとみられる石が染められている〈*quemadmodum decoctus calculus in zmaragdum converteretur, qua hodieque coctura inventi lapides «ad» hoc utiles colorantur*〉。P. Holm Tα 37 οἱ δὲ ἐπιτήδειοι πρὸς βαφὴν λίθοι κρύσταλλος...πυρίτης. *calculus* は、λίθοι が *lapides* に一致するように、ここでは、ε 4 その他にしばしばある λιθάρια に一致する。

19) Plin. 37, 197.「私がたしかにその著者たちのことを明示することはないであろうが、そういう人たちの解説が存在する」〈*exstant commentarii auctorum, quos non equidem demonstrabo*〉（アナクシラオスから）。

20) Riess, *Rhilol.* VI 補遺、Usener, *Kl. Schrift.* II 254 参照。

21) Kroll, *N. Jahrb. f. kl. Phil. und Päd.* VII 559; Reitzenstein, *Poimandres* S. 4 ff.

22) Kopp, *Beitr. z. Gesch. d. Chemie* I 108; Usener 前掲書。しかしフィルミクスは、この言説をネケプソに帰している。この言説では、占星術と錬金

(7) *George. Sync.*, I. 20, 20; 21, 13 ed. Dindorfの抜萃は、かれを 'Ασα
'Ασαλσήλと呼んでいる。

(8) Kautzsch. *Apokryph, u. Pseudepigr. d. A. Test.* II 239 ff. における G. Beer
翻訳。

(9) *Pseudoklementinische Homilien*, VIII 12 (S. 89 Lagarde) における描写
最も詳細である。それによると、まず墜落した天使どもは、宝石、真珠
紫、金などに姿を変え、人間はそれらを所有して傲慢になる。また天使
もは、四足獣や爬虫類に姿を変え、それからふたたび人間の姿になって
たちを誘惑し、そして彼女らにささやいた愛情の代償として、黒魔術、
金属や宝石の産地と加工、それに植物や一切の自然科学の知識を彼女ら
与えた。ここでは、デモクリトスの百科全書の要綱が、『エノク書』よ
もさらに明瞭にあらわれている。また錬金術理論の推進的な酵母として
一元論的傾向も、ここには暗示されている。すなわち、c. 12の結文
τοίνυν τὰς πάντων πολλὰς καὶ διαφόρους πράξεις ἀπονέμοντες.

(10) Pauly-Wissowa III 676 (1897) における M. Wellmann を見よ。かれ
その後さらに史料研究を展開し、それによって、全体を目録式に、つま
個々の章節内でアルファベット順に整理した書を再現して、その作成時
をいっそうくわしく決定できる(前約180年)と信じている。この重
な研究が早く提出されることが望ましい。しかし、私はすでに現在、こ
専門家のいくつかの私的報文が利用できることを感謝している。

(11) Suid. βῶλος の項で:Περὶ συμπαθειῶν καὶ ἀντιπαθειῶν «ἀνθρώπω
ζῴων, φυτῶν» λίθων.

(12) Δημοκρίτου Φυσικὰ καὶ μυστικά. *Vorsoky.* II^3 130, 23 ff. 参照。

(13) この錬金術の底本とその分脈についての最上の研究は、Rauly-Wiss
wa, *R.-Enc.* (*Alchemie*の項) I 1342 ff. と Hastings, *Fncyclop. of Religion* V (*A*
*chemy*の項) I 288 とにおける Riess, それに v. Lippmann 前掲書 S. 29 ff.
ある。ギリシア原文は、Berthelotの序言と原文のフランス語訳とがあ
Berthelot, *Collection des anciens Alchimistes grecs* (Paris 1887, 1888) におけ
Ruelleのまずい評論中にある。同様にデモクリトスからの抜萃をふくん
いるシリア=アラビア語原文は、Berthelot, *La Chimie au moyen âge* (Duv
によるフランス語訳つき), B. II (Paris, 1893) にある。それについては、*„Be*
trägen, dem Gedächtnis von Kahlbaum gewidmet“ (Leipzig-Wien, 1909)

述べられているが、それ以外では、私が立証しようとする事実にまったく近い。Hoffmann の語源は、最近 v. Lippmann 前掲書 S. 293 ff. において確信をもって賛成されている。

) この語源は、私が第一版公刊後に知ったことだが、ステパニデスが最初に提出している。かれの Ψαμμουργικὴ καὶ Χυμεία, Mytilene 1909 (Kuhn, *Z. f. vergl. Sprachf.* 47, 193) 参照。Χύμα は、Hippocr. *De arte* 12 以後、最初はデロスの財産目録に (χύμα χρυσοῦν)、それから前 3 世紀にオロポス*1 にあらわれ (私はそれを Hermes 48, 402 で立証した)、またアレクサンドリアの地理学者アガタルキデス*2 (前 150 年ころ) の *De mari Erythr.* 28 (128, 12) に、黄金の加工を術語で述べるさいに用いられている。すなわち αὐτὸ δὲ τοῦ χρυσίου τὸ χύμα βραχεῖαν εἰληφὸς ἀπουσίαν ἀπὸ τοῦ φήγμαος. ἀπουσία については *Abh. d. Berl. Ak.* (*phil.-hist. Kl.*) 1913 n. 3 S. 10[2] を見よ。蜜のかたまりについて Diodor., 17, 75, 7 は、χύμα διάφορον τῇ γλυκύτητι といっている。それから、ギリシア語訳旧約聖書にしばしば転載され、Aristeas 14. 277 にも転載されている。さて χύμα からはまず χυμεύειν が派生する。もちろん -μα の中性名詞から派生する -εύειν の動詞はたくさんはない (Fränkel, *Denominativa* S. 194) が、全然ないことはない。すなわち、すでに Homer Σ 255 には δράγμα にたいする δραγμεύειν があり、一覧表式の Heracl., Collitz 46, 29, I 136 には、σαρμεύειν がある。後者において派生語を補助するために σάρμα とともに σαρμός があるように、χύμα とともに χυμός があって派生語を補助している。さてここから、χυμεία, χύμευσις, χυμευτής, χυμευτικός, それに伝説の χύμης が派生してきたのである。しかし根本意義において、なお 2、3 の用語法が感づかれるように思われる。たとえば、スイダスは χημεία の語のところで、Joannes Antiochenus から、ディオクレティアヌス帝の迫害をつぎのように報じている、ὅτε δὴ καὶ τὰ περὶ χημείας χρυσοῦ καὶ ἀργύρου τοῖς παλαιοῖς αὐτῶν (エジプト人) γεγραμμένα βιβλία διερευνησάμενος ἔκαυσε. また、ディオクレティアヌス帝のころの人と思われる『偽クレメントの説話集』〈*Pseudo-Klementinische Homilien*〉の著者も、その VIII 14 において、金属鋳造の発明を、とくに墜落した天使に帰している：χρυσοῦ καὶ ἀργύρου καὶ τῶν ὁμοίων χύσιν. 315 ページ注 9 を見よ。

6) 前掲書 S. 23, 21 f.

第六講の注

(1) H. Kopp, *Beitr. z. Gesch. d. Chemie* (Braunschweig, 1869), S. 44 ff. と日の総括的著書 E. von Lippmann, *Entstehung und Ausbreitung der Alchem* (Berlin, 1919), S. 287 参照。

(2) *Iulii Firmici Materni matheseos libri* VIII ed. Kroll, Skutsch, Ziegler. 2 Bd. Leipzig, 1897. 1913. 偽作者によって補われた大きな脱落については同書 189, 8; v. Lippmann, *Chem.-Z.*, 1914, 685 u. *Entst. d. Alch.* 288 参照。

(3) Zosimos b. Syncell., 24, 11 Dind. ἔστιν οὖν αὐτῶν ἡ πρώτη παράδοσ Χημεῦ〔そこで、この筆蹟は Χήμου, すなわち第一格 Χύμης, からの Χύμ と判読される〕περὶ τούτων τῶν τεχνῶν. ἐκάλεσε δὲ ταύτην τὴν βίβλ Χημεῦ〔Χήμου = Χύμου と判読される〕, ἔνθεν καὶ ἡ τέχνη Χημεία καλεῖτα この個所は Berthelot, *Chimie au moyen âge* II 230 では、シリア人の改 (後約 5–6 世紀) によってつぎのごとく述べられている、*On appele le livre Chema* (*kaumou*) *et c'est de là que la chimie* (*koumia*) *a reçu son nom.* かし原文は、むしろ逐字訳すればつぎのとおりである。「かれらは、ク の諸著書を読んでいた。そこからクミアと呼ばれる」〈*Sie waren lesend d Schriften des Khumu und hiervon wird die Khumia genannt.*〉こうしてシリ 人は Χύμου や Χυμεία とも読んだ。ケドレヌスは、Χεῖμα という形を化 の原本 (後 515 年ころ) の標題として読んでいたようである (p. 629, Bekk.)。 τότε καὶ ἀνήρ τις Χειμευτὴς ἐκ τῶν τῆς Χείμης τεχνῶν εὐφυὴ ὢν ταῖς ἀπάταις ὀφθαλμοπλανῆσαι ὑπεδείκνυεν ἀργυροπράταις κα ἑτέροις χεῖρας καὶ πόδας ἀνδριάντων καὶ ἕτερα εἴδη χρυσᾶ λέγων θη σαυρὸν εὑρηκέναι καὶ πολλοὺς ἀπατήσας εἰς πενίαν ἤνεγκε. Χήμης は、ゾシモスの注釈者のオリュムピオドロスによって、ヘロンが化学につい 命名したものだといわれている (Berthelot-Ruelle, Alchem. gr. 84, 12). ゾシモスの他の個所では Χύμης という名称で呼ばれ (169, 9; 172, 17)、また一方 Χίμης (Χύμης の変化したもの) とも呼ばれている (182, 18; 18 22)。ここでかれは ὁ προφήτης と称している。

(4) G. Hoffmann は Ladenburg, *Handwörterbuch der Chemie* II 518 の化学の項において、きわめて丹念に史料を収集し、この語源を詳細に説明している。そこでは、エジプト語の chēmī (黒い、黒色) からの派生語であるとわしくないとし、木でつくったおそろしい砲の発明者を、シュラクサイの包囲攻撃で活躍したアルキメデスとし、この器具の使用は、人間の自由を消滅させると非難している。

＊12　エスパニアの文学者で『ドン・キホーテ』の著者（1547—1616年）。

＊13　ドイツの宗教改革論者（1497—1560年）。

＊14　オランダ出身のヒューマニスト（1467—1536年）。

＊15　ドイツの哲学者、数学者（1646—1716年）。

＊16　ドイツの劇作家（1816—1875年）。

＊17　第一次世界大戦。

(49) Libri, *Histoire des Sciences math. en Italie*, I² (Halle 1865) p. 36.

(50) Orlando furioso IX 28. 29. 90. 91. ここでは、つぎのように書かれている、*O maledetto, o abominoso ordigno Che fabricato nel tartareo fondo Fosti per man di Belzebù maligno Che ruinar per te disegnò il mondo.*

(51) XI 22ff.

(52) v. Lippmann, *Abh. u. Vortr.*, I 172には、セルバンテス*12（*Don Quichote* V c. 7）、シェイクスピア、ルター、メランヒトン*13、エラスムス*14、ライプニッツ*15にいたるまでの、火薬技術の非難者たちの名前が挙げられている。Moscherosch は、その著 *Soldatenleben*, S. 381, her. v. Bobertag（Kürschner D. N.-Litt. 32）において、「蒸発上人」（ベルトルト・シュヴァルツ）を、最もくわしく罵倒している。

(53) キケロの典拠としてのポセイドニオスを、私は *Elementum*（Leipzig 1899), S. 1ff. において指摘した。アレクサンダー・ロスト*16（1816—1873年）は、グーテンベルクとベルトルト・シュヴァルツとを「暗黒の力」に挑戦する同盟者としてその脚本 *Berthold Schwarz oder die deutschen Erfinder* に述べ、それを上演した（1864年、ヴァイマールで上演）。

(54) この個所は、世界大戦*17勃発よりかなり以前に書き下ろしたものである！ 大戦中に使用された巨砲、ツェッペリン、ガス攻撃、潜水艦というドイツの諸発明が敵軍を悩ましたことはもちろんである。

＊1 ドイツの宗教改革の主唱者（1483—1546年）。

＊2 4世紀はじめのローマの軍事記者。

＊3 小型投石器の意味。

＊4 連発銃。

＊5 高宗の紹興20年。

＊6 ガラス。

＊7 生石灰。

＊8 ビュザンティオン出身の歴史家（約758—817年）。

＊9 1470年ころのコンスタンティノポリスの歴史家。

＊10 一種の小銃。

＊11 この一文の大意は、地上に電光を投げつけることは人間にふさ

Rathgen, *Z. f. hist. Waffenk.* VIII H. 314を見よ。

40) Petrarca, Dialog *De remediis utriusque fortunae* I 99 (ed. Basil. 1554 fol., p. 84): *G. Habeo machinas et balistas innumeras. R. Mirum nisi et glandes aeneas, quae flammis iniectis horrisono tonitru iaciuntur. Non erat satis de coelo tonantis ira Dei immortalis, homuncio, nisi (o crudelitas iuncta superbiae) de terra etiam torruisset; „non imitabile fulmen", ut Maro* 〔Aen. VI 590〕 *ait, humana rabies imitate est, et quod e nubibus mitti solet ligneo quidem, sed tartareo mittitur instrumento, quod ab Archimede inventum quidam putant eo tempore, quo Marcellus Syracusas obsidebat. Verum ille hoc, ut suorum civium libertatem tueretur, excogitavit, patriaeque excidium vel averteret vel afferret* 〔*differret*と読む〕, *quo vos, ut liberos populos vel iugo vel excidio prematis, utimini. Erat hacc pestis nuper rara, ut cum ingenti miraculo cerneretur, nunc ut rerum pessimarum dociles sunt animi, ita communis est ut unum quodlibet genus armorum*[*11]. この一文はまたとくに、ペトラルカがまだ金属砲を知らないで、単に木砲だけを知っていたことを証言しているためにも興味がある。アルキメデスについては、本書152ページ以下を見よ。

41) Feldhaus, *Zeitschr. f. hist. Waffenkunde* IV 8 (1907) S. 256. この砲の写真複写は、同著者の *Technik* (Lpz.-Berl. 1914), S. 424, Abb. 281にある。

42) Rud. Suhneider, *Die Artillerie des Mittelalters*, Berl. 1910. この著者は不当にも、中世におけるねじり飛び道具の使用を否定していた。

43) 上記注40を見よ。

44) Feldhaus, *Leonardo der Techniker und Erfinder* (Jena 1913), S. 93. この手写本の年代については、Feldhaus, *Technik* S. 622を見よ。パリの手写本Bは、1488—97年由来のものである。

45) *una balotta che pensava uno talanto stadj* 6.

46) *Geschichte der Dampfmaschine* (Berl. 1909), S. 27. かれは、レオナルドがアルキメデスの今日失われている一書を利用したにちがいないと推定している。

47) こうして、たとえばヤコポ・マリアノ(1440年ころ)が *Archimede* と称している。

48) Archenhold, *Weltall* IX 186におけるHeibergと本書328ページ注17を見よ。「アルキメデスの時計」については本書第7講245ページを参照。

せることができるであろう。なぜなら、当時人びとが火薬を粒状にするこ とを覚えたとき、はじめて火薬の爆発力を弾丸発射に利用して成功したか らである。だから、マルクス・グラエクスもその書 *Liber ignium* の序文 (Berthelot 前掲書 I 100) で、強力で敵を焼きつくす効果〈virtus et efficacia ad comburendos hostes〉についてだけ語っている。こうして、ヴァティカ ノ手写本に描かれている火の攻撃が理解され、v. Lippmann, *Chemikerz.* 1916 n. 54 で提起された疑念が除去されるのである。

(33) p. 536 ed. Brewer: *Nam soni velut tonitrua possunt fieri et corruscationes in aere, immo maiori horrore quam illa quae fiunt per naturam. Nam modica materia adaptata, scilicet ad quantitatem unius pollicis, sonum acit horribilem et corruscationem ostendit vehementem.*

(34) p. 551 Br. Romocki 前掲書 I 93. その読みは、むろん印刷にも Brewer の対照した手写本にも、まったく一致しない。

(35) Romocki I 78ff.

(36) Romocki I 39ff. W. F. Mayer, *Journ. of the North-China branch of the Royal Asiatic Soc.*, 1869–1870 (N. S. VI), Shanghai, 1871, S. 76ff. それにたいして G. Schlegel, *T'oung pao Archives pour servir à l'étude de l'histoire ...... de l'Asie orientale* Sér. II, vol. III (1902) p. 1ff. O. v. Lippmann, *Abh. u. Vortr.* I 149ff. II 284ff.

(37) 同時代のラオニコス・カルコンデュレス*9の報告 de reb. Turc. V p. 231ff. Bonn über Murads II. vergebliche Belagerung von Konstantinopel (1422) は興味がある。カノン砲〈τηλεβόλοι, τηλεβολίσκοι〉は、けっして古代の発明ではなく、ドイツ人によって発明され、それから急速に世界に伝播した〈οἱ μὲν τηλεβολίσκοι ἀπὸ Γερμανῶν καὶ ἐς τὴν ἄλλην κατὰ βραχὺ ἀφίκοντο οἰκουμένην〉と信じてよい。「石弾を投出する原動力は火薬〈κόνις〉でつくられた。火薬の硝石は、木炭と硫黄とに混和させるとき、力をもつ」〈τῆς δὲ κόνεως τὸ νίτρον ἔχει τὴν δύναμιν ἄνθρακί τε καὶ θείῳ ἐπιμιγνυμένη.〉

(38) M. Jähns, *Gesch. d. Kriegsw.* I (1889) 225.

(39) こうしてメッツ——同地では 1324 年、ロマン語で espingala と称する飛び道具*10が紹介されている——の一ドイツ人ヨハン・グイは、アヴィニョンの防備にこのような飛び道具(一名 Notstal)をつくった。B

とが結論できるであろうか)、なお、とくにこのような物質の場合は、秘密のとばりにおおわれているからである。水中で燃える硫黄と消えない石灰*7（すでにアレクサンドリア時代に知られていた。Berthelot, 前掲書 95を見よ）が粗製石油（ナフタ）と同類のものである（v. Lippmann, *Abh. u. Vortr.* I 131ff.）とする推測は、レオの報告とまったく一致しない。なぜなら、ギリシア火を敵の面前で投げつける手サイフォンは、石灰の点火に必要な水をどんな方法で入れておくのであろうか。また、さらにこの場合、充塡した火焔を噴出するに必要な噴出器は、どういうふうにしつけられるのであろうか。しかしながら、テオパネス*8 は Chronogr. I 396, 13. 499, II *De Boor* で、たしかに「液状の火」〈ὑγρὸν πῦρ〉という表現を用いている。そしてかれはこの表現を、ローマの火〈πῦρ Ῥωμαϊκόν〉(396, 29), 海の火〈πῦρ θαλάσσιον〉(354, 13), 調整された火〈σκευαστὸν πῦρ〉(405, 20) とともにギリシア火に適用している。これはかれが、後世の火薬にくらべられるあの打上げ花火のほかになお、(上述〔本書 146 ページ〕の最初の処方にあるような油か粗製石油のどちらかの）液体が発射されたと推定して用いたものである。そしてこの液体は、爆発のさいに点火され、敵の船や兵士に消えない火を投げつけたのである。私はこの装置を、Feldhaus, *Technik* 409, Abb. 271 が模写している、1326 年のヴァルター・フォン・ミレメテによる飛び道具の最古の挿し図（Christchurch-Bibl. Oxford）に関連づける。ふくらみのある容器の口には、尾部が太くて先が尖った一本の矢が入れられており、それによって容器は、射られた門口の丸太に付着している。1290 年ころの Cod. Berol. germ. fol. 282 の微細画（その模写は *Geschichtsbl. f. Technik* III (1916) 338 f.）では、木馬から降りてトロイアの城壁にむかうギリシアの英雄たちが、注目すべき火たるをもっている（*Geschichtbl. f. Technik*, S. 357 参照)。アラビアの粗製石油噴出器については、E. Wiedemann, *Beitr.* VI (Erl. 1906), S. 38, 52. 参照。

(32) 14 世紀のアラビアの一著者 Schems-Eddin Mohammed が記述している（Jähns 前掲書 I 181）柄のある小臼〈Madfaa〉は、おそらくこの装置から発展したものであろう。矢弾は、固くつめものをした木管（ひろくて深かったにちがいない）を圧しつけ、しかも、その上で、火焔に点火される（おそらく火孔によって）のであるが、けっして発射物とは考えられず、閉鎖器と考えられていた。しかしこの武器からは、真のカノン砲を発展さ

nostris temporibus facta sunt, ut certum est, nisi sit instrumentum volandi, quod non vidi, nec hominem qui vidisset cognovi; sed sapientem, qui hoc artificium excogitavit explere, cognosco. かれがある程度までアラビア史料から引用している多くの驚異は、非常に空想的な印象を与えるけれども、じっさいその大部分が、すくなくとも、ロジャー・ベイコンやその他の当時の発明の天才によって理論的に組立てられているものであった。

(29) Berthelot, *Les compositions incendiaires dans l'antiquité et au moyen âge, Revue des deux mondes* 106 (1891), 786ff.; *Chimie au moyen âge* I 93ff. Romocki *Gesch. d. Explosivstoffe* I (Berl., 1895) S. 5ff.

(30) Marcus Gr., *Liber ignium* n. 12 (Berthelot, *Chimie au moyen âge* I 108). 13 (I 109).

(31) 51 (Migne, 107, 1008) τὸ ἐσκευασμένον πῦρ μετὰ βροντῆς καὶ καπνοῦ προπύρου διὰ τῶν σιφώνων πεμπόμενον καὶ καπνίζον αὐτά (すなわち τὰ πολεμικὰ πλοῖα). 私は、不分明な προπείρου という読みかたを、ラテン語訳 (*fumo ignito*) の先例によって προπύρου と改めた。Monac. gr. 195 はこの推定を保証した。そのさいそれは、まず直接 προπείρου を καὶ πυρὸς に変え、ついでこの (改変した) 読みかたを——むろん καὶ は省かずに——προπύρου と変えた。また Monac. gr. 452 の通俗編集もおなじような読みかたをしている。すなわち οἷον τὸ σκευαστὸν πῦρ, ἤγουν τὸ λαμπρόν, μετὰ βροντῆς καὶ καπνοῦ τῶν προπύρων πεμπόμενον. こうしてこの読みは、この形容語を βροντῆς と καπνοῦ とに同方法で関連させているが、これは正しい翻訳ではない。このミュンヘン手写本の読みかたについては、私は Heisenberg の好意に負っている。

この記述から疑えないことは (Berthelot, *Chimie au moyen âge* I 98 参照) 硝石は爆発成分としてギリシア火のなかに存在していたが、まったく秘密にされていたという点である。硝石が中国の文書では、1150 年 *5 以前には述べられておらず、ついで、アラビア人の手によってはじめてスペインで用いられた (v. Lippmann, *Abh. u. Vortr.* I 124) という事実は、硝石がビュザンティオンまたはもっと古い時代にはギリシアでは知られていなかったという証明にならない。なぜなら、このような物質に関するわれわれの覚え書は散在しており (たとえばルクレティウスがローマ文学において最初に vitrum*6 という名を挙げているという事実から、いったいどんなこリンの故マクス・シュミット教授が私に譲与されたことにたいしてお礼を申し上げる。同教授は、*Realistische Chrestomathie* III (Lpz., 1901), S. 150ff. において、軍事に関するいくつかのギリシア原文を説明づきで翻刻され、また 36 ページでは、古代の発射術の序論を書いておられる。

(20) Schramm, *Saalburggeschütze*, S. 40–46. 75–78; Abb. 14–17. 36–37, Taf. 11.

(21) C. Matschoss, *Beitr. z. Gesch. d. Technik u. Industrie* III (1911) 168 において。

(22) すなわち、伸張孔の穿孔直径。

(23) 連発式の発射機は、すでに霰弾砲や機関銃の発明よりずっと以前にあった。そして 14 世紀に火砲が作製されはじめるとすぐに、この「機具*4」が出現している。Feldhaus, *Techn. der Vorzeit* S. 403 は、この種の多数の実験を数えあげており、同書の図 269ab では、Kyeser (1405 年) による「致死機」〈Totenorgel〉が組立てられている。図 270 の「旋回銃」〈Revolvergeschütz〉も同様のものである。

(24) 近代の空気銃の歴史については、O. v. Lippmann, *Vortr. u. Abh.* II 295; Feldhaus, *Technik* S. 403 u. 434 参照。

(25) Philon IV 78, 33 R. Schöne καὶ μῆκός τι τῆς τοξείας πάνυ εὐδόκιμον ἐποίουν.

(26) R. Schneider によるフロベニウス本の再版 (Berl. 1908). この書が 14 世紀の偽作であるというこの学者の見解は一貫されていない。上記の評価は、R. Neher, *Der Anonymus De Rebus Bellicis*, Tüb. 1911 にしたがったものである。

(27) H. Diels, *Die Entdeckung des Alkohols, Abh. der Berl. Ak.* 1913, *phil.-hist.* Kl. 3; v. Lippmann, *Beitr. z. Gesch. d. Alkohols, Chemiker-Zeit*, 1914 Nr. 129, S. 1313; Nr. 132, S. 1346; Nr. 133, S. 1358; Nr. 138, S. 1419, S. 536; Nr. 139, S. 1428 参照。

(28) Opera ined. ed. Brewer (Lond. 1859) *De secret.* c. 4, S. 532 ff. c. 6. 航空機については同書 c. 4, S. 533; *Item possunt fieri instrumenta volandi, ut homo sedeat in medio instrumenti revolvens aliquod ingenium, per quod alae artificialiter compositae aerem verberent ad modum avis volantis.* 最後にかれはこの発明について、つぎのようにいっている、*Haec autem facta sunt antiquitus, et*

chan, *Über den antiken Bogen;* P. Reimer, *Der Pfeilbogen, Prometheus* 19（1905）
117; Bulanda, *Bogen und Pfeil*, Wien 1913（*Abh. d. arch. Sem. d. Un. Wien* 1
N. F. 2H）参照。

（11） 4, 105 ff.

（12） Espérandieu, *Bas-reliefs de la Gaule romaine*, 1908, II., Abb. 1679. Daremberg-Saglio, *Dictionnaire des Antiquités* 中の Saglio の I 388, Fig. 467 参照。第一の記念碑は、ロアル川岸のサリニャックから出土したものである。時代はかなりたつものといわれている。それは、名もない一狩猟家が建立した円柱である。小弩の背後にかかっている器具はえびらである。第二の（サン・マルセルの）ものは、小弩とえびらをもった一人の狩猟家を描いている。しかしここでは、個々のものがそう明瞭でない。小弩（arcuballista）は、最初 Vegetius*2 II 15 によって、manuballista*3 とともに述べられている。同書 IV 22 では、manuballistae と scorpiones とが同一視されている。それで Saglio は、このような小弩から、アルキメデスがシュラクサイの包囲攻撃のさいに使用した（Polyb. VIII 7. 6）σκορπίδια を理解している。セイレノスがスキピオのカルタゴ包囲攻撃のさいに述べた scorpiones minores も同様である。Liv. 26, 49, 3 (47, 6 参照)。

（13） こういう裂け目のあることは、パリのリシュリュー図書館のラテン語手写本 12802（V. Gay, *Glossaire Archéologique*, Paris 1887, S. 41 に発表されている）にある 10 世紀の小弩の挿し図からもまた、十分に認められるはずである。

（14） 本書 48 ページ参照。Th. Beck 教授は、一部分がちがったガストラペテスの再現を（上掲書 III 164, S. 102 Anm. I において）明確な図で与えている。私は Schramm の再現を手がかりとした。

（15） 本書 49 ページ参照。

（16） 名称については、本書 344 ページ注 43 を見よ。

（17） 図 41 では、弦束をもった内筒をひきしめる鍵がかけられている。

（18） 古代では、腕木との連絡を絶つために、かんぬきを槌でたたいた。再現にさいしては、引き金は、かたわらにとりつけられた綱で処理されているが、このほうが確実性がつよい。

（19） この模型は、ベルリンのシェーネベルクのハインリッヒ皇子高等学校の一生徒が製作したものであるが、この模型を、その所有者であるベル

第五講の注

(1) H. Köchly und W. Rüstow, *Gr. Kriegsschriftsteller*, Gr. u. Deutsch 1. II. 1. 2, Leipzig 1853–1855.

(2) C. Wescher, *Poliorcétique des Grecs*, Paris 1867.

(3) 最近の文献は、この問題を包括的にあつかっている E. Schramm, *Die antiken Geschütze der Saalburg*, Berlin 1918, S. 86–88（38 枚の原図と 11 枚の色刷り図版づき）に記されている、その他になお以下の文献がある、Herons Belopoiika, griech. und deutsch von H. Diels und E. Schramm, *Abh. d. Pr. Ak. d. Wiss.*, 1918, *Phil.-hist., Kl.* n. 2（Berlin 1918）. Philons Belopoiika, griech. u. deutsch von H. Diels und E. Schramm, *Abh. d. Pr. Ak. d. Wiss., 1918, Phil.-hist. Kl.* n. 16（Berlin 1919）.

(4) B. Rathgen, *Die Punischen Geschosse des Arsenals von Karthago und die Geschosse von Lambaesis, Z. f. Hist. Waffenk.* V 236 ff.; Forrer, *Röm. Geschützkugeln aus Strassburg i. Els.*, 同所 VII 234 参照。

(5) Schulten, *Ausgrab. in Numantia, Jahrb. d. D. Arch. Inst.*, 1907, Beibl. I 16. 34; 1909, Beibl. IV 493.

(6) חִשְּׁבֹנֹת（artes）をルター*1 は誤訳して、巧みに胸壁をつくった〈machte Brustwehren künstlich.〉としている。むしろそれは、軍用機器を意味する。飛び道具〈Artillerie〉という語は、artes に由来するもので、それはちょうど、技師〈Ingenieur〉が ingenium（中世＝機械）に由来するのと同様である。

(7)『ネヘミヤ記』第 4 章 7 では、前 445 年ころのユダヤ人の投射機に関して引用されている個所が脱落している。それは、この意味を生じる読法が、内容的にも古文字的にも不可能な、破損原文からの現代的判読に基づいているためである。

(8) 14, 42:「発射機は、この時期にシュラクサイで発明された」〈τὸ καταπελτικὸν εὑρέθη κατὰ τοῦτον τὸν καιρὸν ἐν Συρακούσαις.〉

(9) 本書 45 ページ以下を見よ。

(10) Schaumberg, *Bogon- und Bogenschütze bei den Griechen*, Erl. Diss. Nürnberg 1910（残念ながら挿し図がない）。簡単な弓、複雑な弓、ホメロスの角製の弓の構造については、*Festschr. f. Otto Benndorf* 189 における v. Lus-

phie〉の発明者であり、ポリュビオスはそれを最初に改良した栄誉を担っている——もっとも、ポリュビオスの改良がどの点にあったかは知られていないが。ポリュビオスのすべての（？）先輩たちは、せいぜい半ダースの、予測され前もって約定された通知を信号で通報することさえ、いたずらに苦しんでいた。ポリュビオスは自分の方法によって、どんな任意の予測されぬ事件、事実、指令または言葉や文字で表現できる連想一般を、どんなに離れていても信号することができた」。

(21)　Pachtler, *Das Telegraphieren der alten Völker*, Innsbruck 1867（Feldkirche Progr.）にたいして、Riepl 前掲書 S. 105 を見よ。

(22)　本書 329 ページ注 9 を見よ。

(23)　Κεστοί c. 77 において。この抜萃の正当さには異論がある。しかし、筋のとおった典拠に基づいている。

(24)　詳細は、Pachtler と Riepl 前掲書 112.

(25)　26. Aug., 1912, Nr. 236, S. 2（第二朝刊）：*Ein neues optisches Signalgerä*

＊1　今日では、さらに M. Ventris and J. Chadwick, *Documents in Mycenaean Greek*, Cambridge, 1956 を追加しなければならない。

＊2　原書の印刷でも不明瞭。

＊3　8 世紀前半のイングランド出身のベネディクト会の修道士、ドイツの伝道に従事した。

16)　この点、私は Riepl, S. 68 と同意見である。

17)　最近私がこの 24 の区切りに別な起原を思いついたことを、私は秘密にしておきたくない。アレクサンドリア時代にクテシビオスが組立てている水時計は、うきのついたものさしがとりつけられていて、流出する水量でその沈む深さが変化するようになっている。Max C. P. Schmidt, *Kulturhist. Beitr.* II（Lpz. 1912）47ff. 参照。ヘロン（I 456 ed. W. Schmidt）は昼夜〈νυχθήμερον〉作用する装置を記述しているから、古代には、24 の区切りがあるものさしが水量の減少によって時間を示していくというような、24 時間使用のできる天文観測用の水時計もあったのであろう。それに関する報告は何もないけれども、このような簡単な装置がすでに前 5 世紀の天文学にあったと仮定することは、なんらさしつかえなかろう。Schams al-Din（1494 年死）のアラビア語著作には、このような水時計の記述と模写とがある。Eilh. Wiedemann と F. Hauser とは、*Nova Acta der K. Leop. Carol d.* Ak. d. *Naturf.* CIII 2（Halle 1918）S. 173 の *,Uhr des Archimedes'* において、このアラビア語原文をそのまま保存し、それにドイツ語訳と再現図とをつけている。

18)　この水時計に関しては、本書の最終講でとりあつかっている。脱落文は p. 213, 13 であって Melber がつぎのように補足している。「こちら側から、たいまつの上げられるのを認めた場合、《水を流出させ、それから》じっと見つめる。第二のたいまつが上げられると、水は一種の環《の上に》生ぜしめられるであろう」〈ἣν, ἴδωσιν ἀρθέντα πυρσὸν παρ' αὐτῶν, «ἀφιέναι ἐκρεῖν τὸ ὕδωρ, εἶτ'» ἀποσκοπεῖν, ὅταν ὁ δεύτερος ἀναδειχθῇ πυρσός, «ἐπὶ» ποίου κύκλου τοῦτο συμβήσεται.〉

19)　ポリュアイノス（かれは後一六三年に執筆した）は、非常に無思慮な編集者である。しかし、当時の人びとがこのようなことがらをどんなに軽信していたかは、ローマの軍船隊を指揮していた老プリニウスにあらわれている。かれはその『博物誌』（VII 85）のなかでワッロのつぎにストラボンという人物について、かれに先見の明があって、ポエニ戦争時代にリリュバエウムからカルタゴの港を出帆する船数が指示できるほどであったと報じている。

20)　Riepl S. 93：「ポリュビオスがここで述べていることは、今日の通信術にほかならない。クレオクセノスとデモクレイトスとは通信術〈Telegra-

(7) *Aeneas*, 31, 21, S. 88 1526 ed. R. Schöne.

(8) 急報に述べている、「ディオニュシオスが病気した。ヘラクレイダ きてくれ」〈Dionysios geht's übel: Herakleidas soll kommen.〉私はこの個 を、*Abh. d. Berl. Ak.* 1913 (*Die Entdeckung des Alkohols*) S. 29[4] で論じた。 書で私は、この暗号記法の中世への影響を確定した。ボニファティ ス*3 とその同時代人たちの暗号については、Tangl, *N. Arch. d. Gesellsch. ält. deutsche Geschichtsk.* 40 (1916) 724. さらに Meister, *Anfänge d.mod. di Geheimschrift*, Paderborn 1902 参照。

(9) H. Fischl, *Die Brieftaube im Altertum und im Mittelalter*, Schweinfurt 19((Gymn.-Programm) 参照。

(10) *Reisen in Deutschland* I (1794) 109.

(11) *Ilias* 18, 211 (πυρσοί). 以下については、H. Fischl, *Fernsprech- und M dewesen im Altertum*, Schweinfurt, 1904 (Gymn.-Programm); Riepl, *Nachric tenwesen*, S. 47ff.; Thiersch, *Gr. Leuchtfeuer, Jahrb. d. K. Arch. Inst.* 30 (1915 216ff. 参照。

(12) 本書 90 ページを見よ。

(13) したがって、C. Fries (*Klio* III 169, IV 117) は正当にも発火通信の 設を、マクルー原文〈Maqlûtexte〉に暗示されているように、バビロニ 人にまで遡らせた。

(14) Riepl 前掲書 S. 51. もちろん詩人の幻想は、なおその他の距離を橋 ししている。アルシノエにたいするカッリマコスの奇妙な弔辞では(42 ff.)、カリスは、故人の姉〔妹〕で神のようにあがめられたピロテラ 命令によって、レムノスからアトスに飛び、その山頂から、アレクサン リアでアルシノエのために組まれている積みあげた焚き木の煙を認めて る。Wilamowitz, *Berl., Sitz.-Ber.* 1912, 530ff. を見よ。

(15) 10, 44. また Philon, *Mech. Synt.* V p. 90, 28ff. は、アイネイアスから っており、その長さは精確に一致している。なぜなら、シュラムが私に 告したところによれば、r は

$$r^2\pi h = 160L(\text{iter}) = \sqrt{\frac{160}{3\times 13.3}} = 2$$

の式で求められ、したがって $d=4dm$ (40 cm) となる。それに、容器の 壁の厚さを加算すれば、つぎの 44 cm の直径が精確に出てくる。

1) この時期のクレタ文献は、A. J. Evans, *Scripta Minoa, the written documents of Minoan Crete with special reference to the archives of Knossos* I, Oxford 1909 に集められている[*1]。

2) 6, 155.

3) Furtwängler, *Sammlung Saburoff* (Berlin 1883) II, Taf. 86. さらにくわしい叙述は、Birt, *Buchrolle in der Kunst*, Lpz. 1907, S. 201 に示されている。

4) Leopold, *De scytale Laconica, Mnemosyne* 28 (1900), 365ff.

5) 私が提示する2本の棒は、均一な丸棒を真ん中で切半したものである。何よりも、直径の一様性が重要である。たとえば Birt 前掲書 S. 274 に描かれているような上下の尖った棒を使えば、この実験はうまくいかないであろう。なぜなら、このようなまったくおなじ棒を2本つくることはむずかしいし、また巻きはじめの個所を十分精密に決定しなければならなかったからである。円柱の太さが一様であればこのようなことは必要でなくなる。スキュタレに関する主要個所は Gell. *N. A.* XVII 9, 6ff.; Plut. *Lys.* 19 である。Riepl, *Nachrichtenwesen des Altertums* (Lpz. 1913) 313ff. 参照。同書でも Birt の推定を反論している。なお、革のほうがパピルスよりもこの目的には適していることを述べておく(プルタルコス)。なぜなら、パピルスは非常に薄片で耐久性がすくないため、無関係者や敵に隠すために丸めてしまうことが比較的容易でないからである。

6) 〔第一次〕世界大戦中は、あらゆる可能な方法による密書が、とくに捕虜たちの通信に盛んであった。打点法も非常に愛好された。たとえば、つぎのような冒頭ではじまる手紙がある。「おしあわせを念じつ、愛するいとしのあなた、いくたびとなく口づけをささげる愛するいとしのあなた、ご機嫌いかがでございますか」〈Tous les bons et chers souhaits pour mon petit, petit mari que j'adore et que j'embrasse cinquante mille fois. Homme adoré, comment vas-tu?〉個々の文字に印された点は、ちょっと目につかないが[*2]、それらを組合わせると、この美しい文章はつぎのようになる。「ドイツ奴郎は5万人を失った」〈Les boches ont perdu cinquante mille hommes.〉一語の最初の文字の下に印された点は、その語全部を用いるという意味である。

られており、有益な書物である。W. Schmidt, *Hero, Supplem.*, S. 135 参照

＊1　イタリアのジェノヴァ西方にある村。

＊2　フランスの物理学者、化学者（1647—1710年）。

＊3　エジプトの神で、その祭儀は前400—後400年にわたって流行した。

＊4　エジプトの女神で、オシリス神の妻、地と月とを支配する。

＊5　オシリスの子。頭がイヌで死者の案内人。

am L cum cilindro impernato pro exlollendis duobus pistillis N. O. in fixis fulcimentis P. Q. quae invicem se extollentes supra vasa metalli M tundantur pulvis alieque materiae necessitate. 蒸気の吹き出し頭部は、蒸気作業の根本思想と同様、Heron, *Pneumat.* II. 34（I 304, Abb. 78 a Schmidt）に由来しているので（Feldhaus, *Technik* S. 844ff. による一五世紀の「プュストリッヒ」も同様である）。この企画がかつて紙上計画以上に成功したかどうかは問題である。

3)　『自動装置製作術について』〈Περὶ αὐτοματοποιητικῆς〉 Heron I 338–453 ed. W. Schmidt.

4)　同書 c. 13 S. 382ff.

5)　同書 c. 24–30 S. 423ff. なお、W. Schmidt, *Hero v. Alex.*（*N. Jahrb. f. d. kl. Alt.* 1899 S. 250ff. からの別刷）、Leipzig 1899, S. 12; R. Schoene, *Jahrb. d. Arch. Inst.* V（1890）73.

6)　Heron, *Dioptra*, 34（III S. 292 ed. H. Schoene），なお、v. Wilamowitz, *Lesebuch* I 262（原文修正と挿し図）。

7)　かれはアウグストゥス帝時代に活躍した。本書 64 ページと 207 ページ以下とを見よ。

8)　船の推進に車輪を利用する考えは、すでに古代の末期（古文献によってたしかにそうである）、無名氏の *De rebus bellicis* S. 20 ed. R. Schneider（Berl. 1908）にあらわれている。無名氏については、本書 144 ページにさらに詳細にとりあつかっている。

9)　Cod. Atlantic. f. 1 R.（Feldhaus, *Leonardo der Techniker*, Jena 1913, S. 115f. による）.

10)　Heron, *Pneumat.* I 21（I 110ff., Schmidt）. ヘロンは自動装置の外形について、は神酒がめ〈spondeion〉か賽銭箱〈Thesauros〉のどちらを選んでもよいことにしている。私は図の明瞭を期して後者を選んだ。石造の、（ヘロンのと）同様なエジプトの神々（サラピス*3、イシス*4、アヌビス*5）への奉納賽銭箱（前 3 世紀のはじめ）がテラで見出された。*Mitt. d. Ath. Inst.* XXI（1896）, 257. I. G. XII 3 n. 443（S. 104）.

11)　ロンドンの P. エヴェリットが 1885 年、最初の自動販売機を組立てた。

12)　B. Woodcroft, *The Pneumatics of Hero of Alexandria from the original greek translated and edited*, London 1851. この書物は、アルバート皇子にささげ

(5) Hammer-Jensen, *N. Jahrb. f. d. kl. Alt.* XXV (1910) 414 参照。

(6) Vitruv. I 6, 2 から出ている語 aeolipila は、元来は別な意味である。

(7) W. Schmidt, *Einl. zu s. Heron* I, S. XLV, Abb. 55b.

(8) S. 230 u. 231, Abb. 55 u. 55a.

(9) 私はこの装置〔図 25〕とつぎの小装置〔図 26〕とをその両模型を ちあわせているベルリンの N 4, Chausseestr. 8 の Burger ガラス吹き細工 社から得た。

(10) かれは以前、ウールウィッチの砲兵学校の数学教授であった。私 ここで、かれのみごとな装置をアカデミにもち出して知らせてくれ Herm. Amandus Schwarz 氏に感謝する。そのさい、吊り手として用いら たのは、把手のところが螺旋でしめつけられるようになっているふつう 中時計の鍵（旧型）の上部であった。

(11) しかしながら、Heron, *Pneum.* II 34 と Athen, III 98 c に述べられて る引水加熱器〈Miliarium〉が水力調節器をもっていることを述べてお ねばならない。それは Cornwall, Galloway, Field の近代的な諸方式と注 すべき類似を示している。W. Schmidt, *Zur Gesch. des Dampfkessels im Alt tum, Bibliotheca math.*, III Folge 4 (1902), 337ff. 参照。さらに、パパン が 1687 年に発明した高圧なべ（「蒸し煮器」）がすでに後 3 世紀の医師 ルメノスによって、浸剤の調製用に定められていることは、O. Lippmann (*Abh. u. Vorträge* II 201) によって証明された。著者は、この 師は単に編集者としか考えられぬと確言しているから、その発明はもっ 古いわけである。

(12) かれの書の標題は、つぎのようになっている。*Le Machine. Volume n ovo et di molto artificio da fare effetti maravigliosi tanto Spiritali quanto di Ar male Operatione arichita di bellissime figure con le dichiaratione a ciascuna di e in lingua volgare et latina*, Roma 1629. 4° (Preuss. Staatsbibl. Og 8698. 4°). テン文の説明は、つぎのように述べられている。Fig. 25 *ad tundendum m terias pro facienda* (sic) *pulvere, sed cum mirabili motore, qui nil aliud est qua caput metalli cum suo trunco signato per A aqua pleno per foramen B posito sup accensos carbones in foco C, ut non possit in alium locum expirare quam in os ita violentum spiritum emittet, ut vertens rotam E et suum rochettum F pulsave in rotam dentatam G et suo rochetto H movet rotam I quae rochetto K movet r*

) ザルツブルクの南方5キロメートルにあるヘルブルンは、1613年に大司教 Marcus Sitticus によって建設され、それに大水力装置（154個の像と大風琴装置のからくり芝居や、さえずる鳥がいる海神の洞穴）のある公園が付設された。この水力装置は今でも、たくさんの人びとをひきつけている。この最大の今日もなお運転されている「水力装置」よりもさらに有名なものは、ペグリ近くのパルラヴィチニ村*1の公園内の水力運転である。これについては、Bassermann-Jordan, *Gesch. der Räderuhr*（Frankf. 1905), S. 37 参照。

) 最近の研究者たちの意見は、前100年（Martin, Hultsch, Tittel, S. Meyer）と後200年（Hammer-Jensen, *N. Jahrb. f. d. kl. Alt.* XXV 413ff. しかも最近では *Herm.* XLVIII 224ff. においては後300年にまで降っている）との間を変動している。それに反対するものとして、R. Meyer, *De Heronis aetate*, Leipzig 1905がある。かれはその30ページで、つぎのように結論している。「ヘロンの活躍したのは、前2世紀後半以前でもなければ、前1世紀の中ころ以後非常におそくもない」〈*Heronem neque ante secundi ante Chr. n. saeculi partem alteram neque multo post primum a. Chr. n. saeculum medium floruisse.*〉さらにそれにA. A. Björnbo, *Berl. Philol. Woch.*, 1907, Sp. 321ff. が反対している。私は、私が最初に唱え Carra de Vaux, Tannery, Heiberg などがそれに採用したおそい年代（後2世紀）を、まだ確定的な結果は得られないにしても、固持するものである。Pauly-W. *R.- Enc.* VIII 992ff. における *Heron* の項目の文献。

) ここで主として問題になるヘロンの空気装置と自動装置とは、ヴィルヘルム・シュミットのすぐれた *Heronis Opera* I 増補版（Leipzig, Teubner 1899）のなかにある。同書には、写本によって慎重に再現したギリシア原文に、ドイツ語訳とギリシア語写本によって近代風な挿し図とがつけられている。私はこの学者に、この仕事を完成するよう鼓舞したのであったが、惜しいことに機械学と反射光学（*Heronis opera* II 1, Leipzig 1900）を完成して、過労のため死去された。H. Schoene と Heiberg とがこの版（第3、4巻）を継続した。

) Heron, *Pneumatik* c. 15（I, S. 243 Schmidt). 23（271）参照。

統の一方式が、マリエンヴェルダー（西プロシア）の諸所の農家になお
在している。v. Luschan 前掲書参照。

（15） 図は、ホムブルクにおいて助手、故 R・ヤコビが精巧に組立てた
型によってつくった。木と鉄とでつくられた標本は、ザールブルク博物
にいつも陳列され販売されている。現在なおテラ*3 にある同系統のバ
ノス錠一個が、ヒッラー・フォン・ゲルトリンゲン氏*4 の寄贈によって
ベルリン古代学会の研究資料中にある。

（16） この戸の写真は Wilh. Dörpfeld 氏に負っている（Institutsphotogr. C
pern n. 79 Athen）.

（17） ゼウスの策略〈Διὸς ἀπάτη〉Ξ 165ff. において。

（18） 1, 16 Βαλανωτὸν ὀχῆα.

（19） *Nat. hist.* VII 198.

（20） 本書 33 ページ以下。

（21） *Parmenides*, S. 145ff.

＊1 撃退するという意味。

＊2 単数は ὀχεύς。

＊3 キュクラデス群島にある島。

＊4 プロシアの将軍（1772—1856 年）。

1908, S. 27 に発表した。銘文につぎのごとく書かれてある。「ルソイのアルテミス所蔵」〈τᾶς 'Αρτάμιτος τᾶς ἐν Λούσοις〉。

9) *I. Gr.* II 2169. Köhler, *Ath. Mitt.* IX 301.

10) *Der Verschluss bei den Griechen und Römern*, Regensburg 1890. ベルリンの水がめに描かれた絵の複写は、I. Tschermak v. Seysenegg 教授夫人が画いた原物以上の水彩画によってなされた。私が再現したホメロスの戸の木製模型は、ベルリン古物館とベルリン大学の古代学会とにある。もっと多くの精巧な模型は、1914 年の 2 月から 4 月にかけて、ベルリンのドイツ教育展覧会で見られた。

11) Brinkmann, *Sitz.-Ber. d. Altertumsges. Prussia* XXI (1900), 299 は、2 個のかんぬきを採用すると十分に説明のできなかった ἀνέκοπτεν*1 という半過去を重視している。しかしながら、たといかれのかんぬきの再現が正しく、この半過去と適切に一致しているとしても、なお 2 個のかんぬきは複数形 ὀχῆας*2 のために必要なのであって、それは、他の個所におけるふつうの単数形（たとえば、Ω566）とともに真の意味をもたなければならない。

12) 古代におけるこれらの結び目の形については、Wolter, *Zu griechischen Agonen* (Würzb. Progr., 1901), S. 7ff.; おなじく *Faden und Knoten als Amulett, Archiv f. Religionsw.* VIII 附録 S. 1ff.; v. Bissing, *Ägyptische Knotenamulette,* 同書 S. 23ff.; Heckenbach, *De sacris vinculis* (Dietrich-Wünsch, *Religionsgesch. Versuche* IX 3), 104ff. 参照。

13) *Thesm.* 421 :「というのは、男たちが 3 つのほぞのあるラコニア製の意地のわるい秘密の鍵を自分でもち歩いているからです。」

〈οἱ γὰρ ἄνδρες ἤδη κλειδία
αὐτοὶ φοροῦσι κρυπτά, κακοηθέστατα
Λακωνίκ' ἄττα, τρεῖς ἔχοντα γομφίους.〉

14) 私はこの指示を、現代の戸の研究家たちの興味ある多数の観察から得た。J. H. Goedhart 博士（オランダのヘンゲロ在住）は、ヴェンゲン（スイス）とその付近では 5 個のバラノス錠を発見し、キュプロス島の錠（図版四と図 19）は、もっと多く発見した。バラノスのない変型では、鍵はただひとつのほぞでもって上部に刻み目のあるかんぬきをつかむようになっている。K. Fischer 氏（トリエル）の報告によると、ホメロスと同系

第二講の注

(1)　第二講の題目に関する文献は Hugo Blümner, *Röm. Privataltertümer* (Müller, Handbuch IV 2, 2), München 1911, S. 21[b] に記載されている。私はこの問題を „*Parmenides*" *gr. u. deutsch*, Berlin 1897, S. 117ff. において論じた。なお、Fairbank, *Philosophical Review* VII 443; D. Seymour, *Life in the Homeric age* (N. York 1907) 194; Brinkmann, *Sitz.-Ber. der Altertumsges. Prussia* XX (1900), S. 297ff.; Pernice, *Jahrb. d. Arch. Inst.* 1904 (XIX), S. 15ff. 近代ギリシアのバラノス錠については、Dawkins, *Annual of the Brit. School at Athens* IX 190ff.; v. Luschan, *Z. f. Ethnol.* 48 (1916), 406ff.; *Mitt. d. Anthrop. Ges.* *Wien* Bd. 48 (III 18), 1918, S. 13.

(2)　*Werke und Tage* 456.

(3)　前掲書 424:「7 フートの長さの軸を」〈ἄξονα ἑπταπόδην〉。私はその個所をそう解釈する。したがってこの木材は、四輪車の 2 個分の軸に十分たりる（Goro, *J. of Philog.* 1914, 33 n. 66. もおなじ解釈をしている）。だから、各軸は 3 フート半（1.06 メートル）という十分な長さになる。ヘシオドスの車が四輪であるということは Waltz, *Revue des Etudes anciennes* XIV（1912）226 が、正当に述べている。またそこでは、その他の長さの不正確（半径と車輪の円周との非常に不正確な割合）も、車大工の未熟な状態から正当に説明された。

(4)　ソロンの三面板〈κύρβεις〉と ἄξονες の組立てについては、Wilamowitz, *Aristoteles u. Athens*, I 45. Sandys, *Arist. Ath. polit.* 7 によって集められた古代の個所を見よ。

(5)　Θαιρός は戸〈θύρα〉と同系で、もともと「戸を動かすもの」すなわち、戸をあちこちと動かす柱という意味である。

(6)　Et. m. 115, 45 u. 547, 60 によると、ソロンの軸は、ほぞ（κνώδακες すなわち κνα-όδαξ, アッティカ方言の κνώδων「おろし歯」）で回転した。Parm. 1, 20 は、「突っぱり留め」（περόναι すなわち大留め針）をとりつけたほぞ〈γόμφοι〉について述べている。

(7)　*Parmenides*（S. 127 ff）, W. Köhler, *Archiv. f. Religionsw.* VIII（1905）221ff. において。上に挙げた文献参照。

(8)　現在はボストン美術博物館にある。私はそれを *Sitz.-Ber. d. Berl. Ak*

＊10　前270—215年、シュラクサイを統治したヒエロン二世のこと。
＊11　巧妙な技術。

優遇されたのである。Plut. *Sympos.*, VIII 2, 1, 7 p. 718F 参照。

(72)　後世の伝承が物語っているように、凹面鏡との結合によって作用発揮できるということを、ソピア教会の建造者でアルキメデスの非常な拝者であるアンテミオスは理論的に（Westermann, *Paradoxogr.* 152, 20ff ブュッフォンは 1747 年に実際的に証明した。Berthelot, *Journal des Savan* 1899, S. 253 参照。技術ではなくて、単に史料批判だけに関する問題は Heiberg, *Quaest. Archimed.*, Haun., S. 41; H. Thiersch, *Pharos*, S. 93f. を見 アルキメデスの偽名については本書第 5 講 152 ページ以下を見よ。

(73)　*De rep.* I, 22「私は、あのシチリア人は、およそ人間がもつことが きると考えられている以上の天分をもった人だと思った」〈*plus in illo culo ingenii, quam videretur natura humana ferre potuisse, indicabam fuisse.*〉

(74)　Gercke-Norden, *Einl.* II^2 394.

(75)　I 1, 2.

(76)　Platon, *Legg.* I 644 AB「教育というものは、もっともすぐれた人間 賦与される最もよいもののうち第一のものであるから、どんな場合も軽 されてはならない」〈δεῖ τὴν παιδείαν μηδα μοῦ ἀτιμάζειν, ὡς πρῶτ τῶν καλλίστων τοῖς ἀρίστοις ἀνδράσιν παραγιγνόμενον.

(77)　職人の知識〈βάναυσος παιδεία〉前掲書 S. 644 A.

＊1　前 450 年ころのサルディス出身の歴史家。

＊2　ローマのエピクロス派（原子論を基調にした一派）の哲学詩（前 96—55 年）で、『事物の本性について』を書いた。

＊3　クセノパネスのこと。

＊4　イゥリウス帝とアウグストゥス帝の時代のシチリア出身の歴史家

＊5　クセノポン（前約 430—355 年ころ）と同時代のクニドス出身 歴史家。

＊6　後 4 世紀末のアレクサンドリアの文法学者。

＊7　イタリアのエミリアにあるボロニャの都市。

＊8　前 4 世紀の小アジアのアイオリス出身の歴史家。

＊9　アポッロンは、ギリシア神話の弓術、予言、音楽などの神。ゼ スとレトとの息子。

7)　本書 67 ページ以下を見よ。

8)　本書第 7 講 264 ページを見よ。

9)　Gercke-Norden, *Einl. in die Altertumsw.* II^{2} 395 において。同氏は、Archenhold, *Weltall* XI（1909）S. 161ff で、通俗的な叙述を公表しているが、これを以下のことにたいして参照してもらいたい。アルキメデスがヒエロン王の血縁者であった（Plut. *Marc.* 14, 7 血縁で友人〈συγγενὴς καὶ φίλος〉）かどうかは疑わしい。Th. Gomperz, *Hellenica* II 302 はこの二つの用語を宮廷の官名だと解しているが、これはプルタルコスの非常な軽率さを認めているわけである。なぜなら、一方の名義は他方を除外するから。

0)　᾿Αρχιμήδους Περὶ τῶν μηχανικῶν θεωρημάτων πρὸς ᾿Ερατοσθένην ἔφοδος は、Heiberg, *Herm* XLII 243 によって発見、刊行された。今日では、ハイベルクによるラテン訳のアルキメデスの新版（1913）II 427 中にある。かれは（Zeuthen とともに）、*Bibl. Math.* III, Folge VII（1907）, S. 322ff でドイツ語に翻訳した。

1)　Archytas 35 A 14（*Vors.* I^{3} 326, 10）. もちろんアルキメデスは、自分の先輩としてデモクリトスとエウドクソスとを挙げているのにすぎない。しかしエウドクソスはアルキュタスの門人である（Diog. VIII 86. 振動論〈Theorie der Schwingungen〉: Theo Smyrn., S. 61, 11 Hiller = Archyt. *Vors.* 35 B 1, I^{3} 332, 9ff = Platon *Tim.*, S. 67 B）. 他方、デモクリトスとピュタゴラス派の数学との関係はくわしくはわからないが、知られている。*Vors.* II^{3} 11, 34ff 参照。Plut. *Marc.* 14. において、一専門家、おそらくはアルキメデスの門人で伝記作者のヘラクレイデスにまで遡る陳述は非常に重要である。プルタルコスは、ヒエロン王[*10]自身が野心にかられて、アルキメデスの実際的活動を奨励したと報じている。つづいてかれは、「エウドクソスとアルキュタスとは、この人気ある有名な器械学を〈ὀργανικὴν〉創始した最初の人たちであり、同時にかれらは、無味乾燥な数学を、この巧妙な　技術によって〈τῷ γλαφυρῷ〉鼓舞した」と述べている。こうしてプルタルコスが証人としたプラトンは、それ[*11]が数学の優位性をおおい破壊してしまうためにそれにたいして憤激を吐露したと結んでいる。なぜなら、それは精神的なものをふたたび物質的なものに還元し、おまけに凡俗な手工業的熟練を必要とするからである。だから、哲学者たちは機械学を軽視していたのであり、機械学はそのためついに、軍事技術においてだけ

(60)　Aristot. Fr. 161（ed. Rose S. 129, 16 ff., Lips. 1886）およびマッシリのピュテアス Strabo II p. 75（fr. 14 Schmekel）; Gemin. 5, 9（fr. 15）. Bilfinger, *Antike Stundenzählung*（Stuttg. Progr., 1883）S. 4.「この時間区分の使が、ギリシア文献に最初にあらわれているのはアレクサンドロス時代以である」。Max Schmidt, *Kulturhist. Beitr*. II 44. 'Αθην. πολ. 20, 6 では、ὥ は一般に「時刻」〈Zeit〉,「期限」〈Termin〉を意味している。

(61)　Bilfinger, *Zeitmesser*, S. 23ff.; Max Schmidt 前掲個所と S. 105. くわしは、本書第７講でとりあつかっている。

(62)　図版四の説明を見よ。

(63)　たとえば Arian. Anab. II 16–24。

(64)　Vitr. X 13, 3:「ディアデスは、それを分解して軍隊内でいつももちわっていた可動塔とかきりとか、またそれを使えば地上から城壁をのりえることができる登攀機械とか、さらに人によってはツルと呼んでいる形破壊機械とかを自分が発明したと自著のなかで述べており、そればかか、かれは下に車のついた破城槌を使用しており、その説明を書き残た」〈*Diades scriptis suis ostendit se invenisse turres ambulatorias, quas etiam a solutas in exercitu circumferre solebat, praeterea terebram et ascendentem mach nam, qua ad murum plano pede transitus esse posset, etiam corvum demolitore quem nonnulli gruem appellant, non minus utebatur ariete subrotato, cuius rat nes scriptas reliquit.*〉これにつづいて、やぐらその他の構造の大きさが報されている。Athen. Mech., S. 10, 10 Wescher（S. 16, 1 R. Schneider）:「ィアデスは、自著の『機械学』のなかで可動塔とかきりと呼ばれるものかカラス（形破壊機械）とかはしごとかを自分で発明したと述べている また下に車のついた破城槌も使用した」〈Διάδης μὲν οὖν αὐτός φησιν τῷ Μηχανικῷ αὐτοῦ συγγράμματι εὑρηκέναι τούς τε φορητοὺς πύργο καὶ τὸ λεγόμενον τρύπανον καὶ τὸν κόρακα καὶ τὴν ἐπιβάθραν ἐχρᾶτο καὶ τῷ ὑποτρόχῳκριῷ.〉これに細目の記述がつづいている。Schneider 掲書 S. 57ff. を見よ。

(65)　Vitruv. X 7, 4. 5：必要のためではなく、楽しみの欲望のために〈*qu non sunt ad necessitatem, sed ad deliciarum voluptatem.*〉

(66)　Bolkestein, *Het dubbel Karakter der oude Geschiedenis*. Utrecht 1915; *Be phil. Wochenschr*. 1916, 1498.

学においても同様のことがある」〈ὥσπερ καὶ τῶν ἄλλων τεχνέων πασέων οἱ δημιουργοὶ πολλὸν ἀλλήλων διαφέρουσιν κατὰ χεῖρα καὶ κατὰ γνώμην, οὕτω δὲ καὶ ἐπὶ ἰητρικῆς.〉

53) Kühlewein の *Hippokratesausgabe* 2. Bande に印刷された原文と、Faust, *De machinamentis ab antiquis medicis ad repositionem articulorum luxatorum adhibitis*, Greifsw. Diss., 1912 参照。

54) Hipp. *De pr. med.* 1 (S. 2, 1 Kühlew.)「それゆえ、私は不可解な見えないもの……天空とか地下にあるようなもの……のように、新しい仮定が必要であるとは思わない」〈διὸ οὐκ ἠξίουν αὐτὴν ἔγωγε καινῆς ὑποθέσιος δεῖσθαι, ὥσπερ τὰ ἀφανέα τε καὶ ἀπορεόμενα......οἷον περὶ τῶν μετεώρων ἢ τῶν ὑπὸ γῆν.〉

55) 拙論 *Über das phys. System des Stratom, Berl. Sitz.-Ber.*, 1893, S.101ff. を見よ。

56) Milne, *Surgical Instruments in Greek and Roman Times*, Aberdeen 1907. v. Töply, *Antike Zahnzangen und chirurgische Hebel, Jahresh. d. öst. arch. Inst.* XV (1912) Beibl., 135ff. J. Hirschberg, *Die augenärztl. Instrumente der alt. Griechen, Centralbl. f. pr. Augenheilk.* Mai–Juni, 1918.

57) Marcell, *De pulsibus* c. 11, ed. H. Schoene (*Basler Festschr.*, 1907), S. 463. Max Schmidt, *Kulturhist. Beitr.* II. (Leipzig, 1912), S. 45. 101. 私は最後の265 行に「時間で満たす」〈ἐκπλήρωσιν «τοῦ χρόνου» を、266 行に「より緩慢というよりもより濃密に」〈πυκνότερον «ἢ βραδύτερον» を補足する。Sk. Servos, *Mitt. z. Gesch. d. Mediz. u. d. Naturw.* Nr. 33 VIII 4 (1909) 468 f. 参照。

58) アンティクュテラの海底から得られた諸古物は、アテネ国立博物館の主要な魅力品であるが、そのうち、本箱にはいった小さな青銅製の一器具は興味がある。Rediadis はこれを Svoronos, *Das Athener Nationalmuseum* (Athen 1903) Taf. X によって、アストロラーブだと考えている。これは残存のひどく酸化した部分とその銘文とが非常に破損しているためにたしかではない。しかし、(前掲書掲載の挿し図でなく) 原物にあたれば、その仕掛けが今日のクロノメーターの精密工作に匹敵する技術であることに驚嘆するであろう。

59) 本書第 7 講 243 ページ以下参照。

意味、後者は単に、スキュティア式に反対側に〈πάλιν〉彎曲してい
() 手弓という意味にすぎず、発射機〈Katapulte〉とい
意味はない。

(44) Vit. Pyth. 267 (*Vors.* I^3 344, 31).

(45) *Vors.* 32 B 11 (I^3 313, 10).

(46) Vitruv. I 1, 17. Theophylact. ep. 75 (Migne P. G. 126 col. 493 AB) : πῶ δ' ἂν στρατιωτικὴν καὶ γεωμετρικὴν εἰς ταὐτὸ συνήγαγε καὶ συνῆφε τ μακροῖς θριγγίοις ἔκπαλαι διειργόμενα μετ' Ἀρχύταν, μετὰ, Φιλόλαο μετὰ τὸν Αἴλιον Ἀδριανόν, μετὰ τὸν ἔκπτωτον ἡμῶν Ἰουλιανόν.

(47) その上 Vitrv. I 1, 8 によると、発射機の弦の張りの釣合いをうけも なければならなかった飛び道具係りの将校には、音楽教育が要求された。それは、左右にしめられた綱を打ち鳴らすさいに発する音によって張り 釣合いを確定し、調子をあわせることができるためであった。

(48) Aët. Plac. V 30, 1 (*Vors.* 14 B 4; I^3 136).

(49) Roscher, *Abh. der Sächs. Ges. d. W.* 28 n. 5 (Leipzig, 1911) と同様に、*Die hippokr. Schrift von der Siebenzahl*, Paderborn, 1913. 疾病7日目説に いて最古の詳論は、ソロンに帰せられている哀歌 (fr. 27 Bergk) にあら れている。ともかく前6世紀のはじめにデルポイで、アポッロン*9と もにオリエントからもたらされた神聖な7の崇拝が認められ、そこか ひろく伝播していったと仮定される。だから、ここではピュタゴラスは、しばしばアポッロンの発議どおりにしたがっている。

(50) Wilh. Fliess, *Der Ablauf des Lebens. Grundl. zur exakten Biologie*, Leipzi 1906.

(51) P. J. Möbius, *Ansgew. Werke* II 1 (Leipzig, 1903) 218ff. Herm. Swobod *Das Siebenjahr. Untersuchungen über die zeitl. Gesetzmässigkeit des menschl. Le bens. Die Lösung des Vererbungsproblems mit Hilfe der Periodentheorie*, Wien 1917. これらのピュタゴラス主義は、今日の自然研究者たち、たとえ W. Hellpach, *Geopsychische Erscheinungen*[2] (Leipzig, 1917), S. 292 によって、まじめにとりあつかわれている。それにたいして、v. Luschan, *Altweibe Psychologie*, D. Med. Wochenschr., 1916, 1ff. 参照。

(52) Hipp. De prisc. medic. 1 (S. 1, 17 Kühlew.) :「ちょうど、その他の んな技術においても、技術者の腕前と見識に大きな優劣があるように、

ἀριθμῶν γίνεται. E・シュラム陸軍中将は、*Abh. d. Berl. Ak. d. W.* Jahrg., 1918 (phil. hist. kl.), n. 16 において、この書物を Philons Belopoiika という標題で新しく翻訳した。

31）　ポリュボロンと古代の飛び道具については第五講を見よ。

32）　Fr. 34 (F. H. G. I 188).

33）　Diodor. XIV 41ff.

34）　Diod. 前掲書 § 42：「発射機はこの時期にシュラクサで発明されたが、そのために優秀な技師たちが諸方から一個所に集められていたのである」〈καὶ γὰρ τὸ καταπελτικὸν εὑρέθη κατὰ τοῦτον τὸν καιρὸν ἐν Συρακούσαις ὡς ἂν τῶν κρατίστων τεχνιτῶν πανταχόθεν εἰς ἕνα τόπον συνηγμένων.〉Plut. Per. 27 におけるエポロス*8の述言によると、クラゾメナイの人アルテモンは、ペリクレスのためサモスの包囲攻撃のさいに、新しい「諸機械」を提供したといわれる。しかし Diodor XII 28, 3 では、この場合、単に攻城槌と差しかけ屋根とを〈κριοὺς καὶ χελώνας〉挙げているにすぎない。ところで攻城槌はカルタゴ人の発明品としてずっと以前から用いられていたのであるから、アルテモンの新機械というのは、だから、差しかけ屋根を指したものであるらしい。

35）　Diodor. XIV 41, 3 では、四方から招待された技師たちのうち、「イタリアからの人たち（ピュタゴラスの学徒たち）」〈τοὺς ἐξ Ἰταλίας〉を挙げている。

36）　Diog. VIII 82（*Vors.* 35 A 1; I^3 322, 21）.

37）　Diog. 前掲書 S. 83（*Vors.* I 322, 23）.

38）　Aristot. Pol. Θ 8. Gell. X 12, 8（*Vors.* 35 A 10. 11; 1^3 325, 18ff.）.

39）　Vitr. VII Praef., 14 u. S. 21. Anm. 1.

40）　Heron, *Belopoiika* 4 (Poliorcet., S. 75, 8, Wescher）参照。この著作も、シュラムによって、*Abh. d. Berl. Ak. ph.-h. Kl.*, 1918, No. 2, S. 8. 12（本文挿し図二三葉つき）に翻訳されている。

41）　小弩とその他の飛び道具の発明については第五講を見よ。

42）　Poliorc., S. 61ff., Wescher.

43）　前掲書 S. 64. 古名が無意味に存続している現象は、エウテュトノン〈Euthytonon〉とパリントノン〈Palintonon〉の場合にも繰りかえされている。前者は単にふつう簡単に彎曲している（⌣⌢⌣）手弓というくピュタゴラスによって仲介された）に遡るかどうかということである。Beloch, *Campanien*² 67. 230. 345 参照。エトルリアの城砦マルツァボト*7（Brizio, *Monum ant.* I 429ff. 278; Taf. I. V）は、前500年より古くはない。

（25）Arist., *Vög.* 992.

（26）このピュタゴラス派的な国家数学の最後の分脈は、プラトンの『法律』〈Νόμοι〉である。Zeller, *Ph. d. Gr.* IIa 956f. を見よ。

（27）*Vors.* I³ 294 c. 28 にはこの著述の少数の断片が記されている。

（28）A. Kalkmann, 53. Winckelmannsprogr.（*Die Proportionen des Gesichts in der gr. Kunst*）のめんどうな測量にもかかわらず明白でない。Kalkmann *Nachgelassenes Werk* herausgeg. v.N. Voss, S. 5 も参照。Diodoros I 98, 5 は、ポリュクレイトスの『カノン』の思想の優先権を他の多くのギリシア的なものと同様、エジプトに遡らせ――というのはサモスの技術者テレクレスと同様にロイコスの息子テオドロスもエジプトで同地の影像の釣合いを習得していたということから――、また、エジプトの模型尺度を精確に示しているが、今やこのことはすべて、ギリシアの全文化をエジプトに遡らせようとするアブデラのヘカタイオスの嘘言であることがわかる。こうしてまた、この反論によって、上述の個所§6の「エジプト人はギリシア人のように均斉を、単なる目測からでなく〈οὐκ ἀπο τῆς κατὰ τὴν ὄρασιν φαντασίας〉判断する」ということも理解されるだろう。これは明らかに、C. Robert が私に注意したように、つぎの注29に述べられたリュシッポスの言葉にあてつけている。――Ἑρμηνεία τῆς ζωγραφικῆς におけるビュザンティオンのカノン（頭の長さを9とし、頭髪を除く顔面を額、鼻、顎に三等分すること）の由来は、私には明白でない。G. Schäfer, *Das Handbuch d. Malerei vom Berge Athos* (Trier 1885), S. 82 を見よ。

（29）Plin. XXXIV 65「かれは、古風な四角な身体を変えるという新しいそれまでこころみられたことのない方法でシンメトリアを保存し、むかしの人びとは、人間を現実の姿のようにつくったのにたいし、かれは人びとの目に映るようにつくったと一般にいっている」〈*symmetria, quam deligentissime custodiit nova intactaque ratione quadratas veterum staturas permutando volgoque dicebat ab illis factos quales essent homines, a se quales viderentur esse.*〉

（30）*Mech. Synt.* IV, S. 50, 6 Thevenot: τὸ εὖ παρὰ μικρὸν διὰ πολλῶν

のトンネルがつくられたころの岩石掘鑿法は、今日の火薬とダイナマイトによる迅速な工事にくらべて、遅々として捗らなかったにちがいない。そして古代人の採用したトンネル掘りの全工程がわかればとくに興味があろう。そのうちでもすくなからず興味のあるのは、工事進行中に通風筒なしでトンネルの換気をしたことである」〈*It is only within a few years that a Tunnel of this magnitude and extent would not have been considered an engineering work of more than ordinary magnitude, not only in its engineering aspects, but as a financial enterprise......The methods of excavation in rock must have been slow and tedious when this Tunnel was made, compared with the rapid work of Gunpowder and Dynamite at the present day, and it would be especially interesting to know all the tunnelling processes employed by the ancients, among these not the least in interest would be the ventilation of the Tunnel during the process of the work without ventilating shafts.*〉*The School of Mines Quarterly* IV, N. York 1885, 275.

19） *Tägl. Rundschau* 12. Sept., 1913 の報告。

20） アナクシマンドロスに関する証言は、*Vors.* 1^3 14–21 にある。

21） *Archiv f. Gesch. d. Philos.* X（1897），S. 228–237 における拙論 *Über Anaximanders Kosmos* を見よ。

22） Phileb. 64 E. なお Trendelenbung, *Das Ebenmass, ein Band der Verwandtschaft zwischen der griechischen Archäologie und griechischen Philosophie. Kleine Schr.* II 316ff.: Kalkmann, 53. *Winckelmannsprogr., Berl.*, 1893, S. 4 ff. を見よ。

23） ヘシュキウス*6は 'Ιπποδάμου νέμησιςという語の個所で、かれを気象学者〈μετεωρολόγος〉と呼んでいる。*Vors.* I^3 293 C. 27 を見よ。

24） Wilamowitz, *Staat u. Gesellsch. d. Griech.*（*Kultur d. Gegenw.*, II, IV 1), S. 121. ローマの土地測量師の技術が本来ギリシア的であるということは、主要な器具 *groma* 一名 *gruma* という語から実証されているように思われる。そしてこの語の語源が γνῶμα（より正しくは γνῶμονα）であることは、今日、エトルリア語によって十分に解明されている。W. Schulze, *Berl. S.-Ber.*, 1905, S. 709. Thulin, *Pauly-W. R.-Enc.* VI 728, 7. O. Müller, *Etrusker*^{2} II 154 の説明は、本質的にその確証を支持している。ただ問題は、イタリアにおけるこのギリシア数学が、ヒッポダモス自身か先駆者たち（おそらなじころクセノパネスはイダ山のこの観測所を利用して、日の出のさいの散乱光束から太陽火の起因に関する珍しい観測をしたらしい。ルクレティウス*2（エピクロスの自然学）V 662ff. の個所で述べられている観察は、以前コロポンの人*3がパロス、シュラクサイ、マルタ島でなしたその他の自然科学的研究の諸報告とよく符合するが、すくなくとも私は、この個所の観察をクセノパネスに帰している。なぜなら、太陽は日々新しく生じるという仮説をその他で主張した唯一の人ヘラクレイトスは、このような経験的観察をけっして好んでいないからである。かれは、クセノパネスの「多識」を嫌っている。

（9） IV 87, 88.

（10） *Vors.* 12 B 40.

（11） Wiegand, I. *Bericht über die Ausgrab. in Samos* (*Abh. d. Berl. Ak.* 1911) S. 19.

（12） O. Wolff, *Tempelmasse*, Wien 1912.

（13） R. Reinhardt, *Die Gesetzmässigkeit der gr. Baukunst* I. *Der Theseustempel in Althen*, Stuttg. 1903. J. Durm, *Z. d. Verb. D. Architekten und Ing.-Vereine* 1912 Nr. 22 S. 190ff.; Nr. 23 S. 200ff. 参照。

（14） III. 60.

（15） Fabricius, *Athen. Mitt.* IX (1884) S. 165ff.

（16） Diodor*4. II 9, 1 にはこのおどろくべき工事が、クテシアス*5の風説めいた報告書によって述べられている（この工事は、七日間で完成したといわれている）。

（17） Heron, *Dioptr.* 15 (III 238 ed. H. Schoene)：「トンネルの入口を設定してまっすぐに山を掘っていく」〈ὄρος διορύξαι ἐπ' εὐθείας τῶν στομάτων τοῦ ὀρύγματος ἐν τῷ ὄρει δοθέντων.〉 W. Schmidt は *Bibl. math.* III Folge IV (1903), S. 7ff. で説明している。設計図はサモスの地形と非常によく似ているから、著者がこの世界の奇観を目のあたりに見たと考えてよいであろう。

（18） Merriam 教授は、この作業の高価なことについて、正当に注意をうながしている。かれはつぎのようにいっている。「こういう大きさと広さのトンネルが、単に工学方面だけでなく財政的企業としても、ふつう以上の土木工事とみなされなくなったのは、ほんの数年来のことである。……こ

原注

第一講の注

(1) I 74. によると、「ミレトス人タレスは、変化がじっさいにおこったその年を限定してその日の変化がおこるであろうとイオニア人に予言していた」〈τὴν δὲ μεταλλαγὴν ταύτην τῆς ἡμέρης Θαλῆς ὁ Μιλήσιος τοῖσι Ἴωσι προηγόρευσε ἔσεσθαι οὖρον προθέμενος ἐνιαυτὸν τοῦτον, ἐν τῷ δὴ καὶ ἐγένετο ἡ μεταβολή.〉タレスは、カルデア人の発見したサロスの方式を知っていた。これによると、蝕は18年11日（日は正確ではない）の周期で繰りかえす。ところでかれは、前603年3月18日におこった大きな日蝕を、おそらくエジプトで観察できたであろうから、かれは、以下のように概算したはずである。日蝕は、603+18年後、つまり前585年3月18日以後に、しかもその ἐνιαυτός 満了前に、さらにくわしくは夏至の満了前に（ἐν-ιαύειν の字義は、C. Brugmann, *Idg. Forsch.* XV 87; XVII 319 の明白な語源によれば、「休息期」である）、すなわち、585年6月満了前におこるであろう。事実、日蝕は同年5月22日におこったのである。正確な年は、たぶんクサントス*1 によって、古代の年代記者たちに知られていた。拙編 *Vorsokratiker* 1 *A* 5 (I^3 7, 21) を見よ。

(2) Herod. I 75.

(3) *Laterculi Alexandrini* 8, 8 (Abh. d. Berl. Ak., 1904, S. 8). これについては、Rehm, *Pouly-W. R.-Enc.* VII 2401 と Ginzel, *Chronologie* II 386 が触れている。本書の図版四の説明を見よ。

(4) Herod. VII 34. ヘロドトスは、多くの使用ずみ鋼索を、たぶんアテナイで見たらしい (IX 21)。

(5) Boll, *Entwicklung d. astron. Weltbildes* (*Kultur d. Gegenw.* III 3, 別刷), S. 27.

(6) Diels und Rehm, *Parapegmenfragmente aus Milet, Berl. Sitz.-Ber.*, 1904, 92ff. Dessau 同書 S. 266 参照。

(7) *Vors.* I^3 8, 40 Note; II^3 197.

(8) Theophr. De sign. 4 (*Vors.* II^3 197, 8). クレオストラトスとだいたいお

ワ　行

ヤ　行

ラ　行

マ 行

ナ　行

ハ　行

タ　行

サ　行

カ 行

さくいん

ア　行

本書は、一九七〇年、鹿島出版会よりSD選書として刊行された。文庫化にあたって、傍点部をゴシック体に変更するなど一部表記を改めた。

古代技術(こだいぎじゅつ)

二〇二四年四月十日　第一刷発行

著　者　ヘルマン・ディールス

訳　者　平田寛（ひらた・ゆたか）

発行者　喜入冬子

発行所　株式会社　筑摩書房
東京都台東区蔵前二―五―三　〒一一一―八七五五
電話番号　〇三―五六八七―二六〇一（代表）

装幀者　安野光雅
印刷所　株式会社精興社
製本所　株式会社積信堂

ISBN978-4-480-51240-6 C0122

ちくま学芸文庫